YOU ARE HERE

A Portable History of
the Universe

我们人类的
宇宙

138亿年的演化史诗

[英] 克里斯托弗·波特——著
曹月 包慧琦——译

Christopher
Potter

中信出版集团 · 北京

图书在版编目（CIP）数据

我们人类的宇宙：138 亿年的演化史诗 /（英）克里斯托弗 · 波特著；曹月，包慧琦译 . -- 北京：中信出版社，2017.9（2017.11 重印）
（我们人类）
书名原文：You are Here:A Portable History of the Universe
ISBN 978-7-5086-7784-2

Ⅰ . ①我… Ⅱ . ①克… ②曹… ③包… Ⅲ . ①宇宙—普及读物 Ⅳ . ① P159-49

中国版本图书馆 CIP 数据核字（2017）第 146847 号

我们人类的宇宙：138 亿年的演化史诗

著　　者：[英] 克里斯托弗 · 波特
译　　者：曹月　包慧琦
出版发行：中信出版集团股份有限公司
（北京市朝阳区惠新东街甲 4 号富盛大厦 2 座　邮编　100029）
承 印 者：山东鸿君杰文化发展有限公司

开　　本：880mm×1230mm　1/32　　印　　张：9.5　　字　　数：210 千字
版　　次：2017 年 9 月第 1 版　　印　　次：2017 年 11 月第 2 次印刷
京权图字：01-2017-3803　　广告经营许可证：京朝工商广字第 8087 号
书　　号：ISBN 978-7-5086-7784-2
定　　价：32.00 元

献给我的母亲

我可有勇气

搅乱这个宇宙？

——T. S. 艾略特，《普鲁弗洛克的情歌》

目录

第
1
章

起源

这些无限空间的永恒沉默使我恐惧。

——布莱士·帕斯卡

不论是公园、火车站还是购物中心的示意图上，通常都会有个“您所在的位置”的标志，一般用红色箭头指向图上的某个地点来表示。但是，“这里”到底是哪里？孩子们以为自己知道这个问题的答案。某本书的扉页上，我根据个人喜好写上了我的完整星际地址——克里斯托弗·波特，拉什格林路 225 号，利姆市，柴郡，英格兰，大不列颠及北爱尔兰联合王国，地球，太阳系，银河系。我幼稚的字越写越大，这个地址的每一个小节也逐渐变得更大更重要，直到这串字符的终点，也是最后的高潮：宇宙。在宇宙中，万事万物都有着自己的位置。

孩提时期的我们很快就发现宇宙是个奇怪的存在。我曾经在夜里强撑着不睡觉，想象宇宙之外会有什么存在。如果宇宙包罗现存的万事万物，那么宇宙又被包含在什么里面？科学家告诉我们，这个可见宇宙是由一个辐射区域演化而来，它不被任何存在包含在内。可这个解释引发了太多的疑问，这些疑问甚至比我们最想要解答的问题更让人烦恼。所以，让我们把宇宙抛到一边，想想其他事情吧。

我们不喜欢思考宇宙是因为我们惧怕宇宙的包罗万象。跟宇宙相比，人类只是微小的粒子，所以人们很难跳出“体积大小很重要”的观点。退一步说，谁敢否认宇宙的存在？毕竟宇宙里有那么多东西。盎格鲁－日耳曼学者爱德华·孔泽（1904—1970）写道：“精神诉求似乎要被这个愚蠢的大块头吞下去，变成某种毫无意义的梦魇”，“我们察觉到的身外事物数量庞大，而我们自己的内在直感仿佛微弱的火苗。两相比较，似乎突出了非常物质化的人生观。”如果注定要与宇宙抗衡，我们必输无疑。

同样可怕的还有“宇宙无物”的观点。不久之前我们还是无物，然后我们变成了某种存在。难怪孩子会做噩梦。我们的存在应该可以证明生命之前不存在虚无阶段，就像李尔王所说的“一无所有只能换来一无所有”。然而，每一天人类的自我意识都湮灭后再奇迹般地复苏，也就是睡着又醒来。这一过程提醒我们：我们都来自绝对的无物。

如果宇宙里有物质存在——显然宇宙里确实有物质存在，那么这些“物质”又来自何方？这个想法和人类最初对死亡的模糊认识相吻合：死亡和虚无手拉手，它们是双份的恐怖，可以和我们对无限的恐惧并列；我们花费毕生精力把对它们的恐惧压制在成人的躯壳之内。

人类处在了进退两难之地。一方面，我们知道宇宙里肯定有东西存在，因为我们确信自己是存在的；但是我们也知道宇宙中什么都没有，因为我们害怕那里是我们生命的起源地和终结地。虽然理智上我们知道死后总归要回归虚无，但是情感上并不相信。美国小说家约翰 · 厄普代克告诉我们："我们都是永垂不朽的，在活着的每一天。"

"我死后会经历什么事？"小孩子很小就会问这个连大人也不想回答的问题。即便是物质世界的物质女孩都不会满意死亡等于身体腐烂的答案，但是，这个问题的物质化答案，或者是任何问题的答案，都会回到同一个起点。什么是这个世界的物质，这些物质又从哪里来？思考宇宙就好比再一次提出自己儿时的问题：包罗万象是什么？虚无无物又是什么？成年之后，没人再考虑过这些问题。

看起来，所有的孩子都曾经是做科学家的苗子。他们从来不畏惧大胆提问、追寻真相，直到筋疲力尽，虽然筋疲力尽的一般都是孩子的父母。好奇心驱使着孩子们问出："为什么？这又是为什么？还有呢？"他们希望得到某种终极的真相，就像是我们的星际地址要写到整个宇宙为止，这个真相必须是超越一切的、不容置疑的。

德国哲学家戈特弗里德 · 莱布尼茨（1646—1716）曾问："为什么宇宙并非空无一物？"对宇宙的所有描述最终都必须能够回答这个问题。科学尝试援引世界上物质的动态变化，用"怎样"的答案来回答"为什么"的问题。但是"怎样"的答案也聚焦于相同的最终问题上：科学家们并不问"为什么"宇宙里有东西而非空无一物，他们会问这些东西是“怎样”从虚无里出现的。为了说明宇宙拥有的无限包容性，我们似乎也要说明宇宙起源时的无物。但是，构成世界的这些物质在无物状态时长成什么样子？是什么变动使得虚无变成了存在，这些存在又怎样发展成为我们称之为“宇宙”的物体？

语言文字形成以来的几百年间，科学都处于不断进化发展的过程中，一直在调查探索“世界之外”的一切。“世界之外”的事物都处在运动之中，这里的“世界之外”指的就是宇宙。所以，我们认为科学家能够为我们解答这个问题：虚无和万物之间的何处是我们存在的地方？

他们的回答并不总是令人振奋：

法国生物学家雅各布·莫诺（1910—1976）曾经写道：“人类最终会知道，他一直都是独身一人处在宇宙的无垠之中，他从宇宙中出现只是偶然事件。”他的话听上去满含愉悦，好像确信人类总归可以发现真相。

牛津大学人类未来研究院院长尼克·博斯特罗姆写道：“科学已经揭示了许多关于这个世界和我们在世界中处于什么位置的事情。而且大体上，这些发现结果都是十分令人谦卑的。”“地球不是宇宙的中心。我们人类也是从牲畜进化而来。我们的构成成分和泥土一样。我们依靠神经生理学信号来移动，并且服从一系列生物学、物理学和社会学的影响。对于这些领域，我们理解很少也无法控制。”

美国物理学家阿曼德·德尔塞姆说：“我们真正的位置，是一个孤立的位置，位于无垠且神秘的宇宙之中。”

在无意义中被孤立：无怪乎我们这些普通人喜欢待在家里看电视，读读《米德尔马契》，或者做一切在家里做的事情。如果宇宙真的和科学家描述的一样，我们宁可不要。这些描述只会重新激起我们自小就在压抑的恐惧，关于生存问题的令人作呕的恐惧。

又或者这只是我的恐惧，并不是你的恐惧？我的一些朋友声称他们从来不思考任何关于宇宙的事情。与此同时我只能想到这种态度——拒绝宇宙也拒绝万物的态度，证明他们其实深深地惧怕宇宙而不是对其缺乏兴趣。毕竟，谁愿意知道自己是广阔无垠、无目的又冷漠的宇宙中微不足道的一点呢？如果我们足够重视这事，就会倾向于责怪科学家为什么要发现这个事实。这些刻板的科学声明看起来无法反驳。如果我们因为对真相的恐惧而不去思考科学，可能会轻松一些。我们害怕得知某些不可驳倒的、不如不知道的事实，比如人类其实没有自由的意志，思想其实就是大脑的一个机能；比如神明根本不存在，真正的真实就是物质的真实；再比如不属于科学的知识并不是无用的，它们根本都算不上知识。

有时，科学似乎在表明宇宙和我们之所以为人的主观体验没什么共通点。人类好像和一个对人类特性毫不关心的宇宙站在对立面上，这不禁让人思考：是不是要成为人类就必须从本质上脱离创造人类的本源？没有几个人愿意考虑这个问题。

与宇宙和睦相处并非易事。英国数学家弗兰克·拉姆齐（1903—1930）找到了一种通过调节对大小的界定来调和整个宇宙的方法："我和一些朋友的不同点就在于我不关心事物物理体积的大小，在广阔的天空面前我并不感到渺小卑微。那些星星可能体积巨大，但是它们不能思考，无法感受爱意。我重视这些品质更甚于体积大小……我对于世界的描画合乎比例……人类占据最显眼的位置，那些星星则和3便士硬币差不多大。”当代天文学家艾伦·德雷斯勒也有一个相似的策略：“如果我们看宇宙的时候学会无视能量和体积大小，而是关注细微之处及复杂之处，那么我们的地球比整个银河系的星星都更闪耀。”

把宇宙化成人类大小可以让我们回想起形式分析出现之前画家笔下的宇宙，但形式分析引入了一种全新的体积大小层级关系。文艺复兴前的画作里，体积大小的层级关系建立在相对的心理重要性上，所以画中的圣母马利亚占画面面积最大，大于那些圣人，那些圣人又大于跪着的捐资人，即使这些捐资人其实才是最初出资雇用画家作画的人。拉姆齐认为衡量世界的尺度是人性，不是什么心灵标尺或者真正的码尺。抛开所有的恐惧和关于生存问题的谜团，如果我们不能摆脱“科学可能代表万事万物”以及“整个宇宙可以被测量和清算”的思想，上文的策略就没什么太大帮助了。我们可能轻易地就说服自己，让科学把自己的生命变成文件和档案，就像某些极权政体相信人民只有在被变成数字的时候才是最服从管理的。在人们心目中，科学和科学家大约是僵化的、独裁的、父权的、善于解析的，以及没什么情感内涵的。

但是凡事都有两面性。半个世纪之前，英国天文学家和物理学家弗雷德·霍伊尔（1915—2001）注意到一个有趣的现象：“绝大多数的科学家都声称对宗教避而远之，但这其实说明宗教对科学家的支配度比对神职人员的还要深。”他的这个发现很显然隐含怒火。当然，过去大部分的杰出科学家都是笃信宗教的。最近一次投票结果显示，即便在今天，还有大约50%的科学家信仰某些神明，另一项投票则表明 100 个科学家中只有 30 个相信平行宇宙的存在。爱因斯坦曾说："我想知道上帝是如何创造了世界的。"[1]他说："我并不对这个或者那个现象感兴趣，也不关心这种或那种元素的光谱。我想了解上帝的想法，其他都是细枝末节。"

英国理论物理学家斯蒂芬·霍金（1942—　）和美国物理学家斯蒂芬·温伯格（1933—　）都是一贯立场坚定的唯物主义者。在著作中，他们不时提到上帝的可能本质是什么，当然他们并不信仰上帝。霍金说其实我们离了解上帝思想的地步不远了。但温伯格公正地表示："科学并不是禁止人们信仰上帝，它只是提供了不信仰上帝的可能。"

科学坚持无神论，因为科学意味着要在否认超自然的情况下解释自然现象。科学里的自然可以是神秘的，但不能是不可理解的。科学家则不需要笃信无神论，就像我们的思想不必被不可知论支配。如果有一天科学成功地解释了万事万物，那么那一天就是上帝的末日。但是科学真的可以解释万事万物吗？霍金曾经宣称"我们现在可能接近了自然终极法则探究的终点"，但是自然的"真相"还远远没有"大白"。19 世纪末期，美国物理学家阿尔伯特·迈克耳孙（1852—1931）也曾提出相似观点："看来，那些重大的潜在原理都已经被坚定地确立了，要了解这些原理的未来发展，就需要研究这些原理怎样积极地应用在了我们注意到的各种现象中。"他真是错得离谱。科学史上成果最丰富的一段时期正要开始。宇宙开的最佳玩笑就是要主动揭开面纱，虽然科学已经系统地揭

---

[1] 人们对于爱因斯坦的宗教观有着不同的推测。他很明显并不信仰拟人化的上帝，但是理解他的观点最好还是从他的原话中找证据。爱因斯坦为他著作中的"上帝"一词加上了着重号。

露了宇宙的一些秘密，但是这些发现却使得宇宙更加神秘。

科学劝说人类抱着不可知论看待几乎所有事情，目前生活在现代倦怠和讽刺大爆发之中的我们大概认为科学都是不可知的。“取得某些发现时，你宣告胜利的喊声可能引发全球性的恐慌。”德国剧作家贝尔托·布莱希特（1898—1956）在《伽利略传》一剧中给伽利略安排了如上台词。知识的代价是什么？我们越来越频繁地问着这个问题，因为科学既创造了我们所在的这个世界，又把这个世界推向毁灭的边缘。有时候，科学揭示的不确定事件的“必然性”看起来十分独裁专断。我很确定某些科学家让我们接受的不确定性并不符合诗人济慈所想。济慈写下“能取得成就的人……安于不确定的、神秘的、怀疑的境地中，而不急于追究事实和理由”，并把这种品质命名为“自我否定力”（消极能力）。我认为他的想法和那些科学家不同。同样，我也怀疑自己被某些科学家的盲目乐观干扰了。那些科学家呼吁我们关注科学未来的发展，他们说科学会让这个受伤的地球重现活力。[1]在无限的科学发展过程中，我们需要忍受多少盲目的科学乐观主义呢？

科学方法一直在寻找新的可开发领域。我们开始意识到地球所剩的时间不多了，至少愿意接受我们居住的地球已经逐渐衰亡。科学唯物主义的一些带头人说，不用担心，相信我们，我们很确定（嗯，非常确定）在人类征服整个宇宙之后，肯定能在宇宙里找到其他适合人类生存的地方。如果地球之外并没有适合人类居住的地方，我们将为你们建造一个全新的地球。

---

[1] 有人建议往大气层上层注入二氧化硫来减弱温室效应，也有人建议把大洋底部的冷水泵压到空中来帮助地球降温。

即便有人对离开地球找寻其他家园感到自信满满，这种超长距离的旅行仍纯属推测，甚至不能称为真正的科学，因为我们对自然法则的理解还远远不够深刻。可能在更了解宇宙是如何建成的之后，我们就会找到更多的原因来解释人类为什么被束缚在地球上。把所有科幻小说的希望和与科幻无异的科学理论推测都抛到一边，根据合理推测，我们可能永远不会旅行到太阳系之外，甚至能够到达的极限还要更近一些。距离上一次月球行走已经过了一代人的时间，而我们才刚刚意识到即便在太空中跳跃那么小的一步都会给人带来巨大的精神创伤。我们甚至都不清楚人类为了适应另一种环境会变成什么样子——可能是某种人造的后人类形象？也许我们就只适合生存在地球上，这个认知可以让我们更好地保护地球。2006 年，斯蒂芬 · 霍金写道，未来人类最大的存活希望就在于抛弃地球，找寻一个新家园。但与此同时，有个备用计划不是锦上添花吗？

我想要知道这个又吸引我又令我排斥的宇宙到底是什么，为什么描述宇宙的方法论也是既吸引人又让人厌弃？科学吸引我是因为它的力量、美感和神秘感，以及它呼吁人们生活在不确定之中。而令我排斥的是科学的力量、无政府主义和自鸣得意的物质必然性。没准当我明白科学家的工作到底是干什么之后，这些两极分化的想法能够被调和。

在学校里，科学和自然（我们身边的宇宙）的关系从来没有被深入探讨。我甚至不确定我能否把实验室里发生的事情和自然世界在我们周边显现的事情联系在一起。物理学用滚珠轴承和电气硬件（森林里和高地上哪里来的电气硬件）来模拟宇宙；化学关注的是那些我们在室外几乎找不到的元素之间如何反应；然后，生物学这个传说中与生命世界相关的学科，看起来更多的是切开那些被特意杀死的动物。科学似乎是关于如何强迫这个不情愿向人类低头的世界变成某种服从人类的存在。还有数学，这个学科是怎样安身在科学范畴里的？有一次，我听到有人说数学是科学里的女王，但这个定义是什么意思？我收集了一些意见，发现数学似乎是以某种方式支持着科学，但是数学系里却没有人表现出这一点。数学系里的人反而认为数学的定义太过广泛，和实验室是没有什么关系的。

我在学校学习科学的经历太过伤人，足以使我感觉到自己只是个科学门外汉。但是这伤痛又不够深刻，没有浇灭我这个门外汉想要知道科学到底干了什么的热情。我们不难感受到被科学拒之门外的感觉：甚至科学家都可以借口说感到自己被排斥了。“人们在马厩后面建起工作室，愉快地研究宇宙法则”[1]的日子已经一去不复返了。耗资数百万美元、花费数年才能建造的火箭发射观测台和粒子加速器终结了科学的广泛民主性。[2]数学家经常组成排外的小组织，但即便是这种组织现在也崩溃成了更小的群体。有些数学证明需要几年的时间去检验，而这个过程只有那些参与证明的数学家或者最初提出这个假设的数学家才能体会。如果科学家都自称被科学排斥在外了，那么我们这些困惑的门外汉又该如何穿越科学的黑雾呢？

---

[1] 出自出生在德国的英国小说家西贝尔·贝德福德（1911—2006）于1956年出版的《遗产》一书。

[2] 意思是我们依旧可以在马厩里做研究，但是追寻宇宙法则的研究越来越贵了。

上学的时候，我发现自己有一定的数学天赋。我的数学老师丘奇女士教导[1]我：教育能让人真正产出一些成果而不是强硬填塞知识，但在教育中很多人都走上了填鸭式教学的岔路。直到大学，我才发现在数学领域里我无法产出原创性的成果。数学学得还不错的人就好比一个勉强上手的厨子或者一个平庸的画家，和外行无异，且与专业人士之间的差距会变得越来越大。真正有天赋的人起点都高于外行人之最高成就。一顿好饭可能是严格遵照菜单操作的产物，这么死板的操作又如何创造出新菜单呢？虽然我曾经也可以写出爱因斯坦的相对论公式，也能随手证明哥德尔的定理，但在我回顾这些探索自然真相的伟大见解时，我其实并不明白我在干什么。我接受教育的年头也不短，可教育并没有让我明白科学家们的工作到底是什么。这个问题部分来源于科学家做事的时候并不问所做何事，就算不清楚干什么，但只要干活儿就很开心。科学家不关心哲学难题，他们可能会引用美国物理学家理查德·费曼（1918—1988）的名言来回应你："少说话，多计算！"科学家都是实用主义者。[2]如果某件事情可行，那么任何哲学方面的考量都是多余的。美国理论物理学家李·斯莫林（1955—　）对此有更深刻的阐述。他宣称"科学的目的就是要还原自然的本质，我们不会被哲学或神学的偏见阻碍"。[3]但科学能和哲学及神学分离而论吗？难道科学和其他追寻自然真相的学科之间隔着一条条有毒的河流？从历史的角度看，科学其实是从哲学及创世神话中发

[1] 教导（Educate）：来源于拉丁语单词"e"（来自）和"ducere"（引导）。
[2] 就像是王尔德的剧本《真正最重要》（1895 年）里的格温德琳所说："你知道的，这真是个玄学问题，就跟大多数这类问题一样，它与真实生活没有什么关系。"（引自芮渝萍译本）
[3]《新科学家》，2006 年 9 月 23 日刊载。

展起来的，并且我们现在的科学知识实际上就是现代的创世神话。我想要探究的正是那条有毒的河流。

我重回大学去追求我对正式教育的最后渴望：攻读科学史和科学哲学博士学位，但后来只上了一年课。我对那一年最深的记忆就是我们院长所说的一番话，可能是因为他很快就推翻了自己的说法，也可能是他的话使我联系到自己一直以来的想法，认为自己正在本应栖身的世界之外。院长先生问道，如果了解敲击琴键的物理变量仅有速度和力度两个，这种情况下应该怎样教授弹琴的技巧呢？停顿了一会儿，他又说可能只有一个变量，那就是力度。因为弹钢琴的动作是固定的。我被他的一番话激起了兴趣，这让我看到了渡过那条有毒河流的希望。“但是我们却走入了美学的歧途。”他总结了一下，然后转移了话题。那一年年末，我拿到了硕士学位，之后并不怎么明智地闯入了更广阔的世界。

最终，我成了一名编辑，和许多不同的作者合作。有些作者写的是关于科学的事情，有些作者写的是人心的变迁。很长一段时间里，我都很开心地认为自己在两个世界之间找到了栖身之所。

和许多较晚开始写作生涯的人相同，我也是经历了风波[1]才走上了作家之路。我意识到，要不就去努力寻找能写出我想读之书的某个作家，要不就自己上阵写书。虽然是个门外汉，但这未尝不是我的优势。

一个门外汉能否找到通路去穿越那个科学描述中的宇宙？我希望答案是肯定的。我们并没有感到被那些寻找真理的人类计划

[1] 风波（Crisis）：转折点、低谷。来源于拉丁词语“Krinein”，意为“下决心、做决定”。

排斥在外；虽然我们可能看不懂现代艺术的作品，但是我们有资格对其进行评价。“我自己在家会更好”绝对不是对现代最新科学理论的应有回答。如果人们对粒子加速器有所了解并且知道这个机器的作用，他们可能就会敢于对大型强子对撞机评头论足。我们甚至可以对这个机器的耗费进行评价，不仅是关于它花了多少美元，还要看它为现代对物理现实的描述做了多少贡献。我们有很多渠道来获知相关信息，比如，专门的杂志和某些报纸上的特别报道，但是在我的想象中，阅读我的著作的读者会认为即便是这么大众化的媒体也把她排斥在外。她很想要开始一次星际漫游但却不知道从何起步，更别说知晓路途终点在哪里。她可能无法从我有限的科学知识中获益，但是她和我有着共同的理想，都想要知道科学到底是干什么的，并且她和我一样被科学要告诉我们的事情所吸引，就算那些知识让我们痛苦，我们也要了解地球以外的事物。科学家们冒险探索宇宙的历史已经有几百年了，当时的他们的工具只有时钟和米尺。大概这也就解释了为什么这些无畏的冒险家都比较疯狂。手握魔杖，我们就可以小心但不畏缩地避开疯狂，并且自信地践行 T. S. 艾略特的格言：“只有那些甘愿冒险不断前行的人，才能够清楚地了解自己能走多远。”

第
2
章

26度分割理论

人是万物的尺度，存在时万物存在，不存在时万物不存在。

——普罗泰戈拉

如果想探寻我们身处宇宙何方，我们就需要知道宇宙中到底有些什么，以及它们都在何处。科学家用“米”作为衡量物体的尺度，我们也尝试一下用米尺丈量宇宙。来看看我们会发现什么吧，如果注定要被宇宙的广袤无垠击垮，我们至少得知道这种无力感什么时候涌现心中。

一米一米地丈量宇宙，这项工程不知何时才能完结。开始时的谨慎仔细在耐心消磨后只剩厌烦。如果我们把每一步放大10倍（“倍”等同于科学家口中的数量级），我们完全可以探索得更远，进展得更快。首先，任何长度在1~10米之间的物体都归在一个数量级里面，这是我们开工的第一步。宇宙探索的第二步就是衡量那些长度在 10~100 米之间的物体，之后依此类推。从地球出发，我们将会探寻孩子们梦想中的神奇宇宙。

1~10 米（10^0 ~ 10^1 米）

绝大多数的人在身高上相差不大。约翰 · 济慈高 1.54 米，海军上将纳尔逊勋爵和玛丽莲 · 梦露都是 1.65 米高，史蒂芬 · 金和奥斯卡 · 王尔德都是 1.9 米高。18 世纪到 19 世纪之间，欧美人的身高傲视全球。现今，平均身高最高的国家是黑山，那里男性的平均身高达到了 1.86 米。平均身高第二高的是荷兰，男性平均身高 1.85 米，而在 19 世纪末期，荷兰人则是出了名的矮小。在过去的 2,000 多年里，伦敦人平均身高最矮的时代是维多利亚时代，平均身高最高的是撒克逊时期。

巨人症和侏儒症导致了极其罕见的巨大身高差异，这种身高差比人的平均身高差高出 20%。我们所知最高的人是美国的罗伯特 · 瓦德罗（1918—1940），身高达到了 2.72 米。

我们的日常生活中接触到的大部分物体都是长度在 1~10 米之间的。陆地上现存最大的动物绝大多数也在这个长度范围内。成年的长颈鹿是陆地上最高的动物，它们的身高一般都在 4.8 米到 5.5 米之间，已知最高的长颈鹿身高为 5.87 米。

10~100 米（10^1 ~ 10^2 米）

伸展长度最长的陆生动物是蟒，已知的最长个体是 1912 年在印度尼西亚捕获的，测量长度为 10.91 米。如果可以活足够久，蓝鲸能一直长到 30 米长。但是由于人类的捕杀，大部分蓝鲸寿命不会很长，现存的蓝鲸种群数量也从 20 万头骤降到 1 万头。世界上伸展长度最长的生物是带虫，学名纽形虫。在苏格兰圣安德鲁斯海岸边发现的带虫个体长度达到了惊人的 55 米。

过去的陆生生物体积要比现在的更加庞大。直到今天，很多人都还认为霸王龙是最大的肉食恐龙。人们发现的最大霸王龙标本被命名为“苏”（正式编号 FMNH PR2081）。这头雌性霸王龙身长 12.8 米，体重可能有 6~7 吨。它生活在距今大约 6,700 万年前。1993 年，另一种肉食性恐龙——南方巨兽龙的化石在阿根廷出土。人们发掘出的最大巨兽龙化石长 13.2 米。还有人说棘背龙才是最大的肉食恐龙，因其成年体的身长可达 16~18 米。但是最初在埃及发现的棘背龙化石已经毁于“二战”的战火中。之后，人们只发现了另一个棘背龙头骨而已。

我们可以断言，无论我们有什么化石的证据，这些化石都只能代表曾经生活在地球上的种类繁多的恐龙中的极少数。此外，即便是所知的这些种类，我们对它们仅有的一点了解也都是建立在几块骨头之上。我们曾得到过一具比较完整的布氏腕龙（又称长颈巨龙）骨架化石，是由许多零散发现的骨骼化石拼接而成的。这具化石直立起来的高度是 12 米，身长 22.5 米，重量超过 60 吨。布氏腕龙生活在距今大约 1.4 亿年的侏罗纪晚期。20 世纪 70 年代以来，人类陆续发现了其他体形更大的草食恐龙，虽然这些恐龙的数据来源于不完整甚至十分零散的骨骼化石。人们认为整个恐龙种群中最大也是最长的当属易碎双腔龙。易碎双腔龙体长 58 米，重达 122 吨。这种恐龙还原自一张脊椎草图（真正的化石已经下落不明），它的巨大体形应该是人们根据草图推测出来的。

伦敦市特拉法尔加广场上的纳尔逊纪念柱（包含柱顶 18 英尺高的纳尔逊雕像在内）高 170 英尺。2006 年，有人说这个纪念柱有 185 英尺高（约合 56.39 米），但是没人去考证这种说法的真伪。

100～1000 米（10^2～10^3 米）

迄今为止发现的世界上最高的树可以勉强归入这个数量级。世界上最高的树是 2006 年发现的一棵红杉，测量高度为 112.51 米。以攀爬的形式生长的棕榈藤（黄藤属）可以长到 200 多米长。

孩子们喜欢站在高处对周围进行观察，大人们也保留了登高的热情。纵观历史，人类一直都在建造力所能及的最高建筑。在前 2600 年前后的一段时间里，埃及法老斯尼夫鲁的红金字塔曾是世界上最高的人造建筑物。这座金字塔也被认为是第一座侧边平滑的金字塔。另一座埃及的金字塔——吉萨大金字塔，建于前 2570 年，高 146 米，成为当时世界上最高的建筑物。取代吉萨金字塔地位的是 1311 年落成的林肯大教堂，高 160 米。随后的几个世纪里，竞争世界最高建筑的都是各大教堂。科隆大教堂（1248 年始建，1880 年落成）是 1880 到 1884 年的世界最高建筑物。随后的 5 年中，华盛顿纪念碑以 169 米的高度夺得了冠军。但 1889 年，也就是华盛顿纪念碑落成的那年，埃菲尔铁塔夺得了世界最高建筑的头衔。埃菲尔铁塔从塔底到塔顶的高度为 300.65 米，如果算上塔顶的旗杆，整塔的高度达到了 312.27 米。

如果把一般建筑和塔分开比较，那么华尔街 40 号曾在很短的一段时间里保持了世界最高建筑物的纪录，整栋建筑高 282.5 米，不到 11 个月就建成了。它的后继者是拥有当时史上第一高度的克莱斯勒大厦。1929 年 10 月 23 日，克莱斯勒大厦楼顶被悄悄地加装了一个螺旋塔尖，使得整栋建筑达到了 319 米的高度。汽车制造商沃尔特 · 克莱斯勒（1875—1940）拥有世界最高建筑的美梦只持续了不到一年，帝国大厦就果断夺走了克莱斯勒大厦最高建筑物的桂冠。1931 年帝国大厦封顶的时候，这栋建筑物已经高达 381 米。

如今（2008 年）世界最高的建筑物是位于迪拜的迪拜塔（哈利法塔）。2007 年 9 月 12 日，迪拜塔建造到 555.3 米时，它就以 2 米的高度差战胜了上一任最高建筑——多伦多的加拿大国家电视塔，成为世界最高建筑物。迪拜塔[1]在 2009 年竣工时预计会达到 818 米以上的高度。

1~10 千米（10^3 ~10^4 米）

在起伏一般的地形上，我们目力所及的地平线约有数千米远。[2]我们仅凭肉眼环视四周时，地平线为我们划出了一道视野界线，就像是伸手的长度和步伐的大小限定了我们的身体探索宇宙的距离。

站在平原上远望，或者是远眺海面，再假定你没有高得离谱，

[1] 迪拜塔在当地时间 2010 年 1 月 4 日落成，最终高度为 828 米。——译者注

[2] 美国肯塔基州东部地区的人们把身体到视野极限的距离称为一个“看见”（see），也就是眼睛能看到的最远距离。

那么你的视野的绝对极限大约是 5 千米，当然是地球的大小决定的。如果眼前有远山景色，我们就能看得更远。世界上最高的山峰是珠穆朗玛峰，雪盖高 8,848 米。

世界上最深的矿坑位于南非一个名叫陶托那（意为“大狮子”）的金矿，该矿坑深 3.6 千米。

海洋底部的地壳厚度为 5 到 7 千米。

10～100 千米（10^4～10^5 米）

虽然现在世界上最高的建筑还不到 1 千米，但是根据理论研究，以现有的建筑材料建造高楼的极限高约为 18 千米。

世界最低点位于太平洋里，位于海平线以下 11.034 千米，使得世界上最深海洋的深度超过了世界上最高山峰的高度。

很多孩子喜欢往地下挖，希望能够挖到地球的另一侧去。大人们也有一个全力深挖的钻地计划。此项计划始于 1970 年 5 月 24 日，起点位于苏联境内临近挪威边境处的科拉半岛。最深的几个钻孔都钻成于 1989 年。当地底温度达到了 300 摄氏度，在无法避免钻头在地下融化的情况下，1992 年，此项计划停工。这项计划中最深的钻孔，也是人类史上最深的钻孔，深 12.262 千米。

陆地底部的地壳厚度平均为 34 千米，有些地方的厚度可能达到 80 或 90 千米。

高度最高的云（被称为夜光云）呈银蓝色，通常在夏季形成在南北两极上空，距离地面 80 千米。近些年来，夜光云的数量在增加，南端最远到美国犹他州的位置都可以看到它们。

在美国，飞离地面80.5千米以上距离的人都可以称之为太空人。

大气层没有边界，只是会变得无限稀薄。不过，大气层四分之三的质量都位于离地11千米之内的范围。为了实际目的，我们以卡门线来定义大气的边沿。卡门线以匈牙利裔美籍工程师西奥多·冯·卡门（1881—1963）的名字命名，他发现高度100千米以上的空气很难产生空气动力学中的升力。

地球在运行中可能会穿越布满尘埃和小岩石的区域（通常都是彗星通过太阳附近时留下的残屑），这时某些物质就可能进入大气层。残屑在穿越大气层时冲撞摩擦的作用造就了我们眼中的流星。英仙座流星雨，又称“圣劳伦斯的眼泪”，可以于每年的8月在北半球观测到，观测历史已经超过了2,000年。每年都有几百吨的细微尘埃颗粒从外太空向下飘入大气层，能够抵达地面的大块物质被称为陨石。

100～1,000千米（10^5～10^6米）

在500千米高空绕地运行的军事卫星可以分辨出地面上20厘米长的物体。

哈勃望远镜在1990年发射升空，运行轨道高度为600千米。初期运行时望远镜出现了问题，由于主镜研磨作业失误，望远镜的功能受到了影响。1993年一项出色的太空修复作业完成，哈勃望远镜实现了预期功能。根据这台望远镜收集的数据，我们所在星系（银河系）所含恒星数量的估算值在一夜之间增长了1倍。

目前已经有几颗人造卫星在服役期结束之后被炸毁。2007年1

月 11 日，中国引爆了风云气象卫星“风云一号”C 星，爆炸产生了至少 2,400 块比橙子略大的碎片。这些碎片全部落回地球需要几百年。一些人造卫星因此必须移往新的轨道。根据估计，在低于 1,000 千米高度内绕地球运行的人造碎片中，直径超过 10 厘米的有至少 18,500 件，超过 1 厘米的有 60 万件。

目前在距离地面 160~2,000 千米高度内沿轨道绕地球运行的人造卫星有 417 颗，换言之，这些卫星都是既属于这个数量级又迈入了下一个数量级的范围。在此高度内运行的卫星统称近地轨道卫星。近期组装好的国际空间站也属于近地轨道卫星，它的运行高度距离地面 319.6~346.9 千米，每天可绕地球 15.77 周，我们在地球上凭借肉眼就可以看到国际空间站。

1948 年，弗雷德 · 霍伊尔预言，第一张从外太空拍摄地球的照片会成为“一项和史上所有观点同样重要的新观点”。1968 年 12 月，“阿波罗 8 号”在轨道上首次拍摄了此类照片，拍摄高度离地面 181.5~191.3 千米。这幅照片名为“地出”，据说它对环境保护主义哲学产生了强大冲击，而环境保护运动正是在 20 世纪 70 年代开始发扬光大。同年的圣诞夜，电视上播出了来自“阿波罗 8 号”的一段影像，画面中宇航员们正齐声朗读《创世记》的章节，这段影像成了史上收视率最高的电视节目。

1,000~10,000 千米（10^6 ~10^7 米）

现在，有 47 颗人造卫星正在距离地面 2,000~35,800 千米的高度沿轨道绕地球运行，换言之，它们也跨越了两个数量级的领域。这类卫星统称中轨道地球卫星。最出名的中轨道地球卫星当属 1962 年发射升空的“电星一号”。“电星一号”是世界上第一颗有源通信卫星，它传回的第一段广播应该是肯尼迪总统的电视讲话，但是由于肯尼迪总统没准备好，这段广播就变成了美国职业棒球大联盟比赛中费城费城人队对阵芝加哥小熊队的片段。“电星一号”在 1963 年就停止了广播，但至今还在绕地运行。

中国的万里长城大约有 4,000 千米长。从地表到地心的距离大约是 6,370 千米。世界上最长的河流是尼罗河，长度为 6,695 千米。

1 万～10 万千米（10^7～10^8 米）

住在地球这个体积的星球上，我们永远不会离家超过 1.9 万千米的距离，除非你沿着地球的圆周走，或者你走了和来时不同的路线。

被命名为“蓝色弹珠”的地球照片是“阿波罗 17 号”在 1972 年拍摄的，拍摄于离地 2.8 万千米的高度。这张照片也同样带动了环境保护运动。

现在有 351 颗人造卫星运行在离地面 35,786 千米或更高高度的轨道上。这类卫星被称为高轨道地球卫星。

10 万～100 万千米（10^8～10^9 米）

“维拉一号”就是高轨道地球卫星的代表之一。它于 1963 年《部分核禁试条约》签订仅三天后发射升空，设计职能就是从太空探测核爆炸。它在离地 10 万千米多一点的轨道上运行。

我们现在没有选择，只能抛开地球，抛开我们依赖的地球上物体大小的界定方式。现在，我们要冲出大气层，超越人造卫星，去看看离我们最近的宇宙天体。

月球是地球的天然卫星，它距离地球的平均距离是 384,399 千米，大约是 100 万英里的四分之一。月球在远地点距离地球 405,696 千米，在近地点距离地球 363,104 千米。和太阳系里的其他天体相同，月球也是被太阳照亮的。太阳是发光的天体，并且是我们所在的太阳系唯一一个发光的天体。月球看起来像是除太阳外最亮的天体，但是我们看到的光亮（被称为月光）其实只是月球反射的太阳光。在我们眼中，月球就是夜空中最亮的天体。但即使是在满月时，月光的亮度都比太阳光弱 50 万倍，太过于微弱以至于我们看不到月光的颜色。澄澈的夜空中，在月亮呈现银色时，我们可以看到照亮地球的太阳光被反射到月球上。在这些夜晚，伴随着银色的月光，我们可以看到月球模糊的轮廓。明亮的银色部分是太阳光照亮的部分，而月球模糊的轮廓是被地球的反光照亮的部分。莱昂纳多 · 达 · 芬奇（1452—1519）是第一个正确认识这种效果的人。

100 万～1,000 万千米（10^9～10^{10} 米）

太空之所以被称为太空肯定是有原因的。在这个数量级的范围内，你很难找到任何体积可观的固体物质，除了偶然的流星和运行至此的小行星。但是太空并不是空无一物的，辐射和原子无处不在。

1,000 万～1 亿千米（10^{10}～10^{11} 米）

除了月球之外，离地球最近的行星就是金星了，金星也是我们太空漫步中将会看到的体积可观的天体之一。金星离地球最近的时候距离地球大约 4,000 万千米远。在我们眼中，金星也是夜空中第二亮的天体。

1 亿～10 亿千米（10^{11}～10^{12} 米）

太阳距离地球的平均距离约为 1.5 亿千米。地球到太阳的平均距离被称为一个天文单位，天文单位是宇航员们测量太阳系和太阳系周边航行路线的常用表述。

太阳占据了组成太阳系所有物质的 99.9%。所以行星们对于太阳的引力远比不上太阳对行星们的引力。我们与其说行星绕太阳运行，不如说行星都是绕着一个共同的引力中心运行。考虑到太阳无比庞大的体积，我们所说的引力中心其实就非常接近于太阳自己的中心了。

我们开始宇宙旅途时可能蹒跚地路过了金星，但是金星的运行轨道也会把我们带入更遥远的范围。金星到地球的平均距离是 1 亿千米多一点。火星和水星距离地球的距离也位于这个数量级或上个数量级之内，取决于它们二者相对地球而言位于太阳的哪一侧。

在此，我们可以稍稍停顿，考虑一下测量离地球这么远的天体是否明智。太阳作为太阳系的物理中心是由于它几乎占据了太阳系的所有质量。组成太阳的物质密度并不高，平均密度大约是水浓度的 1.5 倍，这也意味着考虑到其质量太阳该有多么庞大（直径大约 140 万千米）。

从地球出发，我们继续测量宇宙的旅程，但是我们其实已经发现这趟旅程设计得不自然了。宇宙就是一个广阔的地方，宇宙中的物质都处在运动之中。研究那些物质和它们的运动，我们知道行星的运动服从于太阳。从质量和运动的角度考虑，水星是运行轨道距离太阳最近的行星，其次是金星，然后是我们的地球，接着是火星。这几颗行星都是类地行星。太阳是太阳系的物理中心，其他构成太阳系的天体之间的物理关系也就十分明显了。

小行星带是在这些类地行星形成之时留下的许多废弃石块组成的带状区域。小行星带将有可见表面的行星和气态的行星分离开来，并且不断发展壮大，延伸的范围离太阳 2.7 亿 ~6.75 亿千米（1.8~4.5 个天文单位）。小行星的体积千差万别，小到一粒灰尘大小，大到直径 950 千米的谷神星（微型行星）。小行星带里还有其他三个直径约 400 千米的石质天体，和谷神星一起，这四个天体占据了小行星带的大部分质量。2000 年开始的斯隆数字巡天项目至今已经检测到了小行星带里超过 60 万颗的小行星。据称，到 2017 年，该项目可能能够检测到超过 100 万颗小行星。

这些小行星的运行轨道有时会和地球的轨道交叉，甚至会发生两星相撞的情况。平均来讲，地球和直径 5,000 米的小行星碰撞的概率是 1,000 万年发生一次，和直径 1,000 米的小行星相撞的概率是 100 万年发生一次，和直径 50 米的小行星相撞的概率是大约

1,000 年发生一次。每年都会有直径 5~10 米的小行星与地球碰撞并且在大气层上层就发生爆炸，爆炸释放的威力与当年投放到广岛的核弹爆炸相似。1908 年，一颗直径 50 米的小行星在西伯利亚通古斯河谷上方爆炸，摧毁了 2,000 平方千米的森林。直径 300 米的小行星 4581（阿斯克勒庇俄斯星）在 1989 年 3 月 23 日运行到了距离地球仅仅 70 万千米的地方，险些与地球相撞。当时它所在的位置是地球 6 小时之前所处的位置。如果这两个星体相撞，它们撞击的威力大约相当于广岛核弹级别的核弹每秒爆炸一次并且一直持续 50 天不间断。历史上也曾经发生过许多次地球险些撞上星体的事件，大多都是事件发生之后人们才意识到其危险性。至今为止人类一共检测到 800 颗潜在危险小行星。但是据说应该还有 200 余颗存在。受美国国会委托，NASA（美国国家航空航天局）正在为所有直径超过 1,000 米的近地星体（所有和地球轨道交叉的天体，不仅包括小行星）进行分类编号。小行星 1940DA，直径 1 千米，据称将会在 2880 年 3 月 16 日与地球相撞。

我们在宇宙旅行中遇到的第一颗气态行星是气态行星中最大的一颗，它就是木星。木星的质量相当于太阳系其他行星总质量的 2 倍。它到太阳的平均距离是 7.78 亿千米（约 5 个天文单位）。在我们看来，木星是夜空中第三亮的星体，排在月亮和金星之后。

10 亿～100 亿千米（10^{12} ～10^{13} 米）

土星是离太阳第六远的行星，也是太阳系第二大行星，质量仅次于木星。它到太阳的距离大约是 14 亿千米[1]多一点。我们已经深入宇宙很远了，现在我们从地球测量的距离已经和从太阳测量的距离相近了，都处于同一个数量级中。从地球量起，木星距离地球的距离是 13 亿千米略少一点。

天王星是离太阳第七远的行星，距离太阳大约 28 亿千米。它是太阳系里体积第三大、质量第四大的行星。天王星也是现代发现的第一颗行星。1781 年 3 月 13 日，出生于德国的英国天文学家威廉·赫歇尔（1738—1822）注意到一个迄今为止都被定义为恒星的星体应该是另一种类型的天体。起初他以为那个天体应该是一颗彗星，但是到了 1783 年，很明显他发现的是一颗新行星。这是太阳系在现代的第一次范围扩展。为了奖励赫歇尔的重大发现，英国国王乔治三世每年为他拨款 200 英镑作为补助。

海王星是距离太阳第八远的行星，也是太阳系中体积第四大、质量第三大的行星。海王星距离太阳大约 45 亿千米远。

我们可以视物是因为太阳照亮了物体，但是我们也可以通过天体之间的引力“看到”不同的天体。19 世纪的前几十年，科学家观测发现天王星的运行轨道受到了干扰，据此他们推断应该有一个大型的、从未被发现的天体存在于轨道附近。正是由于这个预测海王星才被人类发现。科学有时就是这样：预测出某个实体的存在，就会给科学家的探索指明方向。如果预言是真的，那么科学家发现并揭开这块实体面纱的机会就更大了。

[1] 英文中的数字单位都是千进制。天文学家测量宇宙的范围越来越大，测量单位也随之越来越大。在日常生活中，我们认为 100 万就是个大数字了。而在天文学家，尤其是宇宙学家眼里，他们认为“10 亿”才是一个较大的数字。他们不太擅长将这么大的数字变成平实易懂的信息。在宇宙学中，“10 亿”这个单位是非常常见的。

光亮和引力是发现宇宙中有何存在的两种主要方式，它们之间应该也有一定联系。探究光亮和引力之间联系的本质是现代物理学的目标，也是本书的主题之一。

天王星、海王星不同于其他气态行星，因为它们的组成部分中含有更多的冰（宇宙中是十分寒冷的），因此它们也被称为冰巨星。

太阳系中所有位置或轨道超过海王星运行轨道范围的天体都被称为外海天体。

冥王星，曾经的太阳系最小行星，现在已经被证明属于矮行星。[1]冥王星的运行轨迹比较奇特，这使得它到太阳的距离比海王星到太阳的距离更近，但是它的位置和轨迹还是超出了海王星运行轨道范围。冥王星被发现于1930年，在2006年8月从行星中除名，被降格为矮行星，重新编号为134340。冥王星被降格就好像是一个人被送回学校重造。在创作本书的过程中，因为有人蓄意破坏，我无法在线访问维基百科中关于冥王星的信息。我猜测这是有人努力想让冥王星重回行星之列。冥王星的地位受到了新发现的阋神星的威胁。阋神星也是矮行星和外海天体，于2005年被发现，它在直径和质量上都超过了冥王星。从2008年6月11日起，冥王星、阋神星及其他的外海矮行星被统称为类冥行星。鸟神星是第三颗被归入类冥行星的矮行星。可是据估算，至少还有41颗矮行星可以被归入类冥行星。鸟神星被发现于2005年，其直径大

[1] 此处行星指太阳系中环绕太阳公转的天体。行星需具有一定质量，且其质量需要足够大从而能够在自身引力作用下形成圆球状。如果不是地球引力影响，月球也可以算作一颗行星。矮行星也称“侏儒行星”，其质量可以保证其在引力作用下形成近于圆球的形状，但又不足以让它清除所在轨道上的其他不规则小型天体（太阳系小天体）。

约是冥王星的四分之三。

许多外海天体都位于一个名叫柯伊伯带的范围内。柯伊伯带从海王星的位置向外延伸了 75 亿千米的距离（50 天文单位）。柯伊伯带里有大约 3.5 万个直径超过 100 千米的太阳系天体。所有的短周期彗星都来源于此，短周期彗星意味着彗星会在一个相对短的时间内回到原始的位置。哈雷彗星每 75~76 年环绕太阳一周后回到原点。彗星由灰尘和冰组成，有些彗星（如哈雷彗星）的轨道比较奇特，会运行到离太阳很近的位置。当运行到太阳周围时，彗星摆脱了太阳系深处的严寒，彗星上的冰会被太阳的热力融化燃烧，也就是地球上我们看到的彗尾。虽然我们把这种现象叫作“彗尾”，但这个“尾巴”其实就是从太阳上刮来的粒子风暴（称为太阳风）把彗星上的蒸汽吹走的现象。所以不论彗星是朝着太阳运行还是正在远离太阳，彗尾都是背向太阳的。哈雷彗星在轨道远日点距离太阳的距离大约为 35 个天文单位，而距离最近的时候，哈雷彗星距离太阳仅有 0.6 个天文单位。

柯伊伯带内的天体被认为自太阳系形成之初就从未改变过，彗星因此也成为研究的重要依据。NASA 的一艘飞船最近发现的彗星“威尔德 2 号”就来自柯伊伯带。在更古老的年代，太阳系还不甚稳定。当时受某些大型天体的引力影响，“威尔德 2 号”的运行轨道距离太阳更近了，近到人们已经可以通过技术手段到达并且分析这颗彗星。它的构成成分将会为我们展示早期太阳系的状态。

100 亿~1,000 亿千米（10^{13} ~10^{14} 米）

在柯伊伯带之外，我们将不会看到大型物理客体。比冥王星到太阳的距离远 3 倍的地方，有一颗小行星名叫赛德娜（体积大约是冥王星的三分之二）。赛德娜星可能起源于柯伊伯带，现在运行在奥尔特星云（我们目前还没有到达的地点）以内，轨道非常近似椭圆。赛德娜星距离太阳 135 亿千米，是目前为止观测到的离太阳最远的太阳系星体。鉴于它距离太阳如此之远，它也是太阳系中温度最低的星体，表面温度为 –240 摄氏度。赛德娜星得名于因纽特神话中的海洋女神赛德娜，神话称该女神生活在北冰洋深处。赛德娜星还有 70 年就将运行到轨道上离地球最近的位置，它绕轨道运行一周要花费 11,487 年。

太阳风吹散星际气体（宇宙初期遗留下来的氢气和氦气），形成一个巨大的球形气泡。大球的半径长于赛德娜星到太阳的距离。这个大球有时也被定义为太阳系的界限。大球的外边沿部分太阳风威力减弱，无法吹散星际气体，导致气流混乱激烈。这个部分被命名为日球层顶（英文名称 Heliopause，得名于希腊神话中的太阳神赫利俄斯）。

移动速度最快、移动距离最远的人造天体正朝着日球层顶驶去。它就是空间探测器“旅行者 1 号”，重 722 千克。2004 年，“旅行者 1 号”开始驶出太阳系范围。它现在离太阳 144 亿千米，比赛德娜星更远一点，虽然这个“一点”是相对而言的。事实上“旅行者 1 号”早已远离了赛德娜星，它们之间的距离是地球到太阳距离的 6 倍。“旅行者 1 号”于 1977 年发射升空，是探索木星和土星的空间探测器。

1,000 亿～10,000 亿千米（10^{14}～10^{15} 米）

我们刚刚经过了一个看上去没有什么大型天体的空间王国；如果这个空间不是空无一物的，那就是我们现在还没有观测到这些大型天体。太阳是太阳系中的唯一光源，只有在太阳光照射范围内的物体才能被照亮。要想找到其他光源，我们就必须去更远的星域找寻其他天体。“太阳”是我们给太阳系中这颗发光天体的特别名称，但是太阳也只是宇宙中众多发光天体中的一个而已。

可能我们看其他的“太阳”（以及许多“太阳”的集合体——银河系）比我们看太阳系的边界还要更清楚。在某些方面，我们可能更了解更广大的宇宙而不是我们的太阳系，尤其是关于太阳系的边界到底在哪里。这可能是由于我们找不到能够照亮太阳系边缘的光源，因为太阳系唯一的光源位于星系中心，太阳光到达太阳系边界的时候已经十分微弱了。太阳系边缘可能还有很多天体，有些甚至体积可观，但它们无法反射足够的太阳光，因此我们就无法看到它们。并且由于这些天体距离过远，我们也无法通过引力来推断其存在。

有人认为赛德娜星奇怪的运行轨道表明太阳系中还有一个光线暗淡的“太阳”存在。恒星形成之时，一般都会成对出现或者组成双子星，也可能是三颗星在一起。但太阳是独身一个，这并不正常（虽然不是唯一特例）。假设太阳真的有一个“双胞胎”，那我们如何解释另一颗双子星至今未被人类观测到的情况？有人推测我们已经见过这颗双子星了：它时不时会把一些遥远的彗星送入离太阳更近的轨道中。仅仅有少量引力方面的证据还不足以把这个推测上升到理论高度。

1 万亿～10 万亿千米（10^{15} ～10^{16} 米）

奥尔特星云位于或者是被推测位于太阳系最远的边界，到太阳的距离是地球到太阳距离的 5 万倍，比太阳系内最远的天体到太阳的距离远 1,000 倍，并且位于太阳引力的理论极限上。没有直接证据能证明奥尔特星云的存在，但 1950 年荷兰天文学家简 · 奥尔特发现没有一颗彗星是来自星际宇宙的，意思是任何彗星的轨道都没能超过太阳的引力范围。

奥尔特星云被认为是长周期彗星的故乡，其中一些彗星绕轨道运行一周要花费数百万年时间。星云中可能有数十亿甚至数万亿颗彗星。奥尔特星云被称为“星云”不只是因为它包含着数量众多的星体，还因为其中的星体运行轨道角度只有想不到，没有达不到。柯伊伯带中的彗星则都在同一个平面上运行。有趣的是，奥尔特星云中的某些天体曾经距离太阳非常近，比柯伊伯带里的天体都更接近太阳。奥尔特星云里有一些发光天体（虽然我们现在看不到），大型的气态行星将这些天体抛入了距离太阳更遥远的轨道之中。由于这些星体位置过于遥远，所以它们只是勉强处在了太阳和众行星的联合引力场之中。过去的 300 年间，人类一共辨明了 500 颗长周期彗星。

和柯伊伯带里的天体相似，奥尔特星云中的天体自宇宙形成以来也没有发生变化。

太阳系中最远的天体到太阳的距离略微少于 1 光年的距离（光在 1 年内大约能传播 10^{16} 米）。如果“旅行者 1 号”继续以 0.006% 的光速行进，它到达太阳系的边界大约还需要 1,000 年时间。

如果太阳是宇宙里唯一的超大质量天体，那么太阳的引力将会无限延伸，同时逐渐减弱。但是我们的脚步已经来到了其他超大质量天体的附近，所以太阳的引力也在这里终结了。虽然光年听起来更像是时间单位，但实际上光年是测量距离的常用单位。光年一词的浪漫之处就在于它隐含了时间和空间的联系，随着我们探索得更遥远，我们也会发现这种联系变得更加明显。当我们从地球上观测太阳系的边缘区域（事实上我们无法看清），我们看到的其实是一年前的宇宙。

1~10 光年或 10 万亿~100 万亿千米（10^{16} ~10^{17} 米）

我们接下来看到的大型天体就是除太阳外离地球最近的恒星——比邻星。它距离地球大约 4 光年多一点。在地球上我们无法凭借肉眼看到比邻星。和其他质量不足太阳质量一半的暗淡恒星一样，比邻星也被归入了红矮星的行列。人们在 1915 年第一次从地球上观测到了比邻星的存在。比比邻星更远一点，距离太阳大约 4.37 光年的地方存在着半人马座 α 星 A 和星 B。半人马座 α 星 A 比太阳略大且更明亮，星 B 则比太阳略小也更暗淡。在地球上人们可以用肉眼看到这两颗星连在一起的状态。我们只要用最小的望远镜就可以把这两颗星分开来看了。人们在 200 年前知道了半人马座α星是一对双星，现在人们认为比邻星也是半人马座α星系统的一部分。比邻星之外距离太阳比较近的还有巴纳德星（5.96光年）、沃尔夫359星（7.78光年）、拉蓝德21185星（8.29光年）、天狼星A和B（8.58光年）、鲸鱼座UV星（鲸鱼座UV726-8星，8.78光年）及罗斯154星（9.64光年）。银河系中行星之间的平均距离约为3.3光年，如果我们要在光年上较真，那么太阳到离它最近的恒星距离可能会略短于平均距离，但不会相差太多。

10～100光年（10^{17}～10^{18}米）

再往星际深处走，距离我们比较近的一些星系与我们的距离可以用一串数字表示（以光年为单位）：10.32、10.52、10.74、10.92、11.27、11.40，依此类推。在以太阳为圆心、半径16.31光年的宇宙范围内，人们已经发现了50个恒星系统。这个恒星系统列表不是绝对的，除了这50个之外肯定还有更多的恒星未被人类观测到。一项研究计划致力于为所有较近的恒星系统进行分类编号，在半径32.6光年的范围内，这项计划已经成功标注了2,029个恒星系统。

这些恒星处于不同的生命阶段中。有颗略大于太阳体积一半的恒星已经走到了生命的尽头，进入一个全新的阶段：它会膨胀到星核体积的数倍大小，其外层极大地扩张，使得整个恒星变得巨大无比。这个阶段的恒星被称为红巨星。在50亿年之内，太阳还不会进入红巨星阶段。大角星就是一颗红巨星，距离我们36.7光年。虽然大角星的质量还不足太阳的1.5倍大，但它释放的能量却是太阳能量的 180 倍，大角星也因此成为全天第三亮的星体。

飞马座 51 是一颗距离我们 50.1 光年的恒星。这颗恒星在人类史上赫赫有名，因为它是继太阳之外首个被证明拥有行星的恒星。飞马座 51 是一颗与太阳相似（比太阳年龄大）的恒星，有至少一颗行星围绕其运行。飞马座 51 的行星在 1995 年被发现，此后人们又发现了 300 颗左右的外星行星。据称，每 14 颗恒星中就有一颗是某个行星系的中心。天大将军六是一个距离太阳 44 光年的三合星系统，其主星周围有许多行星环绕。毕宿五（又称金牛座 α 星）也是一颗红巨星，距太阳 65 光年。它的直径是太阳的 38 倍，亮度是太阳的 150 倍。我们从地球上也可以看到毕宿五，它是全天亮度排名第 14 的恒星。十字架一（别称南十字座 γ 星）是离我们 88 光年的一颗红巨星。

想要到达这些大型天体周围，我们得从不同的方向出发。决定这些路线的方向要依靠我们在地球上看到的夜空中不同星座的位置。星座是许多恒星的任意组合，这些恒星被各人类文明观测到的时间不同，因此同一颗恒星可能有多个名字。比如说，天马座 51 位于天马座之中，意思是我们如果朝着夜空中那匹有翼的马（古人将天马座的恒星进行了连线，把天马座绘制成有翼的马的形象）前行，我们有可能会抵达天马座 51。毕宿五位于金牛座中，也就意味着它大致位于古代人认为是公牛形状的那片星域中。星座就像是罗盘，和罗盘一样，星座也不会告诉你想去的星体距离有多远。星座是由多个发光星体组成的，这些发光星体之间可能相距甚远。这些星座就是奇怪的罗盘，它的指针指向自己。星座也奇在形态千变万化：在比人类历史长得多的时间里，由恒星组成的星座形态有所改变。从人类的角度看，这些恒星看起来是不会移动的。但是它们确实会移动，看起来固定不动只是因为它们离我们太远了，而且与我们的运动节奏不同。

100~1,000 光年（10^{18} ~10^{19} 米）

参宿一是有独特名字的红超巨星。红超巨星类似于红巨星，只是体积更大。参宿一质量是太阳的 15 倍，体积则是太阳的 4,000 万倍。它距离我们 427 光年，直径是日地距离的 4 倍（4 个天体单位）。参宿一是全天最大的星体之一，也是全天亮度排名第九的星体。参宿一的英文名称 Betelgeuse 来源于一个阿拉伯文单词，这个单词的原意现在还在争议中；它可能是用于形容身体中部有白点的黑羊，也可能类似 yad al-jawza，意为“执政者之手”，翻译成拉丁文为 Bedalgeuze。文艺复兴时期，人们认为这个阿拉伯词语应该是 bait al-jawza，意为“执政者的腋窝”，翻译成拉丁文是 Betelgeuse。

随着时间的推移，星球的核心部分将会逐渐膨胀，甚至最终爆炸。星核爆炸之后成为一颗超新星。关于星核是否会爆炸，人们的观点还存在分歧。如果星核真的会爆炸，参宿一在几个月之后就会变成和月球一样发出冷光的星体。有些消息称参宿一已经爆炸了，只是我们不知道而已。参宿一爆炸的光亮要传播 427 年才能到达地球。

1,000～10,000 光年（10^{19} ～10^{20} 米）

猎户星云，又称 M42 星云，是稀薄的气体尘埃云，距离我们 1,500 光年。在猎户星云中，数以千计的新恒星正在形成，它们由以前的星球爆炸（比如超新星爆炸）产生的残骸组成。猎户星云宽 30 光年，是离银河系最近的新恒星产生区域。星云的英文名称 Nebula 来自一个拉丁文单词，单词的原意是“雾气”。M42 代表着 Messier object 42（梅西叶天体 42 号），得名于 18 世纪的法国天文学家夏尔 · 梅西叶。梅西叶对夜空中的星团星云进行了编号，整理出的星团星云列表标号从 M1 一直到 M103，后来又加入了 7 个新天体。这份著名的“梅西叶星团星云列表”至今还在使用。

大型的超大星被称为特超巨星。大犬座 VY 星就是一颗 5,000 光年以外的红色特超巨星。大犬座 VY 星比参宿一的 2 倍还要大（也就是相当于太阳的 1,800 到 2,100 倍），是所有已知恒星中体积最大的（并不是质量最大的）。

编号 M1 的星云名叫蟹状星云，它距离我们 6,300 光年。蟹状星云和猎户星云不同，它是单独的一颗恒星爆炸产生的（参宿一爆炸也可能产生星云）。1054 年，蟹状星云第一次被中国和阿拉伯的天文学家观测到，当时它看上去是全天最亮的星。当一颗超新星爆炸，它的亮度在几周的时间内都会比它所在的星系更高，释放出的能量比太阳 100 亿年释放能量的总和都要多。今天，这颗爆炸的超新星变成了宽度为 6 光年的星云。蟹状星云是由第三任罗斯伯爵威廉 · 帕森斯伯爵命名的。1844 年，帕森斯伯爵透过望远镜观测这片星云时在纸上勾勒出了一个类似于螃蟹的形状。他在 1848

年使用一个更大的望远镜重新观测蟹状星云，此时他发现这片星云实际上并不是螃蟹的形状，可是蟹状星云的名字已经无法改变。人们在1968年发现了蟹状星云的中子星，这颗中子星是爆炸的原始星球残骸，质量极其密实，直径仅有30千米。组成中子星绝大部分的是紧密排列的中子——中子是一种亚原子粒子，存在于大部分原子的原子核中。方糖大小的中子结构体就可重达1亿吨。蟹状星云的这颗中子星以每秒30次的速度绕着自转轴自转，每一部分都向外释放辐射波，从电磁波到γ射线不等。会自转的中子星被称为脉冲星，蟹状星云中心的这颗中子星也是人类发现的第一颗脉冲星。脉冲星的磁场是全宇宙最强大的，其磁场强度是地球磁场的1,000亿倍。

旋镖星云是人们迄今为止发现的最特别的星云。它在5,000光年以外，星云温度为−272摄氏度，这个温度只比低温极限高1摄氏度，这片星云也因而成为宇宙中最寒冷的地带。温度是衡量分子运动的尺度，能达到这么低的温度说明分子在以最低速度运动。绝对零度（−273摄氏度）是理论上的低温极限，事实上无法达到，如果达到绝对零度，分子将停止运动。根据分子物理学，分子是不可能处于完全静止状态的。

围绕旋镖星云中心恒星的这片星云如此寒冷的原因还不明朗。旋镖星云似乎有一种特殊的方式可以将中心恒星上的一氧化碳排出，这股冷风也会降低周围的温度。旋镖星云是哈勃太空望远镜在1998年观测发现的。

1 万～10 万光年（10^{20} ～10^{21} 米）

开普勒超新星（SN1604）在 1604 年 10 月 9 日忽然出现在地球上观测者的视线里。这颗超新星以伟大的德国天文学家约翰尼斯·开普勒（1571—1630）的名字命名，开普勒本人也是最先发现这颗超新星的人之一。开普勒超新星距离我们 1.3 万光年，也是银河系中最晚被我们观测到的超新星。当时，开普勒超新星在天空中几乎和金星一样明亮。最初观测者们看到的明亮光线是传播了 1.3 万年才到达地球的。[1] 可是金星的光芒只需要几分钟就能到达地球。我们观察夜空，将看到的景象印入脑海，这时的我们会想我们看到的就是这些天体现在、此刻的状态。可是“现在”也有很多层次，这些层次的“现在”重叠在一起使得我们得到宇宙中事物的记录，而不是凭借我们的主观感受对这些事件进行记录。在宇宙中，事物的位置要比事物存在于何时更加明显。

大犬座矮星系（朝着大犬座的方向找就可以看到）中包含着 10 亿颗恒星（对于星系来说还少了一点），它是银河系之外离我们最近的星系。大犬座矮星系是被银河系的引力拉扯在引力范围内的卫星星系（太阳系中的行星也被太阳拉扯在引力范围内），它是 2003 年才被人类发现的。用天文术语来说，我们有时候很难看清眼皮底下的事情。我们很难画出自己所在星系（也就是银河系）的形状，也很难搞清楚银河系里到底有什么，因为我们不是“旁观

[1] 开普勒超新星的光芒传播了 1.3 万多年才到达地球，现在我们再观测就会发现开普勒超新星的光芒比当年被发现的时候暗淡许多。在刚刚被开普勒等人发现的时候，它的高亮度也只是保持了几周而已。

者”而是“当局者”。类似更棘手的问题是，我们也处在整体的宇宙之中，而除了人类的想象之外，没有什么是超越宇宙之外的。

大犬座矮星系到银河系引力中心的距离大约是 4.2 万光年，到太阳系的距离是 2.5 万光年。打趣地说，我们这个近邻星系只对我们太阳系感兴趣。

现在看来，我们更应该把测量的起点放在银河系的引力中心而不是太阳系的引力中心（太阳）。关于现实的物质描述法认为宇宙就是许多大质量天体的合集，这些天体在宇宙中持续运动。我们之所以改变测量的起点是因为银河系内恒星都是围绕银河系引力中心运行的。从这个角度看，银河系的中心要比太阳系的中心重要得多。站在太阳系内的我们某种意义上是位于“银河系”之外的，也许“可以”描述银河系和其周边星系的内容。宇宙天体运行用更高雅的说法形容，就是天体围绕级别不断上升的引力中心所做的运行活动。行星围绕太阳运转，太阳围绕银河系的引力中心运转。我们宇宙旅行的意义就在于找寻比星系更大的存在。在物质化的宇宙中，物质才是主宰。

星系的平均宽度是 1 万光年，而银河系的宽度则是平均宽度的 8~10 倍。矮星系受到更大星系的引力吸引，比如大犬座矮行星就被银河系吸引。矮星系的宽度有几十光年。

据推断，太阳系距离银河系中心大约有 2.6 万光年远。这个估算距离在近些年发生了大幅改变，原本人们推断这个距离可能长达 3.5 万光年。地球不仅不是太阳系的中心，更不是银河系的中心。事实上，地球到大犬座矮星系的距离还要稍稍短于到银河系中心的距离呢！

银河系的中心有一个名叫人马座 A 的黑洞，所以我们离银河系中心远一点并不是一件坏事。黑洞存在之谜使得黑洞成了人们心目中有趣又浪漫的天体。黑洞是密度极大的物质集合体，光线无法将其照亮：如果中子星的密度变得更大，那么它就可能成为一个黑洞。我们都知道火箭需要一定的速度才能逃出地球的引力，也就是说火箭必须要拥有逃逸地球的速度才能顺利进入太空。根据我们现阶段对自然法则的了解，光是已知传播速度最快的物质。想要超越光的速度，某个天体必须拥有不可思议的质量（也就拥有了不可思议强度的引力场）。黑洞就是这样的天体，其逃逸速度超过了光速，因此光无法逃脱黑洞。

人马座 A 星自 1996 年起才被真正定义为黑洞，它的估测质量是太阳的 300 万倍。现在，科学家推测大部分的星系中心都有黑洞的存在。

银河系中有多少颗恒星呢？据估算，这个数字应该在 2,000 亿到 4,000 亿之间。假设大部分的恒星体积都比太阳小（这个说法被广泛承认），那么银河系有 4,000 亿颗恒星的可能性更大。我们的银河系像是一个不断旋转的银盘，直径约 10 万光年（平均厚度 1,000 光年）。银河系中心由恒星的螺旋、尘埃和气体组成，外层环绕着一片恒星少、密度低的区域，被称为“银晕”。银河系的旋臂延伸方向和螺旋方向一致，因而银河系的螺旋形状和我们看到的“鹦鹉螺”的“螺旋”和台风螺旋相似。在这个星系中我们将会发现更多年轻、炽热且明亮的恒星，这个星系也是我们的家。银河系有四条主要旋臂，分别是英仙座旋臂、人马座旋臂（和黑洞人马座 A 没有联系）、半人马座旋臂和天鹅座旋臂。太阳系位于一条名叫猎户臂的支臂上，这条支臂处于外侧的英仙座臂和内侧的人马座臂之间。猎户座可能是天鹅座臂的突出部分。现在，银河系内的绝大多数造星运动都发生在这些由气体组成的旋臂范围内。银河系的旋臂中零星分布着一些和地球类似的年轻行星，这类行星统称第一星族星。

扁平形状的银河系中心有一个突出部分，突出部分中密集分布着古老的恒星。突出部分的直径为 1 万光年，厚度为 3,000 光年。横跨银河系中心突起部分的是一条 2.7 万光年宽的恒星带。它于 2005 年被发现，其中大部分的恒星也都是古老恒星，包括红巨星和较小的暗淡恒星——红矮星。

10 万～100 万光年（10^{21} ～10^{22} 米）

包围着这个饼状螺旋的是一个广袤的区域，叫作银晕。银晕的宽度可以达到 20 万光年甚至更宽。银晕中稀疏分布着数量更庞大的古老恒星，其中的一些聚集到一起成了球状恒星团。这个区域中没有新的造星活动发生。银河系中共有约 150 个星团，人们预计还会发现 10 至 20 个新的星团。每一个星团都包含着成百上千颗恒星，这些星团距离银河系引力中心大约有 10 万光年，但是它们依旧围绕着这个中心运行。

还有几个类似大犬座矮星系的矮星系此刻正处于银河系的引力范围内。它们之中最大的是大麦哲伦云（LMC），仅南半球可见，得名于著名的葡萄牙探险家费迪南德 · 麦哲伦（1480—1521）。在 1519 年，欧洲人第一次向西横渡大西洋。在这次著名的航行中，麦哲伦观测到了这个星云的存在。几年后的一次航海行动中，意大利探险家亚美利哥 · 韦斯普奇（1454—1512）也观测到了大麦哲伦云。在先于这两位航海家几百年的时代，波斯天文学家 Al-Sufi（音“苏费”）就已经在他的《恒星之书》（964 年）中记载了这个星云，书中他称大麦哲伦云为“白牛星云”。大麦哲伦云距我们 17.9 万光年，内部有大约 100 亿颗恒星。它的直径大约是整个银河系直径的一半，相当于我们“巨大”的太阳系直径的 20 倍。

虽然大麦哲伦云正和银河系联结在一起，可是这片星云注定要被仙女星系吸收。仙女星系是距离银河系最近的、不受银河系引力影响的大星系。与之相反，大犬座则正在被银河系吸收入内。

1987 年 2 月 24 日，大麦哲伦云内一颗超新星爆炸。这次爆炸是继 1604 年开普勒星云内超新星爆炸以来人们观测到的距离最近的超新星爆炸。

有大麦哲伦云，当然也有小麦哲伦云。小麦哲伦云同属矮星系，其中的恒星不到 10 亿颗。它距离我们 21 万光年远。

可以说，我们描述中的宇宙都是站在人类自己的角度上来看的。外星人可能也会有自己的星际观光点，没准在他们眼中大麦哲伦云并不是什么特殊的存在。

100 万～1,000 万光年（10^{22} ～10^{23} 米）

巴纳德星系也是一个被银河系引力牵引的矮星系。它距离我们 160 万光年，宽度是 200 光年。巴纳德星系是从地球上透过望远镜最好观测的星系，它在 1881 年被发现，当时并没有被归入星系的行列。其实直到1921年前，人们都认为宇宙里只有一个星系，那就是银河系。

离我们最近的大星系是仙女星系（M31），它距离我们250万光年。仙女星系是银河系体积的2倍大，要知道我们的银河系已经是非常庞大的了。仙女星系和银河系都有14个已知的卫星星系，并且也是螺旋状星系。并不是所有的星系都呈现螺旋状，有些星系是椭圆星系，以E0到E8的范围进行分类，E0类星系最近似圆形而E8类星系最近似椭圆形。既不属于螺旋星系又不属于椭圆星系的我们称之为特殊星系。人类现在还不了解那些古老的椭圆和特殊星系如何形成，可能是螺旋星系碰撞后形成的吧。

仙女星系几乎是人类用肉眼能看到的最遥远天体了。从地球上看，仙女星系就像是一颗暗淡的星星。

1,000万~1亿光年（10^{23} ~10^{24}米）

万有引力使得星系联系在一起；更小范围内，引力使得行星围绕太阳运行，让苹果落到地球表面。银河系属于一个因万有引力而形成的小星系团——本星系团。本星系团跨度为1,000万光年，内部包括40个星系。其中有些星系非常小，和银河系的卫星星系大犬座矮星系、巴纳德矮星系及人马座矮椭球星系差不多大。本星系团中迄今发现的最大的两个星系分别是银河系和仙女星系，排名第三的是距离稍远的三角座星系。

虽然我们说银河系和仙女星系之间的引力是各自独立的，可也只是某种程度上的独立而已。所有的矮星系命运都像是安排好的：它们或者被自己所属的大星系吞噬破坏，或者被临近的其他大星系吸收。人们预测银河系和仙女星系也会重复相似的命运，但是我们应该从更长的时间线上来看待这件事。这两个大质量星系围绕着各自的引力中心运行，像是两个相对而立的摔跤选手。在30 亿年之后这两个星系将会擦肩而过，这会导致它们星系中心的黑洞聚到一起变成超级黑洞，两个星系也会逐渐融合为一个超大星系。不过，这个过程将需要 30 多亿年才会真正完成。银河系和仙女星系融合成的新星系最终也会改变形态，成为椭圆星系。

距离本星系团最近的星系团是室女星系团，距离本星系团的中心大约有 6,000 万光年。室女座星系团体积出奇庞大，包含着1,300~2,000 个星系。这个体积也使得室女座星系团用引力牵引着本星系团。

在星际行走的旅程中，我们到达了银河系的中心，又来到了本星系团的中心，现在抵达了本星系团和室女座星系团之间的引力中心。我们还会继续前行，寻找更多的“宇宙中心”。

1 亿～10 亿光年（10^{24} ～10^{25} 米）

若干星系团聚在一起会组成超星系团。超星系团就是星系团的星系团。本星系团从属于室女座超星系团（和室女座星系团不是一个概念）。这个超星系团中有大约 2,500 个亮星系，也就是人们能够看到的星系，可能还有更多的亮星系未被人类发现。室女座超星系团的横向范围大约有 2 亿光年，约有 200 个星系团点缀其间。本星系团位于室女座超星系团的外围区域。很明显，“我们”不是宇宙任何存在的中心，如果“我们”包含的范围更大的话，那另当别论。

离我们最近的相邻超星系团是长蛇–半人马座超星系团，它到我们的距离大约有1亿~2亿光年。另一个相邻的超星系团距离我们3亿光年，名叫后发座超星系团。据称宇宙中共有约1,000万个超星系团，超星系团之间几乎没有星系存在。

后发座超星系团位于迄今为止人类发现的宇宙第二大结构——巨壁[1]之中。天文学巨壁在1989年被发现，它有6亿光年长（可能更长）、3亿光年宽、1,500万光年厚。这个“巨壁”是一系列大型星系团呈条状排列形成的宇宙结构。

10亿~100亿光年（10^{25} ~10^{26}米）

人类迄今为止观测到的宇宙最大结构是斯隆巨壁[2]，它是科学家整理斯隆数字化巡天[3]的数据时发现的。斯隆巨壁距我们10亿光年远，是由多个超星系团和星系团组成的长条状结构。它的长度约有15亿光年，这个长度相当于250,000,000,000,000,000座中国万里长城头尾相连在一起。斯隆巨壁是否能够算作真正的宇宙机构还没有定论，因为组成它的部分并不是相互紧密联系的。

斯隆数字化巡天开展的头5年里设备就拍摄到了2亿个宇宙天体，到2020年，斯隆数字化巡天预计可以拍摄超过200亿个宇宙天体。

[1] 此处的天文学巨壁指的是CfA2巨壁，该巨壁现在是第三大宇宙结构。——译者注

[2] 斯隆巨壁现在是第二大宇宙结构。——译者注

[3] 斯隆数字化巡天得名于小阿尔弗雷德·P. 斯隆（1875—1966）。斯隆是美国慈善家，也是美国通用汽车公司的前CEO。

100 亿光年以上（10^{26} 米以上）

我们可以观测到的最远天体是一个类星体（类星射电源），它距离我们 130 亿光年远。类星体是宇宙中已知最古老的天体，它们中的一些亮度最亮、质量最大的天体，使数万亿颗恒星黯然失色。一个类星体就是围绕在黑洞周围并且正在被黑洞吞噬的环状物质合集。只要周围还有物质存在，黑洞体积就会不断扩张，直到吞噬引力范围内的所有物质。类星体一直在吸收周围物质，处在活跃阶段的它会发出明亮的光。可以说，类星体就是旋转的、不断吞噬周围物质的黑洞，也因为它正在吞噬物质所以它会发出亮光。

我们的宇宙是这样的：有 300 兆亿 ~500 兆亿颗（3×10^{22}~5×10^{22} 颗）恒星分布在 800 亿 ~1,400 亿个星系中。这些数以亿计的星系又排列在星系团、超星系团以及和天文学巨壁一样的超星系团集合体之中。早慧的孩子可能会这样描述她的住址：地球，太阳系，猎户臂，银河系，本星系团，室女座超星系团。如果我们把宇宙看作仅有几个宇宙结构的、包含层级的强制性天体集合，那么我们就可以接受宇宙大得离谱的事实了——人类虽然渺小，但是看起来结构更加复杂。我们现在是否探索到了宇宙的更深处？我们应该如何描述人类在这些宇宙结构内的位置？如果说我们已经发现了宇宙中最大的宇宙结构，那么宇宙之外还有没有更大的存在？我们似乎已经抵达了我们眼中的宇宙边缘，但是我们并不知道宇宙是否有边际。我们的脚步不能就此停歇。

第
3
章

测量万象

在原始人类的心目中，时空现象似乎有点飘忽不定，只有通过测量才能让它变得稳固。

——卡尔·荣格，《共时性》

我们都知道宇宙的大小并不是探险家用尺子衡量出来的。从任何天文学的角度来讲，人类几乎没有到达过外太空。我们对宇宙的了解，都源自从外太空接收的信息。并非人类深入探求宇宙，而是宇宙本身以光的形式呈现在我们面前。

我们相信已描绘出了宇宙的真实模样，因为我们相信测定宇宙的方法是准确无误的，因为我们相信外太空发生的事实与传到地球被我们观测到的事实是保持一致的。我们相信科学的方法。但何谓科学的方法？在我们进行测量时实际上又做了什么？

从很早开始，人类就在尝试测算时间和空间。我们认为世界是由独立的个体通过时间或空间联结而成的。整个世界是处于变迁中的。我们的出发点是：并非一定要找出世界的真相，而是我们相信关于这个世界到底是什么样的，一定有一个颠扑不破的真相。东方的一些思维方式告诉我们事实恰好相反：世间空无一物，有的只不过是不可分割的整合表象，然而这种对真相的表述很难令人信服，几乎就像佛祖一样虚无缥缈。这并不是我们对世界的自然反应。我们相信空间在延伸（空间里有单独存在的事物），时间在流逝（事物可再现于空间的不同地方）——正如我们相信自己存在于这个世界上一样（也就是哲学家和神秘主义者所说的另一种幻觉）。大多数人为了生存而忙碌地工作，以至于没有闲暇时间去思考。或许我们压根就不去思考，因为世界将我们限定在了时间和空间的框架内，施以重压。18 世纪苏格兰哲学家大卫 · 休谟断言自我可能是虚构的想象，与他同一时期的德国哲学家伊曼努尔 · 康德也认为时间和空间都是幻觉，但在物质世界中，我们的生活就如约翰逊博士[1]所说的那样：当我们看到一块石头时，我们知道这块石头是可以踢的。

我们或许浸润在时间和空间之中，但是想要给我们所说的时间和空间下个定义仍然会是一个难题。

我们可以设想，当人类开始测量世界的时候，可能已经将人类自己当作万物的中心，之所以这样设想，是因为自我中心在现在也仍然是我们极力避免的问题。我们可以谴责自我中心意识，也可以将这种意识的出现归因于我们从自身的角度出发审视这个世

[1]　爱尔兰哲学家贝克莱大主教（1685—1753）质疑看不到的树是否存在。对此，英国智者、评论家、作家及辞典编纂者塞缪尔 · 约翰逊（1709—1784）说道：“我就这样反驳他。”说完踢了一脚石头。

界，这就解释了为什么我们通常会以自我为中心。不足为奇的是，由于千米、米、厘米或是英里、码、英寸，又或是任何早期度量单位都与人体体态及人类活动紧密相关，这些度量适用于地球上一切生物，因为当时人们认为这个世界就只有地球。这从“英尺”一词就可以看出。我们尚不清楚“码”的由来，比较大众的说法是码的长度即英国国王亨利一世（1068—1135）伸直手臂时，他的鼻子与大拇指之间的距离。也有其他说法认为 1 码的长度即亨利一世的腰围，或是一跨步的距离，又或是古时度量单位腕尺的两倍长。在埃及象形文字中，腕尺是指人的前臂，腕尺的长度也由此而知。厄尔是旧时的度量单位，裁缝量布时通常会用到，据说它的长度是肩部到手腕的距离。英格兰、苏格兰、佛兰德斯和波兰的厄尔长度各不相同。

大多数度量单位都是人类为适应自身需要而创造的，这就解释了为什么当温度发生些许变化时我们能感觉得到，为什么耳膜能感受得到每平方英寸内气压值发生了变化，以及为什么我们单手便能轻松拿起一两磅重的物体。自从人类开始测量时，测量自身的问题就有待解决。当进行测量时，我们又该如何确信所有的测量标准都是一致的呢？如今这一问题并不明显。测量长度时，即使很难定义米的概念，我们仍知道 1 米的长度。实际上，正如我们难以定义时间和空间的概念一样，要对米下定义同样十分棘手。

在古代文明中，虽然米和码未见使用，但以上的问题依旧存在。埃及出土了一块前 2500 年的，长度为 1 腕尺的黑色大理石，这几乎能够证明早期存在标准度量，这也是已知的最早用于长度测量的单位。这块石头也表明了当时存在统一的长度测量方法，并且具有权威性，从中我们也可以推断出，所有的腕尺是同样规格。同样地，爱德华一世（1239—1307）也要求所有英国城镇都要拥有一个官方标准量具——厄尔，也就是大家熟知的“猎户座腰带”。有了这样的统一度量后，我们逐渐摒弃了原有的思想——“我在这里，我是万物的中心，我就是权威”，而会认为“我们在这里，我们是万物的中心，我们是权威”这一思想才是正确的。这可以说是种进步，至少自我中心意识减弱了。

几千年来，全球都未曾统一度量标准。在不同的文化中，测量方法各不相同；从称量金子到称量苹果，对不同事物的测量也大相径庭。直到 13 世纪，英格兰才统一了测量方法。一直到了 1824 年，容量单位加仑仍有三种测量标准，分别用于测量麦芽酒、葡萄酒和玉米。到了 1959 年 7 月，美国和英国才统一将 1 英寸定为 2.54 厘米，然而至今为止两国都没有进一步采用公制标准。

至少科学家是赞同将米作为测量距离的单位的。当然，有人也曾因忘记这一标准而引发了意外，其中当属发生在 1998 年的一次意外代价最大。美国外部情报源向美国国家航空航天局汇报航空器的位置时采用英里作为测量单位，而非通用的千米，结果造成火星气候探测器与行星发生碰撞，损失了 1.25 亿美元。

1793 年法国最先尝试为米下定义，认为 1 米的长度为穿越巴黎的地球子午线从赤道到北极点的距离的千万分之一。[1] 然而，即便是没什么科学头脑的人（这里我们说的就是法国人），也会觉得这样的定义并不怎么靠谱。

[1] 地球不是一个完美的球体，所以如果选择没有经过巴黎的其他路线，长度会略有不同。

最后，科学放眼于整个宇宙而非仅限于地球的层面来对米下定义。科学是基于这样的理念的：无论我们身处宇宙何方，我们所感知到的现实与我们所认为的现实实为一体。古人没做这样的设想：对他们来说，现实有两种不同的影响。世界既包括地球，又包括千里之外的月亮（月下世界），这个世界的现实和天外的现实截然不同：各自有不同的自然规则。现代科学的理念是现实是不可分割的统一整体，同时也是处处一致的。至关重要的是，当科学家试图通过测量现实中的事物来定义现实，我们对我们所测量的事物是认同的。

对宇宙进行描述的这个“我们”是一个奇怪的广泛群体。我们人类既未曾远离地球，也无法确认我们是不是宇宙中像这样着手描绘自然的唯一物种，但科学认为存在普适的观点。要么认为人类有朝一日会遍布整个宇宙，要么认为宇宙中已经遍布了其他类型的生命体，他们已经开始着手进行和我们类似的科学项目——外星人通过了解外部的信息能够描绘这个宇宙。难怪科学家对外星人和科幻十分痴迷。“外星人”这个概念几乎和外星人真实存在一样重要。科学家们需要借助这种外星人的视角来消除人类的偏见。然而，外星人究竟以怎样的视角洞察世界，其他生命究竟以怎样的形式呈现，这些都受限于人类本身的构想能力。

假如真有外星人在用量尺对现实进行测量，那我们就需要确保我们定义长度的方法是通用的。如果我们和外星人没有共同的标准，那么他们对现实测量的方法就很可能与我们的大不相同。如此一来，谁又能说哪种方法描绘的才是真正的现实呢？

1793 年对米所下的定义甚至并未在全球范围内普及，更别说会适用于整个宇宙了，只能说成为巴黎人还是会附带“特权”的。即使我们能够说服全宇宙的所有生命接受我们定义长度单位特殊的方式，即以穿过巴黎的地球子午线为基准，也只能通过声明我们的权威性来实现，其终极方式很可能是战争。

不管怎么说，法国早期对米的定义因为一个更平淡的原因失败了。这个定义没有考虑由于地球的自转而产生的地球扁率。1874 年制作的米原器比实际长度短了 0.22 毫米。这一疏忽会引发更深入的问题：即便当时我们将地球扁率因素考虑在内，然而随着时间的流逝，地球的扁平程度同样会慢慢变化。这也意味着，即便这个定义能够跨越空间，我们设法让宇宙中的所有生灵都接受了巴黎版本的定义，但随着时间流逝，这个定义也不会再通用。

1889 年，新的米原器被制作出来，1927 年，米有了新的定义，而到了 1960 年，米再一次被赋予了新的定义——1 米的长度为真空中氪 86 原子所发出的橙色谱线波长的 1,650,763.74 倍。这一定义可能非常精确，但这样的定义确实也有作为定义所具有的生硬与烦琐。如果我们相信宇宙是用各种优雅的法则所塑造出来的（这也是被用来证明各种科学理论所使用的数学所坚信的一个古怪信条），那我们必然不会满意于我们对如此重要，用来测量一切空间及一切尺寸的长度单位所下的定义——实在是毫无优雅可言。自 1983 年以来，米又被定义为光在 1/299,792,495 秒的时间间隔内在真空中所经路程的长度，这种说法似乎更有说服力。这也是目前为止最新的定义了，与之前的定义相比，该定义更适于推广使用。

目前，我们认为宇宙中任何地方的光速都是一样的。我们相信光速是不变的，当我们用光速作为量尺衡量事物时，我们可以保证（在整个宇宙范围内，无论我们是何种生物）我们所做的任何测量都会依据相同的测量标准。

我们都承认，外星生灵不太可能会选用米作为计量单位。尽管如此，若我们假设外星生灵进化到足够高级的阶段，他们发现了光速是恒定不变的，通过简单的转换，将我们采用的测量单位转换为他们通用的测量单位，那么当他们套用我们的测量体系，理论上看到的也是相同的事实真相。

然而这个定义还是存在着一些问题。近年来，关于光速是否恒定不变的疑问一直存在，这就意味着这个定义可能也只是暂时性的。我们与外星人所见到的事实是否有可能不同？这仍是悬而未决的问题。我们之所以会有这样的疑惑，是因为外星生灵有可能进化得比我们更高级，或者它们用不同方法看待事实真相。

事情的复杂程度还不止于此。我们为米下的最完美的定义是通过最复杂的科学发现和科学叙述而得出的，但反而从中得出为米下一个定义可能并不通用的结论。这项定义中融入了所有现在和过去的科学中的知识。我们发现我们陷入了一个很明显的循环之中。这循环到底是真实存在，或者明显是一个哲学的思辨问题（这一问题至今已经牵扯进去很多科学家，进行毫无意义的争辩）？务实的科学家会坚决主张科学上的进步就是不断使测量方式精细化，哲学家则认为所谓科学定义的进步就是自说自话，其实并没有什么出路。

科学家借助尺和时钟测量宇宙。我们当前对长度的定义取决于了解如何测量时间：1 米是光在 1 秒的极小一部分中所行经的路程。如果我们想知道 1 米有多长，我们最好是知道 1 秒是多久。然而，确定时间的概念甚至要比确定空间的概念更为困难。时间在流逝，但流逝的是什么？一个时刻变成了另一个，这又是如何转变的呢？什么是时刻？为什么时间只朝着一个方向流逝：未来？时间只是线性的吗？从某些角度看，时间很明显具有环形特质。

古希腊哲学家赫拉克利特（约前 535—前 475）曾尝试对时间下过定义。在他留存世间的少量作品中有这样的记载："水是流动的，第一次踏入的河流在第二次踏入的时候已经流走了。"人们认为这句话说的是时间或事物的存在是前进变化的，这句话经常被转换成："人不能两次踏进同一条河流，因为无论是这条河还是这个人，都已经不同了。"不管怎样，赫拉克利特在这里告诉我们，河水虽然是在不断变化的，河流依旧是那条河流，而这一观点与赫拉克利特的另一观点——"不变的唯有变化"——是紧密相关的。前 5 世纪初，前苏格拉底哲学家[1]巴门尼德认为时间是一种幻觉，更深层次的现实是永恒和不变的。那时，大多数希腊哲学家认为时间并非从别处衍生出的：时间就只是时间而已。古罗马哲学家、神学家圣奥古斯丁（354—430）认为时间是主观的感受："若无人问我时间为何物，我想我会知道答案，若有人要我解释时间是什么，我反而不知如何回答。"莱布尼茨则认为根本不存在时间和空间，它们仅仅是用来描述事物间的关系的媒介。伊曼努尔·康德认为时间是一种意识属性，指导我们认知这个世界。他对世界存在空间和时间的观点持怀疑态度，同样对我们自身生活在这样的世界也持有怀疑态度。20 世纪的美国物理学家约翰·惠勒（1911—

[1] 这些都是早于苏格拉底（约前 470—前 389）的哲学家，如赫拉克利特。

2008）将时间定义为“防止所有事情同时发生”。任何哲学上的思考对需要具实际意义的定义的科学家都毫无用处，更别提对时间进行定义了。

无论用任何方式，人类对测量时间产生需要据推测发生在 1.2 万年前，人类刚开始从事农耕活动的时候。种植作物和收割粮食最好是能在一年中某个确定的时间里进行。提前知道作物种植的时间才能高效地开展农耕活动，这也是发明日历的意义。

最早的日历是依据天体运行而制定的。一日即地球绕地轴自转一周的时间。一年即地球以太阳为中心公转一周的时间。通过任何的简单方式，都没有理由认为“日”与“年”会彼此关联，实际上两者也确实没有相关性。日历的历史就是它们产生关联的历史，也是它们跟月球的复杂活动产生关联的历史。地球每日会有两次潮汐现象，生物节律每月也呈周期性变化，如此看来，产生这些作用的月亮确实不容忽视。相比于我们早期在地面上尝试定义长度，虽然这些是天象，然而外星人会告诉我们，太阳和月亮的运动都是在地球上看到的现象。作为科学家，我们决定寻找地球人与外星人共有的视角。科学家相信世界能被看到的样子就是这个世界真实的样子：不考虑我们自身，也不考虑所处的位置，只要用相同的方式就能感受到这是同一个世界，跟我们在哪里，是什么，毫不相关。

日历的历史是由文化所决定的，这与我们早期对长度的定义一样。自公元前 46 年凯撒为改进罗马历而引入儒略历以来，该历法未曾有过改变，直至 1582 年 10 月 4 日在教皇格里高利的名义下对历法进行了规范，将第二天调整成为 10 月 15 日，中间去掉了

10 天。之所以要做调整，是为了说明几个世纪以来，复活节的时间发生变动的原因。直到 1752 年 9 月 2 日星期三，英国和美国才采用教皇格里高利的历法，俄国则是在 1917 年才采用该历法。格里高利历法精确算出了每年都会有 26 秒的时间差，累积到每 3,323 年，时间差就会长达一日。

科学家认为时间与空间一样，都是有维度的，可以分割成许多小块。科学需要用正常标准来衡量时间流逝。若没有这一标准，艾萨克 · 牛顿（1643—1727）就无法测算出运动定律。精确的日历表明时间有如下的本性：时间的测量可以按照分、时、日、月的集合形式来进行。然而，我们通常不用这种方法测量时间。直至 14 世纪，欧洲还很普遍地通过从日出到日落来衡量一天的长度，并相应照此将一天分为若干小时。结果是白日各小时与夜间各小时的长度截然不同，随着时间的推移，差异也渐为显著。当时人们觉得冬日的夜晚比较漫长，这是因为照此方式划分，冬日的夜间小时就是非常长。

中国自 8 世纪起就在使用时钟了，欧洲则是从 14 世纪初开始使用机械钟。最早的机械时钟巨大无比，全都安放在教堂的塔楼里。这些时钟是通过擒纵器进行运作的，擒纵器会将弹簧产生的转动能按部就班地、平稳地转化为摆轮或者钟摆的摆动。1656 年，荷兰科学家克里斯蒂安 · 惠更斯（1629—1695）发明了摆钟，并申请了专利。正是伽利略（1564—1642）在 1602 年最开始研究钟摆运动。他意识到钟摆运动的一致性可以用来计时。自 1637 年起，伽利略就开始思考如何制造出摆钟，但他一生都未能实现这一设想。钟摆运动使我们有理由相信（不管是否真实）时间确实是以一种均匀流逝的方式存在，并且可以被分割，以此类推，我们相信空间也能够被分割并截成常规量。科学革命为什么发生在西方而非东方，线性时间或许是唯一最重要的原因（尽管在文艺复兴时期，时间是线性的还是环状的，仍是备受争议的话题）。从广义上来说，在东方文化中，以及在所谓的原始文化中，历史在无休止地循环重复。直至今日，霍皮人及一些美洲原住民所说的语言仍没有时态上的线性结构。首先是在西方世界，现在贯穿在整个世界范围内，时间沿线性前行，并延伸至未来，沿着这条时间轴，我们标记出我们认为的历史和前进方向。

摆钟时间不同于天文时间会通过季节周期性变化来展示。从科学角度具体来看，天文时间并不是线性的。7 月 4 日这天地球距离太阳最远，而 1 月 3 日这天距离最近。当地球接近太阳时，角速度会加快，所以日出到日落的时间是在不断变化的。摆钟的时间是固定不变的，然而天体运行的时间则是在变化。在摆钟运行的时间里，我们能够设想出人造的时间单位比如说“秒”，这与测算日和年的方法有着天壤之别。

然而，秒的最初定义曾试图与真实时间相关联。人们曾将秒定义为一太阳日的 1/86,400，但这个定义并不通用，因为太阳日并不是常数。5 亿年前地球的自转速度要比现在快许多，因此，那时所谓的“一天”也比现在的要短几个小时。秒的定义是历史层面和文化层面的选择。

秒也有其他的几个定义，但在 1967 年秒的定义确定为：铯 133 原子基态的两个超精细能阶之间跃迁所辐射的电磁波 9,192,631,770 个周期所持续的时间。很明显，秒的定义与当初我们为长度所下的定义一样都很随意。

当我们进行测量时，似乎还无法将测量单位从我们的天性中区分出来。但这些哲学疑难并没有让很多科学家觉得困扰。（“少说话，多计算！”）虽然还无法确定测量时间和空间时我们到底做了哪些事，但科学仍在继续发展，同时也在测量着时间与空间。科学史即精确测量的发展史，而这有助于更加精准地定义测量单位。科学方法不只是哲学困境：它们发挥着实际作用。通过科学方法“发挥的作用”，是指我们用一个技术上的事实作为我们的证据——我们也称其为进步——我们已经熟悉它，并以此为立足点。如果这个进步的想法是在一条想象出来的时间轴上出现的幻觉，那这也绝对是令人信服的幻觉，我们称其为唯物主义。

纵观科学的历史，科学家所描述的宇宙无论是大小还是年龄都在增加。这个结果让我们的测量单位显得微不足道，我们几乎可以肯定宇宙一定会将 1 秒变成更长的时间，将 1 米变成更长的距离。这里其实潜伏着危险，如果测量单位被看作构成一切的根基，那么由于我们对其理解有一些偏差，我们用此描述宇宙时也会有很大偏差。科学家们正尽全力用通用的说法来描述世界——对宇宙真正通用的描述——而不是带有文化或历史偏见的原始说法。他们试图不再用测量的方式，而是想用一种永恒不变的方式。这种做法是否行得通还有待商榷。我们坚信即便没有科学的测量（最终简化为时钟和尺），我们也可以构建起丰富的理论，来描述构成这个世界的缤纷的现象。因此我们开始不再热衷于研究总是在变化的、构建出一切知识的根基。我们相信电的存在并不因为我们知道什么是电（并不是完全属实，研究得并不深入），而是关于电的科学描述解释了诸多现象。电完全可以融入我们构建的整个理论体系，还可以用来解释其他现象——比如说，磁力。我们可以构建起关于事物描述的网状系统，每一条支线都因为它作为系统的一部分而发挥了超出自身的作用，可以被用来解释越来越多的物质现实。

科学做的就是进行系统的测量。科学测量的是宇宙和它的内在构成，通过各种类型的测量我们可以观测外部世界。科学上观测和实验一样严肃，关键的一点是，它们都可以重复进行。科学实验是独立于现实的，它对现实进行观测并将结果公之于众。原则上来说任何实验都是可重复的。实际操作起来却极其困难。目前，信任体系和同行评议系统确保了科学方法的完整性。

为了让事物能够达到作为科学研究对象的程度，其必须能够被重现，并且能够重新测量。实验被设计出来，是为了使研究对象独立，将其从整体中分离出来，这样就可以被测量了。将实验对象分离使得物体能够作为独立个体被测量。

科学的方法就是进行分割，把世界分为不同的部分，再给每个部分安上名字，这是研究的第一步——不同的部分是如何相互连为一体的。“科学”这个单词源自古英文单词 sceans 和拉丁文单词 sciens，在古英文中，sceans 指的是“分离”，而拉丁文 sciens 指的是“知道”。但如果相信科学本身就是分裂的，就会将方法论与方法论所揭示的内容相混淆。科学采用分离的方法是为了更好地描述统一的事实，各个部分组合构成一个整体。

你相信事物的存在是因为你确信自己的存在。你相信的是自我。科学就是将个体经验转化为集体经验的一种方法。通过重复实验，或相信实验是可重复的，又或是通过最简单的方式观察我们周边科技创造的变化，我们便可亲自证实科学关于事实的描述是否正确。技术证明了科学正在某处发展着。就在那里我们能够创建模拟现实的物质世界。蒸汽机、毒品、暖气、武器、粒子加速器和苹果手机都让我们相信这个世界是真实存在的，物质世界越复杂，就显得越真实。有时我们会忘记这样一个事实，无论物质世界变得多么复杂，物质世界作为自然界筛选的一部分，都不会比自然界来得更复杂。顽固派唯物主义者或许会认为，科学作为一种信仰，借助科学的方法过滤，最终会破解所有的现象。

有些现象很难重复。也可以说大多数现象都难以重复。科学家排除了某些没有研究价值或不适合科学调查的现象：它们不能被单独分离出来，不能被公开地重复。这里举个例子：我们如何理解爱情的变化过程（这一现象）呢？这样的现象是否占据某个不同于科学的领域，而只能被诗人和神秘主义者所理解呢？或是它们还在等待着一个物质性的描述？小说家希拉里 ·曼特尔标注道：

> 我们关于世界的所有经验都是主观性的，但这并不意味着我们不能做出正当的陈述。我们只需要区分清楚哪些品质是可以衡量的，哪些是不可以的——但不会将后者侮辱为无用之物。心跳可以通过心电图观测到，但爱恨情仇却无法测量。谁敢说后者对世界没有影响？那些不相信无法被测量和量化的事物的人们，他们的观点是站不住脚的：他们的内在与有关他们的大部分现实注定会分道扬镳。

令人感到奇怪的是，我们认为我们了解世界——我们存在的确定性——是不对科学研究开放的，因为就其定义而言它不是公共性的。如果科学的目的是寻找对一切事物的描述，那么最终，所有的知识形式必须通过某种方式融合。物质性描述的神秘性就必须无法同（比如说）诗歌描述的神秘性区别开来。或者说有两个世界注定要保持分离："我们的感情属于一个世界，我们对事物和思想命名的能力属于另一个世界。我们可以在这两者间建立一种一致性，但是不能取消两者间的差异。"[1]

由于描述我们所测量的世界的理论愈加复杂，技术因此在不断进步。也就是说，单一的理论描述包含了越来越多的现象，并且因为我们找到了用以阐述理论的越来越复杂的数学，理论也在进步。为何自然可以被数学所描述，这也许是所有科学谜团中最神秘的一个。至此可以说：我们最终的科学信仰建立在数学以及数学描述所包含的现象网络之上。技术是信仰的外在可见表象。我们不再相信人类的可完善性，不相信历史教训或者其他任何形式的进步，除了科学的进步，因为我们生活的技术层面在改变。舒适的物质世界环境让人们喜欢在室内生活，身心都已远离淳朴的自然界。进步是技术理论和数学之间的一个反馈回路。更新、更深刻的理论被写入了更新、更精致的数学中。借助最新技术，科学家打磨这个世界并寻找证据来支撑其理论。由于对物质世界有着更为充分的理解，人们也能制造出更加精密的测量仪器。通过

[1] 引自马赛尔·普鲁斯特所著《追忆逝水年华》(1909—1922)。

望远镜和显微镜等科技设备，我们感知世界的能力得到扩展。或者说我们的视力扩展了，因为总体而言我们闻不到、尝不到、甚至也（除了所谓的大爆炸）听不到宇宙。

科学就是不断地进行测量。我们希望当我们再次测量，或者如果其他人再做相同的测量后，世界与先前测量的结论仍保持一致。科学需要可重复性。有行为异常的个人介入，在异常条件下产生的现象，并不是科学研究的合适对象。但是我们都是行为独特的个人。复杂的是，个人主义的人往往都成了最为棘手的科学研究对象。正是我们的天性为我们带来了最大的测量难题。

宇宙自身看起来并不属于科学范畴，因为除了其自身，还有什么可以用来测量宇宙呢？没有其他宇宙可以用来同我们的宇宙做对比。实际上，宇宙一直在被重新定义。同早先的、“小一些的”宇宙相比，总有一个更新的、被扩大了的宇宙概念。在计算机网络时代，我们可以利用计算模拟出其他可能存在的宇宙。甚至有人认为，总有一天，我们可以创造出与我们所生活的宇宙类似的宇宙，但这个过程必然导致被称为“宇宙”的这个事物的降格。具有讽刺意味的是，如果科学成功描述了自然界的统一性，无论此统一性是什么，它都不是一个科学研究的对象。

对整体事物的统一描述必定会使得在不同事物间做比较的科学走向停滞。

但这样的描述似乎超出了我们的能力范围。我们认为我们在理解中不断接近宇宙整体，宇宙却是个幻化为全然异在的存在的虚幻之物。宇宙似乎非常具有创造性，远远胜过我们最强的创造能力，如果我们将自己视为受造于宇宙的一部分，这就不足为奇了，“充满希望和绝望的生活之抗争，仿佛自然将会在自身翻寻以便找到自身——最终却都无济于事，因为自然不能被还原为理解，生活最终也不能按照其所愿而生活。”[1]

[1] 引自托马斯·曼所著《魔山》(*The Magic Mountain*，1924)。

第4章

并非关于你

诸神起初并没让人类知晓所有事物，但最后，人类致力于求知，于是有了更多的发现。

——色诺芬尼

我们了解大规模宇宙空间的层次排列，即恒星运动的层次结构，是数百年来科学探索得出的结果。无论科学方法发生了怎样的变化，从前的方法都不会与如今的方法相一致。这些科学方法随着我们对宇宙的了解，也随着时间的推移而发生变化。毫无疑问，这一变化会随着对宇宙了解的加深持续下去。科学和宇宙是不可分割的。

我们若想要到达宇宙的边缘，一定要经过很长的一段路。要想回答那些困扰人类多年的问题：宇宙从何而来？宇宙由何种物质组成？我们还需要回到最初的科学冒险阶段，了解我们是如何获得如今的理解的。

从广义上来说，科学和宇宙都有着古老的历史和现代的历史。

科学意味着集体努力，虽然没有成文条例的规定，但随着时间的推移，它的意义也逐渐显现。无论科学现如今发展得怎样，曾几何时，“科学”一词有过毫无意义的阶段。如今我们知道恒星在宇宙中是如何排布的，这也让我们更容易发现其实我们并不位于宇宙的中心。但是人们的观点并非一向如此，古代科学有着相反的观点，认为我们就是处在宇宙的中心。到了亚里士多德的时代（前384—前322），人们认为地球牢牢地固定在宇宙的中心位置，而关于宇宙的部分描述，我们可以追溯到所谓的文明的起点。

无论我们所说的文明指的是什么，似乎都是在近东的城邦中出现的。美索不达米亚平原是西方历史上最具影响力的古代文明发祥地，该地物阜民丰，以底格里斯河与幼发拉底河为边界，即现代的伊拉克地区。“美索不达米亚”一词源于希腊语，意思是两河之间。有证据表明，自前10000年起，该地就发展了农业，那时，地球开始变得像现在一样温暖，而比200万年前要暖和。由20~30个牧民组成的小群体随着规模的扩大而定居下来。有证据表明，前7000年，在耶利哥地区曾出现过约74英亩发达的农业社区。

大约在前5000年或前4000年，苏美尔部落就来到了美索不达米亚平原，但我们还不知道这些人从何处迁徙来此。苏美尔部落最先开始学习读写。《吉尔伽美什史诗》收录了美索不达米亚南部国家巴比伦的传说。这个故事记录了乌鲁克国王的事迹，同时也提到了最早期城邦的文化发展历程，这些城邦依次为：乌尔、埃利都、拉格什和赫斯。这个故事还记录了该地所发生的第一场大洪水，并第一次描述了人的梦境。我们从《圣经》中得知，希伯来和阿拉伯国家之父亚伯拉罕曾从迦勒底的乌尔出发开始游历（以色列人是亚伯拉罕的儿子以撒的后代，以实玛利人则是他另一个儿子以实玛利的后代）。迦勒底是巴比伦的一个地区。

前 18 世纪的创世故事《埃努玛 ·埃利什》讲述了美索不达米亚人是如何出现的。数百年来，寺庙都在传诵这个故事。这些创世故事不仅是最早的宗教叙述，也体现了最早的宇宙观。希伯来宇宙观及《圣经》的创世说都引入了《埃努玛 ·埃利什》中的许多内容：地球呈扁平的碟状，上下都被水包围着；天空可以阻止水从上方落下将土地淹没，但能让雨水降下；地球下方的水则升起形成河流和海洋。苏美尔人像占星家和天文学家般研究天空。他们能够看到神灵给出的征兆并预测日食和月食。

其他的文明也在世界各地发展着：埃及、印度河流域、中国分别于前 3000 年左右、前 2700 年、前 2100 年开始孕育文明。但无论出于什么原因（许多原因之前提到过），在西方，科学史很大程度上就是广为流传的故事。东方的思维方式似乎与科学核心中的进步观念相对立。有人曾提出，中国的象形文字不鼓励抽象思维，结果就如哲学家约翰 ·格雷所说："中国的思想家很少将观点误认为事实。"[1] 埃及人和巴比伦人似乎没有留下任何东西可算作对物质世界的描述，虽然巴比伦人确实发展出了一套以 60 进制为基础的计数系统，也就是我们今天使用的一小时为 60 分钟，一个圆周等于 360° 的规则。埃及人发明了以星体观测为基础的日历。我们

[1] 引自约翰 ·格雷所著《稻草狗》（*Straw Dogs*，2002）。

所知的历史上最早的时间记录都是埃及人留下的，无论是前 4236 年还是前 4241 年，都是根据他们对日历的阐释推算出来的。

从前 2000 年开始，希腊部落开始在爱琴海上漂流，最终他们定居下来成为城市居民。所谓的迈锡尼文明兴起于前 1600 年，覆灭于前 1150 年。希腊历史进入了一段长达 300 年的黑暗时期。奥林匹克运动会创始于前 776 年，荷马（很可能是一种传统而非一位作家）不太可能生活在前 8 世纪之前。因此德国哲学家弗里德里希·尼采（1844—1900）将文明的开端描述为“人类历史上最有成就、最美丽、最令人艳羡的时刻”。[1] 一些历史学家认为希腊哲学始于前 585 年 5 月 28 日。据说就在这一天，前苏格拉底学派的第一位哲学家米利都的泰勒斯（前 624—前 546）预测了一次日食。现在认为泰勒斯是观测到了日食，并非预测了它的发生，而他的知识是从巴比伦人那里传承下来的。迦勒底的智者们在国外游历时，将占星术和早期天文观测的相关知识传播到了希腊和罗马帝国。

无论后人如何评论泰勒斯，他的光芒确实盖过了他的前人，因为被称为“科学之父”。正是他引入了 *cosmos* 这个希腊语词汇来描述宇宙，这个词代表着秩序，也指美丽的事物，就如同它在“美容、装饰”（cosmetic）这个词中表达的含义一样；与之意义相反的词则是 *chaos*（混乱）。

泰勒斯相信，世间万物皆是由水构成的，只是以不同的形式呈现出来。正是他开始探索组成世界的物理构件：唯物主义由此

[1] 引自弗里德里希·尼采所著《悲剧的诞生》（*The Birth of Tragedy*，1872）。

诞生。他没有对有生命的事物和无生命的事物进行区分。对他而言，即便是磁性岩石，也是拥有灵魂的。这一观点一直流传下来，在 16 世纪英国医生及科学家威廉 · 吉尔伯特（1544—1603）的作品中有所体现。吉尔伯特是哥白尼日心说宇宙模型早期的热心支持者，也是最早使用"电"这个词的人之一。

早期希腊哲学可被追溯到老师对学生口传心授的传统。"导师"（mentor）这个词就出自于荷马史诗《奥德赛》。当忒勒玛科斯的生父奥德修斯奔赴战场后，他的导师便替代了他父亲的角色。泰勒斯是阿那克西曼（前 610—前 546）的导师，阿那克西曼是阿那克西米尼（前 585—前 525）的导师。他们三人都来自于古城米利都，即现在的土耳其，当时是希腊的一座城市。阿那克西米尼继续探索着对世界进行简单描述。但他认为，世间万物起源于空气，而不是水。

前苏格拉底派中最著名的人物是毕达哥拉斯（生活在前 6 世纪），他是第一个自称"哲学家"的人，这个词的字面意思就是"智慧的爱人"。他曾在埃及与智者们一同学习，随后前往腓尼基（古文明之一，即现在的黎巴嫩和叙利亚沿海地区）。毕达哥拉斯很有可能就是在埃及萌生了对几何和三角学的兴趣。

毕达哥拉斯创建了一所学校，存世达千年之久，比起学校，毕达哥拉斯学派事实上更像兄弟会。学校的名字是"数学家"（*mathematikoi*，字面意思是无所不学的人），学校成员是严格的素食主义者，过着修道士般的生活。他们专门研究算术、几何、音乐和天文学，一直到中世纪，这些都是教育的基础，被称为"四学科"（*quadrivium*，拉丁语词汇，意思是四条路的交汇处）。他们认为归根结底事实就是数学，这种思想延续至今。两者之间的一个重要区别就是虽然我们将形状和数字作为事物的属性，但是“数学家”学校的成员却认为它们是事物的本质。数字命理学是毕达哥拉斯学派的传统学科。现代世界中区分神秘主义和科学事物的科学方法在古代人看来是毫无意义的。数学命理学是中国占卜名著《易经》(很有可能成书于前9世纪，但根据神话传说却是在前2800年)的核心所在，也是犹太神秘主义体系喀巴拉的主体。

毕达哥拉斯学派认为圆形是自然中最完美的形态。他们将地球置于一个球形宇宙的中央，并用简单的数字来描述一些已知行星的运动。毕达哥拉斯没有留下任何作品（他的追随者的许多作品也未留下），这被归因于毕达哥拉斯是个备受争议的人物。我们仅能从毕达哥拉斯去世200年后各种充满矛盾的记载中了解他。如今，众所周知，毕拉哥拉斯定理并非是他本人发现的[1]；音程和简单数之间的关系同样也不是他发现的，虽然曾被归功于他。[2]

赫拉克利特描述了宇宙是如何从先前的混乱状态中形成的。宇宙是一种伴随着混乱的有序状态，也就是我们所说的物质世界。排序的原则被称为“罗各斯”（*logos*），表示学问的单词的后缀 -ology 就是从这个词演化而来。罗各斯有时也被译为“语言”（word），因为在从原始的希腊文版《福音书》翻译而来的英文版本的开头，圣约翰如是说：“最开始时是神的语言。”混乱是指没有事物存在的状态，无论包含什么，在这样的状态下，世界还

[1] 正如每个学生所知，毕达哥拉斯定理告诉我们：直角三角形斜边的平方等于两条直角边的平方和。

[2] 比如，把弦等分，可以发出八度音；按3:2的比例分隔，可以发出五度音；按4:3的比例分隔，可以发出四度音。

没有名字。空无一物和一切皆无是两个完全不同的概念。正是命名的过程将宇宙从混乱中分离出来。这也是《创世记》中记录的关于创世的初始意义，当时上帝将事物从混乱中分离出来，并赋予它们名字（光、陆地、天堂、夜晚、白天，等等）。中世纪的神学家将这个创世故事解读为世界是无中生有的（从虚无中诞生）。

赫拉克利特写道，改变（也被认为具有火焰的特征）是世界的基本特质，这与万物皆为进化能量的某种形式的现代思想不谋而合。

巴门尼德（约前 510—前 450）的著作留存下来的就只有一篇诗章的片段，我们只能从这些片段中了解他的哲学思想。他写道，存在是永恒不变的：我们所感知到的变化和事物的运动，都是一种幻觉。他否认虚无的存在，而认为现实世界是一个不变的整体。柏拉图深受巴门尼德哲学思想影响，并将其称为“我们的父亲巴门尼德”。巴门尼德的哲学思想被总结为拉丁文短语 *ex nihilonihil fit*（无中不能生有）。

恩培多克勒（约前 490—前 430）总结了先贤的哲学思想。他认为宇宙由土、空气、火和水组成，且具有两条基本原则：吸引和排斥，或者说爱与斗。土、空气、火和水四种元素是构成物质世界的基石，这种想法直到欧洲文艺复兴时期才发生改变。

留基伯生活在前 5 世纪上半叶，他的著作无一流传至今，我们之所以知道他，是因为他是德谟克利特（约前 460—前 370）的导师。德谟克利特提出的原子论很有可能来自于他的老师。亚里士多德是德谟克利特的仰慕者，要不是亚里士多德对德谟克利特的原子论提出了批评，我们根本不会知道这个理论。又一次，因为在他人的作品被提及，德谟克利特的大量著作留下了零碎的片段，他的成就因而广为人知。原子论告诉我们，世界上的一切事物都是由一种叫作原子的粒子构成的，原子体积微小、肉眼不可见并且永恒不朽。有些原子可能带有钩子，有些则是圆形的。原子之间的差异，如结构和性状的不同，相互之间吸附方式的不同，解释了为何不同的物质有着不同的特质。食物也是由原子构成的，它们以不同的方式影响着我们的味蕾，这解释了味觉体验的主观差异性。原子属性而非味道，才是食物的根本特质。甚至灵魂也有原子结构，是由最精致的原子构建的。

德谟克利特是第一个断言宇宙中的其他部分还有其他世界存在的人，而且这些世界各自拥有其他的太阳和月亮。

古希腊人的哲学思想其实就是一种信条：智慧是宇宙的本质。前苏格拉底学派从苏美尔人那里继承了延续 2,000 年的、以诗歌体现智慧的传统。如果前苏格拉底学派的哲学家只是偶尔将他们的作品呈现为诗歌的形式，那么这些作品常常拥有了诗歌的力量。

《圣经》中的《传道书》《箴言篇》《约伯记》《雅歌》以及其他充满智慧的书籍都在这一时期前后写成。孔子（前 551—前 479）是一位与毕达哥拉斯同时代的智者。传说佛祖释迦牟尼大约生活在前 563 至前 483 年，虽然现代学者认为他更可能生活在晚一些的前 400 年前后。根据中国传统说法，哲学家老子应该生活在前 6 世纪，虽然历史学家已经将这个时间更改为前 4 世纪。波斯诗人、先知琐罗亚斯德很可能也生活在这个时代，虽然对此仍有很多异议。他可能生活在遥远的前 6000 年，虽然可能性非常低。

特尔斐神谕称苏格拉底（约前 470—前 399）是所有希腊人中最具智慧的，也可能是最著名的那位哲学家的导师。英国数学家阿尔弗雷德·诺思·怀特黑德（1861—1947）对柏拉图有一句非常有名的评论，即柏拉图之后的所有成就都只是对哲学的补充说明而已。柏拉图在一个名叫阿加德米斯（Academos）的人拥有的果园里创办了柏拉图学院，因此衍生出了“学院”（Academy）这个词和“学术领域”（groves of academe）这个短语。柏拉图学院一直开办到 529 年，也就是持续了 900 多年的时间。牛津大学和剑桥大学是在 1231 年获得了办学许可，也就是说要到 2180 年左右，它们才能超过柏拉图学院的办学纪录。

在柏拉图看来，物质世界会腐化分解，直至消失，所以是短暂的和虚幻的。他认为，真正的世界是所谓的理想世界，是永恒不朽的。物质世界是这些理想的不完美体现。完美的几何形状只存在于柏拉图式的世界中。在毕达哥拉斯的哲学中，天体的运行轨迹是圆形的，因为圆形是最为完美理想的形状。同理，天体的形状应该是球形的。许多天体的运行轨迹是椭圆形的，这个真相直到今天还让一些人感到震惊，因为我们本能地顺从了古人的想法，认为天体运行轨迹肯定是圆形的。

柏拉图发展了毕达哥拉斯的球形宇宙理论，把宇宙看成是层层嵌套的一系列球体组成的，地球就位于它们的中心位置。他认为共有 7 个球形结构承载着月球和所有已知的行星，上帝则在第七层天之外。在柏拉图看来，自然界是不纯洁的，因为在自然界中不存在完美的构造。我们只能通过理性和智慧来看清事物的真正模样。柏拉图认为宇宙是秩序和美好的所在，这个思想也继承自毕达哥拉斯。宇宙是韵律美妙的，有着自己的灵魂；宇宙是动态的、鲜活的。柏拉图是第一个问出“为什么宇宙会存在”的人。

柏拉图坚持数学是支撑自然的重要学科，而他的学生亚里士多德（约前384—前322）对这个观点并不感兴趣。亚里士多德更感兴趣的是天空中的球体是如何在分层结构中运动的，而不是它们各自的完美特质。在亚里士多德的宇宙观中有54个球体，其中最外层的球体承载着所谓的恒星。亚里士多德接受了恩培多克勒的“四元素”哲学观点，并且加入了自己的“第五元素”：新加入的元素是被称为“以太”（或“典范”）的微小物质。亚里士多德认为是以太构建了天上的球形结构和天体。到了中世纪，以太被描述成硬度和水晶相似的物质。

在亚里士多德眼中，世界的不断变化发生在地球到月球之间的范围内。在这个地月之间的球形结构之外，是包含不变事物的永恒世界。在低一层的世界中，重物会坠落到地面，因为它们比稍轻的物体包含更多的泥土，所以要重返它们能够以自然方式存在的地方。拥有更多空气特性的物体，比如羽毛，则更容易被吸引到空气环境中。亚里士多德对世界的描述，比现代科学方法范围内的描述要奇异得多。要想把亚里士多德的世界用现代严格的科学方式描述出来，我们需要对物体中的土、水、火和空气四种元素进行量化，并且需要找到解答这类现象统一性的数学关系，从而做出预测。

与许多大师的门徒一样，亚里士多德并不认同他导师的观点。他认为要想认识世界，观察是最好的方法。“智慧起源于感觉”这句格言是13世纪神学家托马斯·阿奎纳对亚里士多德的观察方法的描述。但在现在看来，当时亚里士多德的观察法算不上是科学调查。他从远处观察世界，并认定世界就是他所观察到的样子。他并未像我们所做的一样，通过实验仔细地观察这个世界。例如，亚里士多德声称，男性和女性牙齿数量不同，但只要稍微观察一下就能发现这个结论是错误的。然而，亚里士多德所坚信的物质世界可以被观测，进而可以被理解的观点，似乎又向着现代科学方法迈进了一步。亚里士多德方法的不同之处在于它强调人类对于世界呈现方式的感受，而非通过调查弄清世界的真实本质。在亚里士多德看来，显然较重的物体会比较轻的物体下落更快。这一结论经过了 2,000 多年的调查研究后才被证实有误。

前 4 世纪，亚里上多德最著名的学生亚历山大大帝（前 356—前 323）攻占了美索不达米亚平原。该地曾是阿卡德、巴比伦和亚述帝国子民的聚集地，但其历史意义也随着时间的流逝逐渐淡化。前 331 年，亚历山大大帝建造了亚历山大城。前 3 世纪初，他在亚历山大建了一座图书馆，取名缪斯神庙（“博物馆”一词的出处）。图书馆的第一位管理员德米特里厄斯也是亚里士多德的学生。这座图书馆成了当时世界上最大的知识储库，可能收纳了约 100 万部手稿。前 300 年左右，伟大的数学家欧几里得也经常到图书馆来。

最著名的图书馆员名叫埃拉托色尼（前 276—前 194），他最早精确测量了地球的周长。有一段时间，希腊人都知道地球肯定是球形的，因为它在月球上的投影是有弧度的。埃拉托色尼从一名来到图书馆的游客口中得知，正午时太阳光会直射进阿斯旺附近的一口井中，于是意识到这可以帮助他计算出地球的周长。利用亚历山大与阿斯旺之间的已知距离，以及正午时分亚历山大城内标记物影子形成的角度（此时阿斯旺的标记物是没有影子的），埃拉托色尼便能计算出这些地方地面弧度是多少。根据这条信息很容易就能算出阿斯旺与亚历山大港两地间的地面弧度所在的圆周周长为多少，也就是地球的周长。

埃拉托色尼测量出地球的周长为 25 万视距，但关于 1 视距为多长一直存有争议。现代考古研究表明，如果埃拉托色尼使用埃及视距作为测量单位，那么他的测量误差值可能在 1% 的范围内（比 40,000 千米多一点）。这次测量是希腊人一系列精确测量中最令人惊叹的一次（很可能是侥幸测量出来的），一直到近现代，人们才能进行如此精密的测量。[1]

前 48 年凯撒大帝入侵亚历山大港时，图书馆被烧毁，后又被重建。公元 3 世纪，随着奥勒良一声令下，许多图书被销毁了。391 年，在后来的亚历山大主教西奥菲勒斯拆毁所有异教神庙的运动中，那些本来被藏起来的手稿又被发现并销毁了。缪斯神庙图书馆的最后一位管理员名叫西昂，他是希帕蒂娅的父亲，希帕蒂娅是柏拉图主义者、数学家及天文学家，同时也是伊希斯的女祭司。415 年，45 岁的希帕蒂娅被一群基督教修道士用牡蛎壳[2]剐剥至死。据说在 642 年，来到埃及的阿拉伯征服者焚烧了最后所剩无几的手稿来给浴池加热。这一传说几乎可以确定是虚构的，极有可能是后人为败坏穆斯林征服者的名誉而杜撰的。8 世纪末前夕，缪斯神庙的千年历史从此灰飞烟灭。

[1] 克里斯托弗·哥伦布（1451—1506）并不承认埃拉托色尼的测量结果，他认为地球一定小得多。如果他被说服相信了这个结果，可能就不会起航了。

[2] 希腊语是 ostrakois，也有屋瓦之意。所以也有可能是用破瓦片剐剥她。希腊有一种通过投票驱逐公民的制度，选票通常写在屋瓦上，因此有了 ostracise（意为“放逐”）这个词。

亚历山大的缪斯神庙并不是唯一典藏古籍的图书馆，前 200 年，在帕加马也有一座这样的图书馆，但在其最后衰亡的时期，馆藏的大部分古籍要么消失不见，要么即将在几个世纪中流落西方。4 世纪末 5 世纪初，圣奥古斯丁将柏拉图的思想发展成基督徒的信仰体系。6 世纪的罗马哲学家 A.M.S. 波伊提乌（约 480—524 年）一生致力于维护古代经典知识，还将许多希腊文献翻译成拉丁文。在西方与古典世界失去联系之前，波伊提乌是最后一批精通希腊语的学者之一。波伊提乌通常被认为是古罗马最后的古典作家。在狱中等待执行死刑时，他写下了著作《哲学的慰藉》。14 世纪，杰弗里 · 乔叟（约 1343—约 1400）将这部拉丁文作品翻译成了英文，当时西方的许多国家，尤其是意大利，又重新建立了与古典世界的联系。

欧洲度过黑暗时代（约 47—1000 年）后，知识界迎来了文艺复兴时期，这标志着西方不仅重新发现了失落的古典知识，还发现并综合了阿拉伯世界历经数百年发展出的知识体系。先知穆罕默德（约 570—632 年）逝世后 100 年内，巴格达成为文明世界的中心，在当时的西方看来，巴格达坚不可摧。几个世纪以来，阿拉伯世界一直保护并吸纳着大量从古典世界中幸存下来的知识。科学的故事很大程度上被等同于西方世界的故事，有着 400 多年历史的阿拉伯思想被排除在外。有些时候，科学中用来表达“世界性”的“我们”一词，并不涵盖全球范围。

曾经一度人们所说的知识就是指阿拉伯的知识。尤其是炼金术（alchemy）这个表述，在阿拉伯文中词源是 *al-kimiya*，该词最初源自埃及词汇 *keme*，意思是“黑土”，即尼罗河每年洪水泛滥后留下的肥沃黑土。炼金术研究的是精神和物质作为一个统一的体系如何运作。直至近现代，两者才分为独立的体系。关于炼金术，牛顿书写了百万文字，其中包括对《翠玉录》做的注解。《翠玉录》旨在揭示宇宙的初始物质是如何演变为其他形式的物质的。相传《翠玉录》是古埃及月神透特（他是赫尔墨斯·特利斯墨吉斯忒斯的化身）所著，这本书曾收藏于亚历山大图书馆内。《翠玉录》对西方影响深远，带动了以赫尔墨斯主义传统（表示某种保密的、隐而不言的传统）为基础的查询系统的发展。与牛顿同时期的现代化学之父罗伯特·波义耳也对炼金术和赫尔墨斯神智学很感兴趣。他所著的《关于金属转变的对话》原稿已经遗失，后世所能见到的都是断简残篇的拼凑。如此看来，"化学"（chemistry）一词的词源可以追溯到炼金术。

文艺复兴时期，先前由阿拉伯国家保管、修订的经典著作，许多都翻译成了拉丁文，这些译作是经阿拉伯版本翻译过来的，并非译自希腊原作。在文艺复兴时期，翻译曾一度被视为高尚的艺术。《秘义集成》是赫尔墨斯主义集大成的作品，大约在2世纪或3世纪成书，全书由希腊文写成。1460年，佛罗伦萨哲学家马尔西利奥·费奇诺将该书翻译成拉丁文，为翻译此书，他搁置了翻译柏拉图《对话录》的工作。整个15世纪，佛罗伦萨都是人文主义和文艺复兴运动的中心区。数百年间，乃至在文艺复兴之后的年代，《秘义集成》都拥有巨大的影响力。人文主义哲学所包含的人类要为自身命运负责的观点，即源自于这部作品。出人意料的是，人文主义不仅未受到教会的责难，相反，基督教和赫尔墨斯派的知识还结合为人文主义基督教义。古希腊人对爱的解析（eros， agape，pothos 和 himeros 都是希腊人代表“爱”的词汇）被重新审视，并被纳入人文主义哲学思想。柏拉图讲述了一件人们较少留意的事情：苏格拉底对其弟子亚西比德有一种与众不同的关爱，也就是我们所说的柏拉图式的爱情。在文艺复兴时期，这种爱被重新定义为人类和上帝之间的爱。人文主义并不否定上帝，但它更讲求坚定的信念，当谈到世界的运转时，仅靠信仰远远不够，还必须借助理性的思考和观察。自然定律即上帝的准则，换言之，定律是独立存在的。无论如何，人类必须依靠思考和测量来理解这些定律。另一方面，要借助沉思来探索和理解神圣思想。

数百年来，希腊语早已在西方失传。意大利诗人彼得拉克（1304—1374）曾尝试学习希腊语，却一无所获。但丁对荷马颇为了解，却看不懂他的著作。意大利作家薄伽丘（1313—1375）是现代史上最早学习希腊语的人之一，他还确保佛罗伦萨大学会教授希腊语。到 15 世纪中期时，希腊语在意大利得以恢复。16 世纪初期，马丁 · 路德（1483—1546）正是在研读了古希腊宗教手稿之后，开始了基督教的宗教改革。

13 世纪，哲学家及神学家托马斯 · 阿奎纳（约 1225—1274 年）可以说独自开创了新局面，他把基督教神学和亚里士多德哲学合二为一。15 世纪，天主教会统领西方世界，同时阿奎纳思想的影响根深蒂固。阿奎纳哲学体系一直延续到 16 和 17 世纪，事实上可以说一直延续到现在。亚里士多德的宇宙观着眼于如何对宇宙进行描述，而且一直以来经历了数次修正，甚至在文艺复兴的鼎盛时期也是如此。

当时，无论在精神还是物质层面，教会都是最高权威，如果说最早是由教皇象征着上帝的权威，那么亚里士多德就是神权的第二化身。每当发生争端，人们会不假思索地参照亚里士多德的思想。然而，亚里士多德并非解决一切疑难的灵丹妙药，比如依照教会历法，每年复活节日期都不一样，亚里士多德也爱莫能助。再往后推 1,500 年，春分日期将从 3 月 21 日变为 3 月 11 日（解决这个历法难题是科学史的一部分，不过解决方法是从基督教史中寻找到的）。

有些人认为只要找到遗失的托勒密著作就能解决问题。克罗狄斯 · 托勒密（约 100—170 年）是埃及天文学家，他详述了亚里士多德的宇宙观并在某种程度上对其做了一些改良。托勒密曾在亚历山大从事研究，并用希腊文写作。托勒密的著作《天文学大成》在 9 世纪时被译成阿拉伯文，但西方却将其看作神话传说；12 世纪出现的西班牙文译本及之后的拉丁文译本，都未将托勒密宇宙观中关乎技术层面的问题译出。直到 15 世纪，希腊文恢复使用后，托勒密的著作才引起反响。

托勒密是天文学家，同时还是神秘主义者。同亚里士多德一样，他将地球和人类设定为宇宙的中心，他很可能还认为人类是宇宙精神领域的中心。他似乎以一种现代人的思维方式意识到，在浩瀚的宇宙面前，人类是微不足道的。他曾写道，尽管地球位于宇宙的中心，但和整个宇宙相比，地球不过就是数学中的一个理论点（没有大小或维度）。

托勒密的观点有多少原创成分不得而知，但他的思想深受希帕克斯（前 190—前 120）的影响。希帕克斯生活的年代要比托勒密早 3 个世纪，他的著作已完全遗失。《天文学大成》的书名是拉丁文（*Almagest*），是《伟大之书》（*The Great Book*）标题的阿拉伯文译法的拉丁文形式。这本书汇集了 800 年来的天文观测成果，能够让人们了解古希腊人掌握了哪些天文学知识。托勒密作为柏拉图思想的追随者，为了能让行星的运行轨迹呈现完美的圆形，在描述天文构造时引入了本轮，从而颠覆了亚里士多德宇宙观中的物理现实。前 3 世纪，佩尔格的阿波罗尼奥斯最先提出了本轮的概念，即行星依循本轮小圆运行，而本轮的圆心依循大圆绕行。本轮没有实质的物理意义，提出这一概念只是为了确保模型能有效运作。如果添加本轮，所观测到的任意行星都会按圆形轨迹运行。换言之，这是投机取巧的方法。

托勒密一向认为他的模型只是一种数学描述（或是柏拉图式描述），通过使用不同的公式可以计算各行星的位置。在某些方面，该计算方法无异于用来处理数据的表格，而且所用数据并非都很精确。托勒密的体系不具备深层次的一致性，不符合现代科学理论。据说托勒密还在本轮上叠加本轮，但无证据显示确有其事。相传 13 世纪的天文学家——西班牙国王阿方索十世曾说，倘若创世时他也在场，他会针对本轮提出改良建议。尽管和托勒密的体系相比，就描述观测到的现象而言，亚里士多德的体系更缺乏说服力，但它至少在掌握物理现实方面更有优势。到 16 世纪时，大家已经很清楚，托勒密的伟大研究成果与人们期待的结果有很大出入。

为了能建立更为可靠的历法，教会支持完善宇宙论的研究工作。最可行的方法就是从新发现的古代作家那里获取灵感。波兰天文学家及教士尼古拉 · 哥白尼（1473—1543）似乎从前 3 世纪的阿里斯塔克（约前287—约前212）那里找到了灵感。阿基米德的著作中援引过阿里斯塔克的许多观点，这些观点因而得以留存下来（阿里斯塔克自己创作的原始文献已经遗失）。阿里斯塔克最先提出日心说。他甚至意识到，地球在移动而恒星看上去却是固定不动，说明恒星一定距离地球非常遥远。从日常生活中我们发现，当围绕近物转动时，我们与物体之间的空间关系会随之改变。我们将这一现象称为视差：一个简单的道理，当我们在物体间移动时，视角也会发生变化。根据亚里士多德的宇宙模型，地球和恒星之间不存在视差，因为两者都是固定不动的：地球固定在宇宙的中心，恒星则固定在与太阳和行星有一定距离的、外层的天球上，这个天球是运动着的。凡是支持地球转动的理论都必须解释这一事实——恒星看上去是固定排列的（星群），每24小时都绕行地球一周。事实证明，恒星视差是存在的，但由于恒星距离地球非常遥远，才会让人觉得它们是固定不动的。这种视角的细微变化很难测定，直到19世纪，高倍望远镜问世后，恒星视差才被观测到。几个世纪以来，很多思想家利用阿里斯塔克的所有恒星都远不可及的观点来反驳他的日心说。

哥白尼对托勒密的《天文学大成》了如指掌，他发现，如果将太阳设置为宇宙的中心，就可以简化托勒密的地心宇宙模型。与阿里斯塔克的模型相似，哥白尼的模型并非完全以太阳为中心，说是“近日模型”倒更为贴切：将固定不动的地球换成固定不动的太阳。哥白尼依然认为天球是由水晶组成的，但他把托勒密体系中的天球数量从80个（随着时间的推移还在增加）缩减至34个。

哥白尼了解阿里斯塔克的日心体系，并且间接引用了一份留存下来的手稿上的内容。但出于种种原因，哥白尼的著作《天体运行论》的印刷版中并未出现这个文段。他很可能是通过阿拉伯作家的著述才对这一观念有所了解。哥白尼的《天体运行论》在他死后才出版。人们常说他延迟出版是为了免遭教会的报复，但他应该是想先找到证据证明自己的观点，或者他是害怕受到同事的批判。还有可能是因为哥白尼太过忙碌，他不仅是天文学家，还是天主教教士，同时还是古典学者、医生、外交官、哲学家、翻译家、法学家和地方长官。如何解释地球看起来像静止不动，哥白尼对此的想法不比阿里斯塔克多。同时，由于没有固定的点来区分上下方向，哥白尼也无法解释为什么重物会朝地面坠落。凡是试图以动态地球取代静止地球的新理论，都必须说明为什么如同亚里士多德的描述一般，物体朝着地面的方向坠落。哥白尼推想地球存在某种引力（早于地心引力的发现），但他无法使其形成某种理论，这种理论要能做出可测量的预测。他推测的引力带有神秘色彩："这种力是一种天然的倾向，造物主将其赋予物体的各部分，使之结合起来形成天球，并因此使各部分具有统一性和完整性。"哥白尼的体系比托勒密的体系更简单、更精确吗？并不完全清楚。无论如何，哥白尼的作品出版时，几乎没有引起任何反响，而且是在首版70年后的1616年才遭教会查禁的。哥白尼的作品并未引发思想变革，若不是伽利略对它感兴趣，它很可能就将湮没在时间的长河中了。

13世纪时，人们发现透镜会让远处的物体看起来位置更近，不过当时望远镜还未问世，直到17世纪，荷兰人才发明了望远镜：一种被用来窥视对街居民的新鲜物件。伽利略·伽利雷（1564—

1642）在听旁人口头描述荷兰的这项发明后，制作出了他自己的第一台望远镜，很快，他的望远镜就胜过了所有的荷兰制品，尽管经他改良后的透镜所成的像也十分模糊，和现代设备形成的清晰图像有着天壤之别。伽利略说不定也曾拿望远镜偷窥过对街的人，但当他把镜头瞄向天空并搞清楚自己看到了什么时，历史也因此改变。英国天文学家托马斯·哈里奥特（1560—1621）很有可能是最早用望远镜做天文观测的人。[1] 自1609年起，托马斯便开始绘制月球表面，但最早发现月面有山脉峡谷的人却是伽利略。

在亚里士多德的宇宙观当中，月下的世界会发生退化，因为这里经常发生变化。在圣奥古斯丁生活的时代（354—430），基督教神学论中记载地球是远离宇宙中心的，且位于宇宙底部，因此地球上的物体都会朝地面方向下落。在佛罗伦萨诗人但丁·阿利吉耶里（1265—1321）的作品《神曲》中，地狱被描绘为宇宙的中心，撒旦就处在正中央的位置。即便到了17世纪的宗教改革时期，仍有人认为在所有行星中，地球的存在价值最低。人文主义反对这类令人沮丧的思想，试图提升人类在宇宙中的地位。

亚里士多德的宇宙观认为，天界位于月球之上，是一处完美无瑕的永恒之地。照基督教神学论，天堂自然是最宜人的地方。当伽利略描述出月球上有山脉，太阳上有斑点后，亚里士多德宇宙观就被证明是有缺陷的，或者至少需要细加阐述。

这时起我们开始信任科技，开始拓展五官所能接触到的范围，我们也开始相信宇宙拥有一些在地球上明显可见的特质，天界并

[1] 他可能也是最早把烟草引入不列颠群岛的人。

非独立存在。

1610 年 1 月 7 日，伽利略识辨出木星附近的三颗“恒星”。之后几晚，他观察到它们彼此之间的相对位置发生了变化，便肯定这些星体会移动。紧接着在 1 月 10 日晚上，伽利略发现其中一颗星体消失了，他还发现，木星三颗卫星中的一颗隐藏在木星的远侧位置。1 月 13 日，伽利略辨识出了第四颗卫星。不到一周时间，伽利略就搜集了第一批可信证据，证明了并非所有天体都严格按照托勒密体系绕地球运行。同年晚些时候，伽利略观察到，金星与月球一样，也会发生盈亏变化。关于从地球观测时金星会出现怎样的盈亏变化，哥白尼体系和托勒密体系分别做出了不同的预测。伽利略的观测结果证实金星是绕日运行，而不是绕地球运行，之后他继续搜集证据证明自己的观点，托勒密体系随之瓦解。

教会关注了伽利略的发现，却拒绝采用哥白尼模型对其做出解释。教会支持另一种与伽利略的发现相一致的模型。

第谷 · 布拉赫（1546—1601）是一位丹麦贵族，同时也是天文学家和占星家，他在科学史上做出的最重大贡献莫过于精确观测天文现象。基于布拉赫的观测基础，德国天文学家、数学家和占星家约翰内斯 · 开普勒发现了开普勒行星运动定律。按他的描述，天体在椭圆形的轨道上运行，这也是伽利略所不能接受的。（在牛顿发现万有引力定律之后，开普勒定律也被证实成立了。）

布拉赫认为地球处在宇宙的中心，还设计出能支持托勒密模型运行的新模型。第谷逝世后，伽利略也利用这一模型来解释他后来的观测结果。在第谷的模型中（基于某种原因，第谷和伽利略一样，不以姓氏而以名字闻名），金星、土星和其他已知行星都被认为是绕日运行的，但太阳依旧环绕着地球这个固定点。在数学层面，哥白尼和第谷两人的模型是等效的。实际上，哥白尼体系处于劣势，因为它必须能够解释地球的运动与恒星视差现象。

伽利略坚称地球确实在运动，于是在1633年，宗教裁判所逼迫他撤销前论，为此他那句未经证实的名言才会流传于世，据说当时他低声说了句："可是它还是会动！"实际上，伽利略是被迫否认他的新科学方法的，他的方法认为哥白尼体系更具完美的数学对称性，比第谷的体系更符合事实真相。伽利略尝试通过哥白尼模型解释物理现实，利用数学的完美对称性挑战教会的权威（是《圣经》赋予的，也体现于受教会影响变得僵化的古典思想中）。尽管伽利略最终被迫选择让步，但他将数学完美对称性奉为最高权威的理念，将科学带上了新的道路。

现在看来，教会的严厉裁决似乎并非全无道理。在某种程度上，教会只是做了科学会做的，新模型必须能够解释更多现象，还需要辅以相关实验证据，否则就可以拒绝接受。挑战教会权威需要大无畏的气魄，同样，挑战科学权威也要具备勇敢的精神：两者都不会张开双臂拥抱革新。但差别在于，无论科学机构多么教条主义，科学方法总能确保所有理论都只是临时性的，只要科学进步发展，终究会有新理论取代旧理论。

因为惧怕宗教裁判所，科学研究在天主教世界举步维艰、陷入停滞，而渐渐转移到了英格兰和荷兰。即便教会相信第谷体系，但在日常生活中，哥白尼体系却暗自发挥作用，尤其受到航海家的青睐，完全是因为哥白尼体系更为实用。不论是将太阳还是地球设定为宇宙的中心，数学方法计算出的结果都相同，而且将太阳设为中心计算起来还更容易，那为什么还要把地球放在中心位置呢？但哥白尼体系仍有一点无法解释，那就是为什么太阳就该固定在中心位置呢。

可以说现代科学始于 1543 年，当年哥白尼用太阳取代了地球的位置，将其设定为宇宙的中心。他一举规范出一项原则，科学从此恪遵奉行，迄今不渝：人类不仅不处于宇宙的物理中心，而且不论是直言还是暗喻，在任何情况下都不处于中心地位。科学革命的起因，重点并不在于是否把太阳设为宇宙的中心（反正后来太阳被移除了），而在于将地球从中心位置上挪开。这与我们无关。

第5章

探寻运动

我们的好奇心依赖于不断后退的地平线。

——亚当·菲利普

物质世界是由各种物质构成的，所有的物质都处于运动之中。在长达2,000年的时间里，人们都认同亚里士多德对物质运动的描述。亚里士多德创立了精细的形而上学来描述物质运动，但是他的学说从根本上坚持认为物体只有被外力推动才会运动，且较重物体的下落速度要大于较轻物体。

伽利略投入了大半的人生尝试以一种新方式去描述物体的运动。他的第一本著作题为《论运动》，最后一本著作《关于两门新科学的对话》（1638年在荷兰出版，未取得宗教裁判所的出版许可）又回到了物体运动的主题。伽利略革新了对运动的定义。他向世人展示了所有物体从同样高度下落至地面的时间是相同的，不论物体重量多少；至少这个结论在真空环境下绝对成立。几乎可以确定伽利略是通过思考而不是实验得出了这个结论。思考世界与实际测量世界相互交织但是又有细微的差别。著名的比萨斜塔实验（伽利略在比萨斜塔上抛下两个大小不同、质量不等的炮弹，测试两个炮弹是否同时落地）其实并不存在。事实上，伽利略脑海中“两个炮弹在真空环境下会同时落地”的实验是一种柏拉图式的世界理想化。这种方式不是去探究我们所在的真实世界里事情“实际发生”的状态，而是一种探究事情“绝对会有什么状态”的方式。但是就是从这种理想化概念的基础上伽利略建立了新的理论，并且经受住了现实的考验。像伽利略这样的天才有时候非常确定这个世界绝对符合他们的理解和想象，而不是符合现实实验的结果。伽利略并不是每次都测试检验自己的理论，可平庸之辈更不会测试自己的想法。没有这些伟大天才，人类科学可能会走入歧途。平庸之辈会观察和测量已经崩坏的现实世界，在这种基础上他们建立所谓的理想化理论。现代科学方法可以说是柏拉图和亚里士多德哲学思想的延伸和融合。我们继承了亚里士多德的学说和柏拉图的理想化数学描述，因而我们喜欢观测，但是这种方法也存在危机，因为现在看来，当时的人们把两位哲学家区分得太过明确，可是区分两位哲学家在当时是没有任何意义的。

实际上，首次发现所有运动都是相对的这一事实的不是爱因斯坦，而是伽利略。在另一个脑海虚拟实验中，伽利略想象两艘船以匀速航行在绝对平静且空旷的海面上（这种场景仅存在于柏拉图式的理想世界中）。仅凭想象，他就发现任意一艘船上的乘客都无法描述出到底是什么在运动，只有两艘船之间的相对运动是明显可知的。这世界上没有实验可以让我知道我是否在运动，除非你是在另一艘船上看着我，又或者我们两个都在运动之中。我们都需要海岸线，或者是什么固定不动的物体去测量相对固定物体的绝对运动。然而这个宇宙没有海岸线，更别说是一颗“固定”的星体，因为所有的星体都处于运动之中。我们看到某些星体固定不动只是由于它们离地球太远。对于宇宙天体运动的最佳描述应该是：所有的天体都处在相对于其他天体的运动之中。

托勒密认为宇宙中心是地球且地球固定不动，所以人们就可以以地球为标杆来判断宇宙天体的运动。伽利略则认为宇宙没有固定不动的中心，所以也就没有测量运动的固定标杆了。事实上，宇宙中绝对不会存在固定不动的物体，所有的物体都处于相对运动之中。没有任何宇宙中的物质可以被说成绝对静止。地球上人们看到的静止天体只是一种欺骗性很强的错觉。

艾萨克·牛顿（1643—1727）将伽利略的理论发展具现成了牛顿运动三定律。第一定律告诉我们在零摩擦的环境下，物质保持永恒的静止或匀速直线运动，直到有外力迫使它改变这种运动状态。第一定律也被称为惯性定律。第二定律描述了力的作用使得物体获得加速度。第三定律指出了所有的力都有其反作用力：当一种力被施加到物体上，另一种相对力量就会出现，并且作用于相反的方向。亚里士多德曾经差一点就要理解惯性定律了。但是他认为柏拉图式的完美世界，也就是所谓永恒、真空、表面零摩擦的世界是不存在的，因此他得出了与惯性定律相反的结论。亚里士多德声称真空环境中不存在任何运动，所以真空环境就是不存在的。接下来的2,000年中，人类数次发现了惯性定律的存在，比如，中国著名哲学家墨子在前3世纪的学说及11世纪阿拉伯哲学家的理论。可是这种对于运动的新理解没能引起人们的重视，直到牛顿把这种定律列入了他彻底重构人们所谓的“物质现实”的学说之中。利用三定律，牛顿为这个物质世界创立了一个数学表达式，其中包含了质量、速度、加速度及动量等概念。此外，牛顿还单独在他的宇宙引力理论中为这个全新的物质世界阐明了一种全新的、特殊的力。和哥白尼一样，牛顿也假设宇宙中的所有物质之间都有某种内在的吸引力，这种引力可以延伸到整个空旷的宇宙，并且将物质聚集起来。和哥白尼不同的是，牛顿找到了用数学来描述这种自然力量的方法。利用一个数学公式，牛顿证明了引力的大小与相互吸引的两个物体的质量直接相关，随着两个物体的距离拉大，它们之间的引力也随之减弱。伽利略和牛顿找到了把数学和人类认知联系起来的方法。伽利略曾经写道，自然是“用数学的方式书写的”，“它的符号就是三角、圆形及其他几何图案，如果没有这些符号，人们根本无法理解自然的只言片语；没有这些符号，人们只能在迷宫中彷徨”。

你能想象在牛顿阐明速度、质量和引力之前，在引力还只是感觉而不是力的时候，人们是如何看待这个物质世界的吗？牛顿概念里的世界已经深入人们的认识，如果我们偏离了牛顿脑海里的轨道，有可能会感觉再也融不进现实世界了。[1]

牛顿阐述的引力和哥白尼假想中的力量同样神秘，但这次人们终于抛开怀疑的态度，接纳了牛顿的观点，因为人们认为牛顿

---

[1] 美国文学批评家哈罗德·布鲁姆曾经辩称莎士比亚“发明”创造了现代人，也就是我们。那我们可以说这意味着在莎士比亚创造现代充满情感的语言之前没有人类存在吗？（哈罗德·布鲁姆:《莎士比亚：人的创造》，1998年）

的观点包容性很强。引力将天空和大地联结在一起。引力让苹果落向大地，也使得月球永远绕地球旋转。亚里士多德的物理学说对宇宙的不同部分有着不同的描述，他对宇宙天体为何运动的描述也不同于他对地球上物体为何运动的描述。法国哲学家勒内·笛卡儿（1596—1650）曾经试图把行星运动解释为充满宇宙的某种液体形成的漩涡导致的。牛顿为宇宙中的大小天体提供了一种描述运动的方法：这种方法不只适用于地球，而是全宇宙通用。他描述了哥白尼提出的神秘力量应该是怎样的一种力，或者说如何用数学的方法解释这种力，这样我们才能解释清楚为什么人们不了解地球在宇宙中的运动。地球就好比一艘在虚空中行驶的船，引力把地球上包括大气层在内的所有物质固定在“船体”上。不论大小，宇宙所有的天体系统都是依赖引力才形成的，包括行星系统、恒星系、星系团甚至星系团的集合体。

牛顿的运动三定律告诉我们为何天体一旦开始运动就会永恒处于运动之中。天体所处的宇宙环境和柏拉图的理想世界很相近，它们在几乎零摩擦的宇宙中运行。在地球上，物体的运动就没有牛顿描述的那样明显了。运动中的物体会减速，最终停止，只因地球上存在摩擦力，这种摩擦力阻碍物体的运动，使柏拉图的“现实自然”地位得到了保证。

如果是以纯数学的世界观看问题的话，引力这种“神秘力量”是不被允许的。但是科学家都是实用主义者。如果这个理论成立并且可以很好地服务科学，那么这个理论可以保持一定神秘色彩，并且至少在现代是可以被人类利用的，因为人类面临了太多的未解之谜。笛卡儿尝试用力学原理描述行星运动的行为很好地体现了唯物主义精神，牛顿的解释并非建立在实物实验的基础上，可是他的解释有其普遍性优势，同时兼具数学美感。牛顿的万有引力理论被称为引力的通用定律是有其道理的。伽利略和牛顿都抨击了旧宇宙认知中的宇宙无运动，证明了宇宙中存在相对运动。地球以约每秒 30 千米的速度绕太阳运动，但是太阳也不是静止不动的：太阳也相对于银河系中心进行运动。太阳系以超音速（每秒 217 千米）围绕银河系中心运行，运行周期长达 2.25 亿年至 2.5 亿年。银河系以每秒 88 千米的速度向着仙女星系运动，仙女星系以每秒 600 千米的速度围绕室女座超星系团的中心运行，室女座超星团又围绕着名为“巨引源”的星系复合体运转。广袤宇宙中的物体，不论体积大小，都处于运动之中。

宇宙天体静止不动只是人们的错觉。我们以地球上人类生活中的时间和空间轴来衡量运动。笛卡儿在观察房间里的一只苍蝇时顿悟到，在时间和空间构成的世界里，可以建立特殊的坐标系，用坐标描述物体。这个坐标系有三个空间轴，一个时间轴。我们确信，稳定的物质运动可以通用地表述成为不同观测者观测到的同种运动，只需要做一些简单的加减法把物质运动从一种框架翻译到另一种参照物体系之中：例如，我在地球上，而你则在某个星系边缘的一条旋臂上。如果因为我认为某种物体静止就说那种物体绝对是静止的，肯定是自我中心的表现。想要宣称地球是宇宙恒定不动的中心，只能通过颁布法律强行灌输这种观点，因为这种观点是非科学的。

牛顿宇宙中物体独立运动，好似一出剧目，演出地点就在时间和空间构建的、永不停歇的宇宙中。空间和时间都是不可变、永恒、没有终点的。空间无限延伸，而时间也是无法衡量的，就好像我们无法用钟摆的弧度来衡量宇宙中不朽的天穹一样。牛顿的世界观向人们保证即使是在广袤空旷的宇宙中，时间和空间概念还是存在的。空无一物也有其意义。即便空无一物，时间和空间也不会消失。

几百年间，牛顿对宇宙的描述都很正确。但是在生活节奏越来越快的今天，人们发现即便是牛顿的理论也会有失灵的时候。牛顿的力学定律针对的是我们日常生活中常见的力，可当人们不再用自我中心的眼光看世界时，我们发现这三条定律根本不是万能的。这三条定律在极高速度下就不成立。所以，牛顿的力学概念其实只适用于有限的一系列运动。和其他科学理论一样，牛顿三定律也只算接近了真相。

有时候，如果对理论进行一些修改，科学家可以拯救这条理论的正确性。其他情况下，想要如实描述这个世界，他们只能选择其他的理论。下面就是一个为描述真相而选择新理论的例子。

为了弄清楚牛顿力学无法解释的新现象，阿尔伯特·爱因斯坦（1879—1955）重新思考了宇宙的问题。他对牛顿力学体系进行了极大的改变。时间和空间并不像牛顿认为的那样绝对，也不是人们想象中的样子。爱因斯坦意识到除了时间和空间之外，宇宙还有更加根本性的存在。

“根本性”一词，和“特殊”类似，都表示没有可比较的或者更高级的存在。世界上没有“更奇特”也没有“最奇特”。如果某些东西是根本性的，那么就不会存在比它更深层次的东西，但是在科学论述中，“底层”永远出现在现在所知的“最底层”之下。我们从来不敢确定我们所知“世界的根本特性”是否很长时间都不会被推翻。“真理”在科学领域永远是暂时的。事实上，我觉得科学界可以干脆省去“真理”这个概念。没有真相，只有比真相更真相，而且永远会有比现在的真相更真相的存在。科学进步可以被理解为某种认知：世界上永远都有一些特质，现在虽然是未知的，但是绝对比现有根本性更具根本性。

爱因斯坦想到了一个描述运动的新点子。他认识到所有的运动都和光的运动相同。要解释这个观点需要联系人们根深蒂固的一些思想。我们是如此坚信运动就是我们所想的那样，想要我们换一个观点简直比登天还难。我们已经习惯了牛顿所说的绝对时间和空间，也认同牛顿理论中物体是在固定的体系中做相对运动，因而爱因斯坦的新理论即便是在今天依然是令人震惊的，虽然现在距他提出新理论已经过去了一百年。

爱因斯坦的著名理论，也就是人们所说的“狭义相对论”，首次出现在一篇题为“论运动物体的电动力学”的文章中。德国物理学家马克·普朗克（1858—1947）重新命名了这个理论，但是爱因斯坦认为“相对”这个词有误导性，他更喜欢“不变性”这个词，和“相对”意义正相反。

爱因斯坦继承了伽利略的相对性原则，还有哥白尼对相对性原则的补充说明（在匀速运动的所有观测者眼中，现实世界都是相同的）。他还受到了奥地利哲学家、物理学家恩斯特·马赫（1838—1916）作品的启发。在一次脑内实验中，马赫意识到在空旷宇宙中，单个物体的运动是毫无意义的（因为运动只有是相对于其他物体的运动时才有意义）。虽然人们还没能完全理解马赫的原则，但是马赫的原则提出了整个宇宙都处在各种运动之中。当我们对某个物体施加一个力，宇宙就会给出一个反作用力。根据马赫的原则，爱因斯坦得以测出地球的轻微震颤，这是被牛顿力学忽略的现象，而且这种颤动是由宇宙中除了太阳和其他行星之外的天体导致的。马赫的有趣原则似乎暗示宇宙知道它会使得地球震颤；确实，当一个苹果落地，整个宇宙都会得知。不论马赫的理论有何深意，它都帮助爱因斯坦摆脱了必须用固定的时间和空间轴来描述运动的观点。在牛顿对物理现实的概念里，时间和空间构成了外部框架，宇宙中的所有故事都在框架内上演。摆脱了这种概念之后，爱因斯坦着手把宇宙的故事搬到另一个舞台上。

人们早在一个世纪之前就已经知道光速是有限度的，但是直到 19 世纪 40 年代，法国物理学家阿曼德 · 斐索（1819—1896）才第一次对光速进行了正规的测量。到了 1862 年，测量结果的偏差已经缩小到 1%。爱因斯坦意识到光速必然是宇宙中可能存在的最高速度。这一论断推翻了牛顿相对运动的观点。爱因斯坦告诉我们光的运动不可能是相对的。不论是任何物质相对于光做任何运动，它的运动速度永远不会比光更快（因为光速是宇宙的最高速度）。在牛顿的宇宙中，两条相向光柱的相对运动速度是光速的两倍。但是在爱因斯坦的宇宙中，这种运动的速度不可能比光速更快。光有非常特殊的本质，因而爱因斯坦认识到运动并不是牛顿描述的那样。说没有物体的运动速度可以超越光速也就是说光的运动是恒定的，不是相对的。

我们曾经认为我们居住的宇宙就像是牛顿描述的那样，我们以为自己知道如何分辨两种不同的运动，因为在我们眼中物体相对我们的运动速度是不同的。我们甚至以为自己知道如何测量这些相对运动速度。一头撞到朝我们开来的车上比一头撞到墙上糟糕太多，即使我们是以同样的速度撞击。

爱因斯坦揭露了世界其实并不是人们想象的那样：人们脑海中的真实世界其实只是用我们日常生活中常见的速度来衡量时表现出的样子。我们必须承认牛顿对世界的描述已经接近了真相。牛顿的描述在运动速度接近光速时不成立，事实上，牛顿的理念在达到任何运动速度时都不成立。根本上讲，科学不是追求近似值，而是不断精确测量结果。有些时候要得到更精确的测量结果就需要换一种测量方法。当物体高速运动，甚至以接近光速的速度运动时，我们就会发现相对速度不是简单地将两种运动速度相加。为了解释牛顿学说不成立的原因，爱因斯坦用另一种方式描述了运动。以统一标准描述宇宙的话，怎么会出现与其他运动本质不同的运动形式呢？这种运动形式定然不存在，因此我们过去对宇宙的认知是有问题的。

爱因斯坦废除了相对速度的概念，更深层次地理解了运动，提出运动不是相对的：运动是恒定的，且所有运动的本质都与光的运动本质相同。这是为什么呢？行人的缓步前行怎么可能与光的运动相同呢？这根本说不通。但得出这种结论只是因为我们自以为了解何为运动，并且坚持用牛顿的理论看世界。爱因斯坦对运动的描述与牛顿的大不相同，他对运动的描述建立在时间和空间更深层次的结合之上。爱因斯坦表示，时间和空间结合在一起，形成一个名为“空时”的四维现实，就是在第四维度里，所有的运动看起来都是相同的。我们看到运动不同是因为我们没有体验时间和空间的统一。

爱因斯坦将牛顿宇宙中时间和空间的绝对和永恒剥离出来，用一种新的“绝对存在”替换：光的本质是永恒不变的。时间和空间成了相对的特征，而光的速度是绝对的。这一领悟的其中一个结果就是，在这个由爱因斯坦为我们揭示的真实世界中，跟我们做相对运动的人会认为他们看到的表走得比我们看到的更慢（而在牛顿宇宙里我们看到的会更慢）。甚至更奇怪的是，我们正在观察的人也会有同样的观点：我们的表走得比他们的慢。如果我们认同哥白尼所说的我们看世界的角度都一样，这种对称性是一定会成立的。

从我们的角度看，对于一道光柱来说时间是那么缓慢，似乎不会流逝。光不在时间的领域做运动。它的所有运动都是针对空间的。基于这个理解，我们也许稍稍可以明白为什么所有的运动都和光的运动本质相同：除了光的运动之外，所有其他的运动都或多或少具有时间运动的特性，同时也是空间内的运动。缓步行走的行人速度与光速相比是非常缓慢的，因为行人的运动大部分都属于时间内而不是空间内的运动。当我们转向空时中运动，我们会看到（或者是数学家会说服我们看到）行人和光的运动是相等的。

但是爱因斯坦的描述中存在着很大的问题。这个理论并没有解释为什么我们对时间和空间的体验是分离的。人们很难接受自己居住在四维世界而不是空间三维、时间一维的世界。是不是我们神智更加清醒的时候就可以体会到时间和空间的融合，还是说爱因斯坦的描述缺失了某些东西，导致这种描述更像是对现实的数学描述而不是物理描述？他的描述更倾向柏拉图式还是亚里士多德式？但同时我们也要记住，我们对世界的反应实际上都建立在自己是世界中心的基础上，同时也因为自尊心的存在，可我们对世界的认知也不像是世界最真实的样子。

爱因斯坦努力使自己的理论成为一个普遍理论。因为这个特别理论更准确地说描述的是稳定运动（和加速运动），而很少关注引力。在简单（但是绝对不可能实现）的脑内实验里，爱因斯坦向我们展示了引力的某些特质使得它和我们认知中的光发生了冲突。如果永久地把太阳从宇宙中抹去，我们会马上注意到它的消失，因为根据牛顿的理论，引力是即时作用的。但是我们在八分钟之后才会真正看到太阳的消失，这八分钟就是太阳光到达地球所需的时间。这个明显的悖论需要解决。

牛顿理论暗含的信息即时传输观点与爱因斯坦的理论相悖。爱因斯坦需要想出一个新的引力理论。当他察觉到加速和引力之间的对称性之后马上取得了理论上的突破。爱因斯坦称这个顿悟为“人生最幸福的时刻”。爱因斯坦的理论来之不易。他并不认为自己是一个数学家，所以他需要学习高深的数学运算来写出他的理论。为此他花费了 10 年时间。这些理论公式非常复杂，不像是狭义相对论的数学支撑公式 $E=mc^2$ 一样简洁好记。英国作家 C.P. 斯诺（1905—1980）曾经评论说，如果不是爱因斯坦，我们可能依旧在寻找广义相对论。并不是所有人都同意这种观点，而且不论如何，我们怎么知道广义相对论是什么？

爱因斯坦广义相对论的胜利在于它把牛顿理论中引力的神秘本质上升成为几何的空时。质量的存在会扭曲空时，引力就是那种扭曲的现象。行星运行轨道就是由太阳的质量在空时中切出的路线。地球围绕太阳运行，因为太阳的质量（地球的质量也对其有所影响）扭曲了空时，地球就沿着扭曲的部分运行。如果太阳的质量比现在更大，空间的弯折就会更加紧绷，地球的轨道就会更短、离太阳更近。

质量相对较轻的物体（比如太阳）周围，空时的扭曲更明显地表现为空间扭曲。宇宙中质量相对较大的物体（比如中子星）周围，空时的扭曲明显地表现为时间扩张。最终，爱因斯坦消除了牛顿引力的神秘主义。“物质告诉时空如何弯曲，而时空告诉物质如何移动。”这是约翰 · 惠勒对爱因斯坦理论的简练总结。或者像是美国物理学家加来道雄（1947— ）所说：“某种意义上，引力是不存在的。让行星和恒星运转的是空间和时间的扭曲。”水星是距离太阳最近的行星，它感受到的太阳的引力也最强。由于水星处于强大的引力场之中，人们观测到它运行过程中的一些怪异之处也可以用广义相对论解释清楚。

引力的作用并不只限于天文学领域：人们更多的是在日常生活中测量引力导致的速度下降现象。哈佛大学校园里，一座 25 米高的塔顶上的时钟被证实比塔底的钟走得更快——每 1 亿年快 1 秒，这是因为塔底比塔顶受到更大的地心引力。时钟走动速度不同的现象符合广义相对论的预测。现在的测量更加精确了。

如果突然把太阳移出爱因斯坦的宇宙，空时会波浪式地展开并且以光速传播到地球上。我们会在看到太阳消失的同时感受到太阳消失。光和引力都是传播信息的方式，也都被光速限制了传播速度。有线索暗示引力和光可能有联系，两者都是使它们联结的某种深层次存在的其中一方面。爱因斯坦把自己的后半生都投入研究中，试图统一这两个大自然的根本性特征，时至今日，这个研究还在继续。

现代的宇宙学开始了广义相对论的研究，但是相对论的数学运算太过高深复杂，以至于从一开始科学家就不知道如何把相对论阐述成物理理论。思考着如何把自己的理论应用到宇宙的整体之上，爱因斯坦意识到他应该对真实世界的本质宇宙如何存在做一些更简洁的预测。他预测，从任何有利于观察的点上看到的宇宙应该都是相同的，也就是说，宇宙是各向同性的。这个预测被称为宇宙学原理，也证明了哥白尼认为没有人在宇宙中拥有特权地位的观点是正确的。没有人是宇宙的中心，不论是字面上还是比喻上。既然如此，爱因斯坦就反向阐述了哥白尼的观点：如果宇宙不存在中心，且从各处观察到的宇宙都是相同的，这等同于说宇宙的各处都是宇宙的中心。到头来，我们确实是处于宇宙中心，但是万事万物也都是宇宙的中心。

广义相对论在 1915 年首次面世。当时关于宇宙到底可以延伸多远有许多猜测。很多人认为银河系就是整个宇宙。但是从地球上看，银河系只是天空中一条路状的存在，罗马人把银河系称作 Via Lactea[1]（奶色之路）。如果银河系就是整个宇宙，那么没有站在地球上的外星人看到的银河系实际上是不同的样子，因此，根据爱因斯坦的宇宙学原则，银河系不可能是整个宇宙。

爱因斯坦又做了一个更简洁的预测：各向同性的宇宙中的物

[1] 银河（Milky Way）是从拉丁词组 Via Lactea 翻译而来的。星系（galaxy）是从希腊语里“牛奶”一词演化而来的。

质分配十分顺利。这确实是一种预测。显然，这个宇宙并不顺滑，而且我们接触到的所有宇宙量级都没有突出特征。但是，在宇宙的最外沿，超出了由星系团的集合体构成的形态的部分，存在着支持爱因斯坦预测的理由。看起来这里存在着一个无法逃脱的争论圈：在预想的宇宙平滑之外，发现了平滑。我们必须再次抛开这些哲学上的谬论。宇宙学原理使得科学家们可以把广义相对论应用到宇宙的整体，根据实验结果和科技进步，科学家们得到了对宇宙更加深刻的理解：少说话，多计算！

广义相对论面世后几个月里，德国物理学家卡尔·史瓦兹齐德（1873—1916）发现了其数学公式，此公式证明了黑洞的存在，虽然黑洞其名是1967年才确定的。一开始，认为宇宙中可能存在黑洞这样的奇怪天体的想法是被人们抗拒的，甚至爱因斯坦也是其中一员。逐渐地，这些超密度天体会被人们证明为宇宙最重要的特点之一。

到1917年，爱因斯坦和其他科学家意识到广义相对论的公式无法描述一个静态的宇宙。爱因斯坦很担心引力会导致宇宙无法以静态的方式被人们认识。为了补救，爱因斯坦在广义相对论中加入了一个专断的术语来保持宇宙的稳定，他称这个术语为宇宙学常数（不要和宇宙学原理混淆）。科学家很少给理论添加额外和专断的术语。不断增加的本轮（一个特殊公式）证实了托勒密的理论。科学家总是可以找到本轮的某种构成方式来解释与行星运动相关的新数据，但基于这种方式得出的理论总是写成高深难懂的数学公式，并且也没有物理事实的支撑。现代科学方法中对理论的物理诠释是非常重要的。没有物理诠释，科学就会变成数学领域的抽象概念。后来，爱因斯坦表示在他的理论中增加宇宙学常数是他人生的最大错误。

1922 年，苏联数学家亚历山大·弗里德曼（1888—1925）发现如果没有加入宇宙学常数，广义相对论的公式事实上描述了膨胀宇宙。爱因斯坦又是第一个反对此理论的人，他认为弗里德曼对自己理论的诠释缺乏物理现实的支撑。比利时神父、天文学家乔治·勒梅特（1894—1966）则决定接受弗里德曼的理论。他论述说如果宇宙是持续膨胀的，那么宇宙一定是从某种更小的存在开始膨胀的。把这种想法放入逻辑推断，勒梅特猜测在让整个宇宙都处于同一时间同一地点的地方，时间和空间是松散的：也就是说，宇宙有一个起点，在此之前，时间和空间都不存在。

勒梅特的推论非常具有提示性，他描述宇宙是一个“在起源之时发生巨大爆炸的宇宙蛋”，通过这个描述阐明了他的推论。很多科学家并不喜欢“宇宙有起点”这一想法，他们认为这一想法实际上就是由一个自称天文学家的天主教神父编出的基督教义。但勒梅特本人很好地平衡了自己的两种身份：“得出真理有两条途径，”他曾经说，“我决定沿着这两条路一起前进。”

直到 20 世纪 20 年代，科学界还无意识地坚持着和某些东方宗教相同的信念，认为宇宙是永恒、无限、自存的，不需要创世的行为，也不需要创世故事。牛顿宇宙从未消亡也从未开始，和永恒不变的上帝一样。牛顿想要理解的是上帝的法则。上帝创造了世界和自然的法则，但是宇宙和上帝都是不朽的，去研究牛顿宇宙也就是永恒地看向更久远的物体。

英国天体物理学家亚瑟·爱丁顿爵士（1882—1944）抛开了自

己对宇宙是在某一刻被创造的观点的反对，他在勒梅特 1927 年的一篇文章里发现了对两年后美国天文学家埃德温·哈勃（1889—1953）发现的令人困惑的现象的可能解释。科学界的一个假设就是宇宙始终不变。不论我们从地球上的研究中得到的物体有着什么特性，我们都相信在宇宙中遇到的相同物体也会有相同特性。当物质燃烧，利用光谱学从原子层面看到的燃烧发光颜色模式是独一无二的。颜色的光谱可以被用来分辨不同物体。1929 年，埃德温·哈勃发现了遥远恒星上氢气的特殊光谱，但是这个光谱似乎是被篡改过的，看起来所有的颜色都比地球上的更红。假设氢气就是我们正在观察的物质，如果我们相信全宇宙的氢气性质相同，那么哈勃发现的现象亟待科学解释。

多普勒效应可以提供一个简单解释。奥地利物理学家克里斯琴·多普勒（1803—1853）是第一个对我们日常生活中几乎天天可见的某种现象进行说明的人。即便是现在，在救护车高速驶过的时候这种现象依然明显。救护车迎面驶来的时候，警报器发出的声调比正常值更高，但是在从你身边驶过的瞬间，警报器的声调降低了。听起来警报器的声调是突然下降的，但实际上警报器的声调是在过程中稳步下降的。就像视差一样，多普勒效应是观察者和被观察物关系改变的结果。[1] 相似的事情也发生在我们看到光谱红移时，变红意味着颜色没有什么能量了。多普勒效应告诉我们，一个物体离我们远去的时候，表现出的能量逐渐减少。强度的下降是运动的结果，并不是物体自身固有的特质。换句话

[1] 如果在救护车驶来的时候你没能听出多普勒效应，可能是因为你正站在救护车行驶路线的正前方。往旁边走一走大概会更好。

说，我们正在看的确实是同样的氢气，但是宇宙中的氢气离我们太远。这个解释很简单，但是含义丰富，勒梅特已经预测到它会影响深远。

勒梅特大胆预测最遥远的天体在膨胀宇宙中看起来会离我们越来越远，并且离我们越远的天体远离我们的速度看起来越快。遥远的天体正在变得分散，并不是因为自身的运动，而是因为宇宙在膨胀。哈勃 1929 年的观测及后续的观测证实了勒梅特的预测。夜空中几乎所有的遥远天体看起来都正在远离我们，对这一现象的最佳解释并不是它们碰巧在远离，而是宇宙膨胀把这些天体带到了更远的地方。[1]对红移谱线的最早观测之一就是对仙女座光谱的观测。谱线移到光谱红色一端的现象可以被解释为仙女座正在以现在所测到的最高宇宙速度离我们远去。对红移天体（曾经被认为是恒星）的反复观察被当作了宇宙膨胀以及银河系外还有其他星系的证据。仙女座和其他一些遥远的、离我们远去的天体都被提升为星系，并且自然的伟大联合显现：原子世界的知识被用来理解天文体积的宇宙。就像伽利略第一次向天空举起了他的望远镜时一样，宇宙在我们眼中又一次变换结构。我们不仅可以通过观察宇宙的最外延来理解整个宇宙，我们也第一次开始通过仔细观察宇宙的最小维度来理解整个宇宙。

去除了宇宙学常数，一个新的解答——人们所称的大爆炸理论，从广义相对论的数学演算中被提出。虽然这一理论的最初反

[1] 事情比现在所说的更复杂。星系确实有自己的运动，有一些星系朝着我们运动，有一些离我们远去。事实上的重点是，宇宙的膨胀也正在使得这些星系离我们远去。星系离我们越远，这种现象就越明显，因为这个时候星系的运动在我们这里是不明显的，而宇宙膨胀的效果要强烈一些。

对者依旧是广义相对论提出者爱因斯坦。现在，当我们看向太空的时候我们是在回顾，不是回顾牛顿提出的宇宙永恒，而是回顾宇宙的源头。向地平线望去，我们是在回溯宇宙的过去。当宇宙变得更小的时候，我们在日常生活中看到的慢速物体将会移动得更快，更像是辐射（或者说更像光）。宇宙初始之时，宇宙中只存在高能量的光，从高能量的光中，宇宙的万事万物被创造了出来。宇宙就是光进化得来的。

有些大爆炸之后的光今天才到达地球，它们从时间的起源穿越而来。这些光是以被称作宇宙微波背景辐射（CMB，cosmic microwave background）的辐射形式传播而来的。宇宙微波背景辐射在1965年被发现，是证明宇宙大爆炸发生过的唯一有力实验证据。这种辐射被美国航空航天局（NASA）的宇宙背景探测者（COBE，1989年发射）第一次测绘到，测绘结果于1992年4月23日传回地球。新的测绘是NASA的威尔金森微波各项异性探测器（WMAP）在新千年的最初几年里完成的。这份测绘为我们提供了大爆炸后宇宙最初样子的最清晰照片，并提供了我们对宇宙年龄最精确的估算。2003年2月11日，NASA宣告宇宙年龄为137亿年，上下误差2亿年。宇宙的测绘图近年来越来越精细，2006年3月17日，一份用时3年的测绘图被公开，2008年2月28日，又公开了一份耗时5年的测绘图。最新的数据使我们可以更加精确地推断宇宙年龄。现在，宇宙的年龄据推断是137.3亿年，上下误差1.2亿年。

为了统一所有物体的运动，爱因斯坦重新思考了什么是运动。光的本质教会我们如何把所有运动统一。爱因斯坦也揭示了光和引力的深层联系，光和引力也是我们看宇宙并最终理解宇宙的两种途径。大爆炸告诉我们，137亿年之前宇宙还是一个光组成的球体。经过了这么多年，今天我们明白了宇宙里有复杂的事物存在，包括发现了万事万物曾经都是无差别的辐射的人类。但是如果万事万物曾经都是光，那么要是问光怎样成为物质，物质又怎样变成了我们的话是很合理的。科学确实问了这些问题，也有这些问题的答案。

在我们的故事中，人类一直都通过光和引力的存在来探究宇宙。科学进步的过程一直暗示我们：光和物质之间存在着某种联系。

借助光和引力，我们把宇宙看成是一个有边沿的大型容器，在里面都是进行信息加工的运动物体。宇宙的边沿就是一个视野极限。它就存在于我们目力所及的极限处：我们把这部分宇宙称作可见宇宙。有无数的证据都证明在可见宇宙的范围之外还有范围更大的宇宙，甚至是一个无限大的宇宙。在可见宇宙之外，自然的法则可能大不相同。比喻意义上，我们也在通过理解宇宙来看宇宙。当我们思考宇宙，比喻意义上的“看”的能力也就是我们字面上的“看”。如果我们想要看得更远，我们就必须更深入地思考自然，思考光和引力。

第6章

另一条路

但是，如果听到“原子不能再小了，所以它们也大得惊人”这种论调，人类将会失去所有的比例感，因为“不能再小了”和“大得惊人”意义差不了多少；而要把原子探索到这一地步简直难乎其难，这点并不言过其实。因为在物质最后分解和细分时，天体宇宙突然展现在我们的眼前了！[1]

——托马斯·曼，《魔山》

天空中的小星星永远在提示我们宇宙是如此广袤。自文明出现以来，所有的文明都在膜拜天空的广阔无垠。诸天是神居住的地方，凡人向神寻求神迹以及生活的深意。

[1] 部分参考钱鸿嘉译《魔山（上下册）》，上海译文出版社，1991年1月第1版，391页。——译者注

但是没有任何肉眼可见的东西可以提示我们宇宙也很小。世界上有一个微小的王国与天空相对平衡存在，可这个王国一点都不显眼。第一批对这一新领域进行探究的人有英国科学家和建筑师罗伯特 ·胡克（1635—1703）。他的著作《显微图谱》（1965 年出版）是一本畅销书，以书中精细的雕版画而闻名（有些画可能是克里斯托弗 ·列恩创作的），其中尤其出名的是跳蚤的雕版画，展开后是书本 4 倍的大小。在日记中，塞缪尔 ·佩皮斯（1633—1703）写道，他晚上看了胡克的书之后兴奋不已，凌晨两点都还没睡着。他看得全神贯注，称胡克的书是“人生中读到的最有独创性的书”。直到显微镜发明之后，人们才有能力去发现与广袤宇宙相对的微小世界。虽然显微镜和望远镜都是 17 世纪早期荷兰人的发明，但是胡克的发现是伽利略将望远镜对准天空之后半个世纪的事情。

广大（如果这个词用得没错）的微小世界是那些先锋科学家最渴望的，他们急切地想要计算他们看到了多少东西，发现大自然一直不为人知的一面令他们无比激动。胡克估计在 1 平方英寸的软木上有 1,259,712,000 个孔，这也是生命形式细胞结构的早期证据之一。荷兰科学家安东尼 ·列文虎克（1632—1723）、显微镜的发明者（他发明的显微镜在此后的 150 年间一直没有进行改进），在一滴水中数出了 828 万个微生物。

17 世纪见证了人类对广袤宇宙和微小维度研究的开端，但是直到 20 世纪，令人震惊的微小世界才被算成整个宇宙的组成部分之一。

我们没有一个名字来描述微小世界（仙境肯定不行），也没有用来探索这片世界的专业用语。我们把手伸向恒星，探索宇宙，但是当我们想要探索微小世界时，又该把手伸向何方？向物体的内部，向下，还是地底下？

我们一直抱有一个概念，那就是，总有一天人类可以进行星际旅行，亲眼看一看宇宙是否真是科学家描述的那样。可是我们如何去一个由原子和亚原子粒子组成的世界旅行呢？我们没办法到达微观世界（除非我们想象自己是一个比现在更小的个体，比如《爱丽丝梦游奇境》里的爱丽丝，变小之后穿过了一个小小的花园大门），只能作为一个被动的观察者，利用我们无限的想象力，利用人工制造的器械拓展我们的能力去看微观世界。

人们很容易就把宇宙想成是“巨大”的同义词。毕竟，人的身高和地球到最临近天体的距离比起来简直微不足道。也不是没有比人类小很多的物体。我们接受一个地方存在各种东西的观点，但相对地，我们不太接受一个地方什么都没有的想法。宇宙包罗万事万物，那么什么地方是空无一物的？这个地方就在我们的周围。要想探索无物之境意味着我们必须接近越来越小的物体，就像我们相信可以通过看越来越大的物体来探索宇宙，到没有更大的物体可以研究为止。我们可以想象在手上拿一个物体，这个物体在不断收缩，在我们的手指之间进入了无物之境。但是这个无物之境到底在哪里？无物之境不是一个地点或者终点，但是它似乎又是所有物体固有的终点，存在于各个地点之中。

唯物主义者相信世界是由物质组成的，组成世界的物质可以被测量和描述。他们强迫自己说：因为世界是由物质组成的，那么组成世界的物质一定是由更微小的物质构成的。如果对世界的物质描述最终必须描述物质到底是从什么无物之境起源的，那么不可避免地，人们必须要去研究更微小的物体。物理学中对原子的研究就是微小物体研究的组成部分。

如果可见宇宙中最大的体积可以用体积扩大的数量级多少来描述，那么逻辑上相对来说，我们也可以用体积缩小的数量级多少来描述宇宙中最小的体积。我们可以下行到（如果算是下行的话）微小物体组成的世界，看到的物体由 1 米长缩减至十分之一米（1 分米）、百分之一米（1 厘米）、千分之一米（1 毫米）长，甚至更小。微小物体组成的结构甚至比宇宙的天体结构更加神秘。我们走的每一步都让我们离物质世界的秘密更近一步：那就是无物之境。

100～10 厘米（10^0 ～ 10^{-1} 米）

世界上体形最小的人是露西亚 · 扎莱特（1864—1890），她是墨西哥人，一直在巴纳姆马戏团被展出。她最高的时候身高 50.8 厘米。正常的人类胎儿在发育完全的时候从头顶到脚跟的长度是 51.3 厘米。在 20 周大以前，胎儿的身长是从头顶算到臀尖，因为此时胎儿的腿还朝躯干蜷缩着。

10 ～ 1 厘米（10^{-1} ～ 10^{-2} 米）

大约在 14 周的时候人类胎儿的平均身长（从头顶到臀尖）是 8.7 厘米。

世界上现存最小的鸟是蜂鸟，体长 5 厘米。蜂鸟的巢大约宽 3

厘米。世界上现存最小的哺乳动物是泰国的凹脸蝠或者小臭鼩，这取决于“最小”是怎么定义的。凹脸蝠体长 3 到 4 厘米，体重约 2 克。小臭鼩长约 3.6 厘米，重约 1.3 克。但是凹脸蝠是世界上头骨最小的哺乳动物（头骨大约 1.1 厘米）。

10～1 毫米（10^{-2} ～ 10^{-3} 米）

世界上最小的鱼是微鲤属（*Paedocypris*）的鱼，生活在印度尼西亚，体长约 7.9 毫米。雄性的棘头光棒鮟鱇体形要更小，体长为 6.2~7.3 毫米，但是雌性体形要大得多。

1～0.1 毫米（10^{-3} ～ 10^{-4} 米）

针尖大约宽 1 毫米。我们大部分人都可以毫无困难地看到针尖大小的物体，也就是长度在千分之一米的物体。但是只有视力绝佳的人才能看到大小约十分之一毫米（10^{-4} 米）的物体，这样的物体比人体形小四个数量级。绝大多数的螨虫和虱子体长大约是 0.1 毫米，接近微观物体了。广明螨（侧多食跗线螨）的体长不会超过 0.2 毫米。

0.1 ～ 0.01 毫米（10^{-4} ～ 10^{-5} 米）

最小的昆虫卵大小在肉眼可辨和不可辨的边界上。寄生蝇 *Zenillia pullata* 的卵大小约为 0.02 毫米。细胞是组成动植物身体的基本结构，也是生命消散之后动植物身体回归的本源结构，细胞内是这一数量级里的典型代表。对于我们身体里的细胞来说，我们的身体就像大山一样庞大。

0.01 ~ 0.001 毫米（10^{-5} ~ 10^{-6} 米）

最小的单细胞有机体——蓝绿藻和细菌，都属于这一数量级。这些有机物都是世界上最古老的生命体，这些人类最古老亲戚的发现也是现代进化史上的重大成就，这些有机物的存在支撑了唯物主义的理论：一个对大自然的根源性理解一定是来源于对微小物体的研究。

病毒是这一数量级里最小的存在。病毒就是 DNA 片段，一般大小都在 0.001 毫米（10^{-6} 米）。虽然严格意义上来说病毒是最小的生命体，但是它们不能离开更大的依附体而存在。

1,000 ~ 100 纳米[1]（10^{-6} ~ 10^{-7} 米）

世界上有记录的最小有机物是纳古菌。它生活在大洋底部热液喷口周围的极端环境之中，热液喷口周围的海水都是沸腾的。纳古菌一般长 400 纳米。

[1] 1 纳米是 10 亿分之 1 米，也就是 10^{-9} 米。

100 ~ 10 纳米（10^{-7} ~ 10^{-8} 米）

自 1996 年以来，一些科学家宣称找到了一种名叫纳诺比（*Nanobe*）的生命形式，它甚至比纳古菌还要小。但是另一些科学家说这些 20 纳米长的结构只不过是晶体生长而已。

生命最根本的结构一直都在被修改成更微小的存在。进化论将所有生物的共同祖先倒推到了藻类和细菌，把我们带入了复杂分子组成的世界之中。分子生物学可能是如今进化生物学研究最出成果的领域。大多数的分子生物学家都赞成生命最初是从自组织的分子进化而来的，并且通过科学研究，这些远古的分子正在被逐步鉴别出来。

很明显，生命并不是有生机和无生机的严格分界线，生命更像是没有特定边界、弥漫开来的分界，类似于太阳系甚至于宇宙的边界。现在看来，“生命”像是人们随意给某种并不是完全独立的特殊现象贴上的标签，而且，生命的意义是从进化过程中逐渐出现的，这一进化过程最终必将和对宇宙最小结构的任意一种描述相融合。

10 ~ 1 纳米（10^{-8} ~ 10^{-9} 米）

在把剃须刀举到下巴的这段时间里，胡须能生长数纳米。

勃克明斯特富勒烯（简称富勒烯）——一种利用 60 个碳原子（C_{60}）人工合成的、形似足球的球体结构，在纳米结构的发展史上留下了重要的一笔。富勒烯以美国空想家、设计师勃克明斯特 · 富勒（1895—1983）的名字命名，向富勒为网格状球顶做出的贡献致敬。网格状球顶是一种复杂的球面或近球面结构，其特性是整体强度远远大于各组成部分的强度。富勒烯是一个由 20 个六边形碳结构和 12 个五边形碳结构组成的球形结构。被压缩后，富勒烯的强度是钻石（也是纯粹的碳结构）的 2 倍。富勒烯的结构高度对称，使得它拥有了许多有趣的化学特性。一个 C_{60} 分子可以放进 1 纳米宽的缝隙之中。

纳米管是另一种类型的富勒烯。纳米管是一种宽度几纳米的圆柱状碳原子结构，长度可达到几毫米，也就是说，它的长度是宽度的约百万倍。这两种人工合成的碳结构在新兴的纳米科技和电子科技中有很大的应用空间。

纳米科技是一种利用分子大小的部件制造机器和结构部件的科学技术。现在，纳米技术制造的产品多应用在电脑芯片中；日常生活中，纳米技术也可以应用于制造抗污布料以及改善防晒霜的胶状特性上。未来，纳米科技可能会帮助人们准确地将药品输送到特定的人体部位上。美国工程师埃里克 · 德雷克斯勒（1955—　）是纳米科学的奠基人之一，他预言，有一天，比细菌还小的纳米机器会被送到太空中去，利用现存的原材料，一个分子接着一个分子地建造新的物质：掌握宇宙的微观部分可能成为我们掌握外太空的一种手段。

分子由原子组成，一般的分子都处于这个数量级之中。长链分子，又称聚合物，在理论上可以延伸到这个数量级以上几个数量级的长度范围内，但是聚合物的宽度也不会超过几个原子。最著名的聚合物就是 DNA 分子。DNA 的双螺旋结构大约宽 2 纳米。

1～0.1 纳米（10^{-9}～10^{-10} 米）

构成分子的原子都落在这个数量级内。最大的原子是铯原子，大约宽 0.546 纳米，处于这个数量级的中间位置。最小的原子是氢原子，直径 0.106 纳米，稍稍高于这个数量级的最低标准。

不论是天文结构还是微观物质，都是由分子组成的；所有分子都是由原子组成的，自然界里有 94 种纯天然元素。有些元素只存在于实验室里。我们可以把自然缩小到这众多的元素中：这些元素都亲密地排列在元素周期表上。

原子本应是物理上描述物质的最小单位，因为“原子”一词本义就是“不可见的”。我们现在知道原子不是不可见的，我们也知道这些原子不好分离。原子在我们熟知的“物体”世界和一个超越“物体”的有趣世界之间竖起了很难被打破的壁障。

原子论最初是由留基伯及其学生德谟克利特在前 400 年左右提出的哲学思想，基于这一理论，宇宙是由无法感知、坚不可摧、不能分割、永恒及非受造的小物体组成的。这种认知世界的方法直到 19 世纪早期才被接纳，在那时，英国科学家约翰·道尔顿（1766—1844）发现在化学反应中，一些化合成一体的化学品重量相当于所有反应物重量之和，这一现象使他认识到每一种物质都有一个微小的重量。所以在现代，原子来自化学而不是物理。道尔顿的想法在百年间都只是一种假设。即便在 19 世纪末，物理学家恩斯特·马赫，这个用自己对相对运动的理解影响了爱因斯坦的科学家，也一直都认为原子不可能被感官感知到，所以原子必须被看作纯粹的理论产物，而不是物质实际中的存在。

原子论是一种认为世界上存在着不可见物质的哲学，事实上它是令人苦恼的。在物质世界中，怎么会有“小”的极限？任何一个在宇宙中有一定体积延展的粒子都不能说是不可见的以及最根本的。任何一个有体积延展的物质都可以有这样的标签：区域 A 和区域 B。这样的物质要么必须可以被进一步分割（虽然我们不知道怎样分割），要么我们必须被迫说这样的物质是由更小的、无法被进一步分割的物质组成的，所以这些物质就不是最根本的。寻找物质最根本部分的物理学家说，最基本的部分必须是没有结构的。现代科学家和古代原子论的批评家得到了相同的结论，那就是如果某种粒子是物质最根本的部分，那么这种粒子必须是点状的，没有任何延展。任何有体积延展的粒子都有结构。“最根本的元素在宇宙中没有延展”这一思想让古人排斥原子论。虽然现代科学也得出了最根本的元素没有延展，然而科学家还是继续着对这一神秘物质的研究。

从历史上说，当原子被判明有体积之后，原子就不再是“最基本的元素”，科学会继续研究原子的“原子”，探寻更根本的元素。

但是我们可能会问，什么样的存在可以被称作在宇宙中没有任何延展的物质？这些存在是不是必须像马赫对原子的判定一样，被认为是没有任何物理意义的纯数学实体？我们该如何在一张为了筛选更小物体的网中找到这些谜一样的存在？我们最根本的粒子应该会从这张网里漏出去，因为它们在宇宙中没有任何延展。

不论原子的哲学现实性是什么，根据实验数据，很明显地可以看出原子是由其他物质组成的，不管这些组成物质是否真正存在。

比 10^{-10} 米更小

根据英国科学读物作家约翰 ·格里宾（1946— ）所说，19 世纪中期经过改进的真空泵的发明引发了“科学史上最大的革命”。绝对真空在实验室和大自然中都不存在，但是大自然里的真空更接近绝对真空。外太空的绝大部分都是真空，这种真空比人类在实验室里人工制造的真空都更纯粹。但是第一批真空泵确实在地球上创造了新的环境：一种接近于无物之境的存在。根据这一新环境人类得到了对自然现实的新理解。

电流从真空中流过的时候可以发出发光的射线，射线呈直线运动，并且可以投下影子。这些光柱在 19 世纪 60 年代第一次被发现，并被命名为阴极射线。一段时间里，阴极射线被认为是光的一种，但是后来科学家发现阴极射线的运动速度低于光速。19 世纪的最后几年里，英国物理学家 J. J. 托马森（1856—1940）向人们展示了阴极射线是由电子流构成的（电子是比原子更小的粒子）。1899 年，托马森测量了单一电子的电荷，并且发现电子的质量是氢原子质量的两千分之一。不论原子到底是什么，都有证据证明原子确实是由更小的物质组成的。

1896 年，在研究多种不同的磷光材料时，法国物理学家亨利 ·贝克勒尔（1852—1908）意外地发现了放射现象。他研究的磷光材料，比如铀，都是他祖父当年就开始积攒的。他的祖父也曾进行过对类似现象的实验研究。开始时被称作贝克勒尔射线的存在后来被证实是两种类型的放射，被分别命名为 α 射线和 β 射线。这两种射线都是带电粒子流组成的。由于这两种射线有足够的能量，可以参与到核反应中，也由于这两种射线都是大自然的产物，它们在粒子物理学中有着重要地位。对 α 和 β 放射的解释是后续粒子物理学发展的重要组成部分。

1909 年，出生在新西兰的物理学家欧内斯特·卢瑟福（1871—1937）监督了一次实验，此次实验得到了一张现代的原子图片，上面的原子清晰可见。在实验中，一张薄薄的金箔被 α 射线轰击。用金箔是因为金可以被制成非常精致的、仅有几个原子厚度的金箔。科学家预测 α 射线会击穿金箔，并按照当时认知的原子结构，出现一定角度的散射。1904 年，J.J. 托马森提出了一个原子结构模型，后来被他人称作“梅子布丁模型”。负电荷被包裹在正电荷的云团之中，就像梅子被裹在布丁里。[1]卢瑟福的实验向我们证实梅子布丁模型需要被改进。大部分的 α 粒子在穿过金箔之后没有偏转。更令人震惊的是，大约 8,000 个粒子中就有一个会偏转 90°。这就像是朝着一张纸开一枪，最后发现这颗子弹原路返回朝着枪口飞去了。到 1912 年，卢瑟福正确地诠释了这一结果：最终 α 粒子（自身带正电荷）会和原子的正电荷聚集中心正面相撞。原子的正电荷聚集中心后来被称为原子核。在这个新模型中，原子小小的原子核被围绕其运动的电子包围着，就像是绕着太阳运行的行星。电子如何围绕原子核运动本来会是量子物理学的重大发现。但是在 1912 年，这一发现被遗失了。

一个典型的原子直径应该是零点几纳米（比一米的十亿分之一还要小），但是卢瑟福揭示了要想找到原子的原子核，我们必须

---

[1] 梅子布丁是个误导。现在人们都不记得这个早期模型里托马森让电子自由移动，但是在布丁里的梅子并不能自由活动。

要再往下四个数量级的范围里探索。一个典型的原子核直径大约是 10^{-14} 米[1]，比原子本身小 1 万倍。在原子里寻找原子核就像是在一个大教堂里寻找一颗悬浮着的豌豆。这么平凡易懂的类比虽然强大，也转移了我们的注意力。原子不是大教堂，原子核也不是豌豆；它们不是现实生活中的物体缩小之后的存在。在科学领域，非常重要的一点就是不要把科学理解放到自我中心的角度看待，也不要把前文提到的原子和原子核想当然地理解成大教堂和豌豆。弗洛伊德曾经写道："类比不能证实任何东西。但是类比可以让我们感到更熟悉事物。""家"，按照定义，是我们周围的地方。按照方法论，科学意味着让"家"变得更包罗万物：宇宙就是我们的家。

把一切的哲学难题抛到一边，我们对宇宙最根本物质的研究看起来很顺利。到 1932 年，科学家们缩小了研究范围，从 94 种元素变成只有三种。大自然里不同的原子都是质子、中子（原子核就是一种中子）和电子的排列组合。依次地，质子和中子也被发现有体积（大约都是方圆 10^{-15} 米的范围），所以我们把质子和中子排除出基本粒子的行列。

到 20 世纪中期，科学家们发现质子和中子是由更微小的物质组成的，这种物质名叫夸克。夸克此名非常有学问，取自詹姆斯·乔伊斯很少被人阅读的《芬尼根守灵夜》一书（"为马克检阅者王，三声夸克"）。美国粒子物理学家默里·盖尔曼（1929— ）在一次帮助人们正确地阅读自己名字的讲座上说道，自己是一个

[1] 一个原子核的大小约是 10^{-15} 米（氢原子的原子核的大小，氢原子的原子核是单质子的）到大约 1.5×10^{-14} 米（大型原子的原子核的大小，比如铀原子的原子核）。

令人生畏的贵族和一丝不苟的物理学家。正是这位科学家构想出了一个珍贵的理论，指引了对这些神秘粒子的研究和发现。他也是这些粒子的命名者。理查德 · 费曼[1]也正在建立一套相似的理论。他提出把这种粒子命名为部分子（parton），得名于多利 · 帕顿[2]。这一命名方式也符合费曼的平民主义特质。

夸克和电子都有把自己和其他微小粒子区别开来的特殊性质。这两种粒子在描述中至多可达 10^{-18} 米（一米的十亿分之一的十亿分之一），要想到达这种大小我们必须从质子和中子的范围再往下探索几个数量级。夸克和电子都被称作我们一直在寻找的基本粒子。但是如果基本粒子不能有体积延伸，那么它该长成什么样子呢？如果它真的没有延伸，我们又是怎么知道夸克至多可达 10^{-18} 米？线索就在“至多”一词里。

[1] 在消遣的时候，费曼会去一家无上装酒吧喝七喜。如果得到灵感，他会把自己的想法草草写在纸巾上。

[2] 多利 · 帕顿，美国乡村歌手，出生于 1946 年。她可能会在歌坛上留下一笔，因为她把自己的名与姓都借给了科学家使用。第一只克隆羊多利（利用胸部的肉克隆而成）也是用她的名字命名的。

第
7
章

照亮物质的光

踢动石头，山姆 ·约翰逊，踢断你的骨头：
可是，石头本来就是阴沉的、阴沉的物质。

——理查德 · 威尔伯，《 知识论 》

由于能感受得到光，我们对广阔世界有了更深的了解：我们设计出更好的望远镜，拓展了视野，构造了更好的理论，开阔了思维。世界另一端似乎正上演着相似的事情。显微镜是另一种提升观察能力的方式。

众所周知，必须有光才能描述物质世界，不过如何对光本身做出物质描述，我们还未进行探究。狭义相对论借由光速统一了能量和物质，广义相对论则使得光和引力的统一成为可能。我们知道，引力是时空几何学的概念，那么光是什么呢？通常认为，可见世界由物质组成，不可见世界由光组成。要想对自然做出统一描述，我们必须知道，不可见的光世界如何转变成可见的物质世界。我们必须解决一种矛盾现象——正是通过某种不可见的事物，我们才能见到事物。

亚里士多德认为，我们视物的光是眼睛发出的。光的最早研究都与眼睛本身和眼睛如何看到东西有关，这门学科被称为光学。莱昂纳多·达·芬奇有可能是最早记载光线照射到羽毛上衍射分出色彩的人之一，如今观测 CD 的绵密轨道也能见到这种衍射现象。牛顿曾听同时代的博学者罗伯特·胡克说过，“光通过刀片等不透光物体的锋利边缘时会发生奇怪的偏移”，这种现象在之后的至少 100 年间都无人能解。一次，牛顿在巡回交易会上买了个棱镜，自此对光的本质产生了兴趣。他用棱镜把可见光分解成多种色彩，然后借助对称性思想（一种非常有用的科学对策）思考色彩可否重新组合成不可见光。但他必须等到下次交易会才能再买一个棱镜来测试他的理论。尽管在 17 世纪末，牛顿在光本质问题上有重大发现，但他依旧认为光是一束“炽烈的粒子”，他的观点并不能解释胡克在观察刀锋时见到的奇特现象。和牛顿同时代的克里斯蒂安·惠更斯早先提出了光波动说。但是光波动说面临一个问题：波必须借助某种介质才能传播。惠更斯认为，光是在一种名为以太的极为细致的胶状物中传播的。（亚里士多德学派所称的组成天界的物质，同样是以“以太”命名，不过他们所称的以太与惠更斯所说的以太肯定不是同种物质。）牛顿反对以太说，因为这样整个太空都须填满以太，那么行星运行就会减缓。后来以太问题困扰了科学界很多年。牛顿当时的名望，以及他对光粒子说的支持，导致光的研究停滞了 100 多年。

19 世纪初，英国天才科学家、埃及古物学者托马斯·杨

（1773—1829）就胡克所观察到的现象率先提出近乎可行的解释。据说托马斯·杨自从 2 岁起就开始记笔记，4 岁时已读了两遍《圣经》，7 岁时阅读牛顿著作，16 岁时就能读懂拉丁文、希腊文、法文、意大利文、希伯来文、迦勒底文、古叙利亚文、撒玛利亚文、阿拉伯文、波斯文、土耳其文和伊索比亚文。在剑桥大学，他被称为“奇人杨”。他设计了一项实验，并试图证明唯有把光看成波动而非粒子，才能解释发生在锐物边缘的衍射现象。托马斯·杨在 1801 年完成了这项简单的实验，这项实验在科学史上是最为著名，也最易重复进行的实验之一。他让一束强光通过两条宽约百万分之一米的狭缝（相当于刀片的厚度）。光线穿过狭缝之后，在远处的屏幕上投映出许多明暗条带，这些条带显示出了光线穿过狭缝后聚合的位置。这与水波相似，当波谷遇上波峰时，波动就相互抵消，当波谷遇上波谷或波峰遇上波峰，幅度就会增强。这种作用称为干涉。到了 1802 年，威廉·沃拉斯顿发现，当用显微镜观测透过棱镜的光时，也能观测到明暗相间的条带。尽管当时还不明白其中缘由，不过他捕捉到了太阳的特征：太阳是由何种元素构成的。19 世纪后期有人做了相似的观测，结果发现了氦元素，由于当时地球上没有该元素，它被命名为“赫里斯”（*helios*），在希腊文中是太阳的意思。古人认为太阳和地球无异，只不过太阳温度较高。前苏格拉底学派哲学家阿那克萨哥拉（约前 500 —前 428）认为陨石是太阳抛出的物质。甚至到了 20 世纪 20 年代，人们依旧认为太阳中的氢成分只占 5%。我们现在知道，太阳几乎都由氢元素构成，当然还具有部分氦元素及少量几种其他的元素。

只要得多于失，科学都能兼收并蓄，且兼容性高得惊人。牛顿的不可见引力论之所以为人们所接受（当然多少都会遇上阻力），是由于引力理论能解释自然界诸多现象。如果一项新理论，加上某些新的不明物质中不可避免包含的令人不适的成分，能更好地解释事物，即能解释众多未解之谜，那么这种不适感迟早会被适应。将以太当成物质看待至少是有其优越性的，即便人们尚不清楚它到底是何物质。

认真对待托马斯·杨的观点，就是严肃对待以太问题，人们逐渐适应了以太的概念。杨氏的成果受人揶揄数十年，但是后来他的光波动说能够解释越来越多的现象，人们的不适感逐渐平息，他们开始接受确实存在某种解释不清、观察不到的物质，光波能在其中传播。

直到 1887 年，阿尔伯特·迈克耳孙和爱德华·莫雷（1838—1923）两位美国科学家设计了一项实验，这项实验理论上能够精确探测出地球绕日运行时，穿行以太后刮起的“以太风”。然而，尽管尽了极大的努力，他们依然无法证明以太风的存在。他们的实验完美诠释了何为“实验”。他们检测了存在以太风的观点，并在他们使用的实验仪器可接受的误差范围内推翻了这个观点。

科学依据由何组成？奥地利出生的英国哲学家卡尔·波普尔（1902—1994）彻底颠覆了人们的观念。他提出，科学理论是无法完全得证的，但必须能够被检验。譬如，牛顿力学主张所有运动都是相对的，这一观点就是可以被检验的。一旦认清光的运动并非相对的，即可否定旧理论，并构建更完善的新理论体系。此外，托勒密的行星运动理论并不是一个恰当的科学理论，因为他使用本轮来强化星体以圆形轨迹运行的理论，这使得这个理论无法被检验。不论观测到何种星体运动，都可通过添加大量的本轮来匹配数据，进而对其做出描述。

我们通常认为实验的目的更多是为了找到证据，并非验证我们找不到证据，不过，即便以波普尔的前提条件来看，迈克耳孙－莫雷实验依旧算是实验。以太是否存在，实验没有给出明确答案，而是留下了一种可能，即一旦有了更精密的测量方法，还是有可能证明以太的存在。所有更为精密的测量确实表明了这样一个事实：如果我们观测得再精密一些，结果看上去可能完全不同。

爱因斯坦（除了他还会是谁？）后来证明了以太并不存在，而且他全凭思维能力得证，并未借用物理手段实际测量。在狭义相对论中，爱因斯坦提出了光没有相对速度的假说。他的理论根据就是坚信以太不可能存在。光的传播并不相对于任何事物，以太肯定包括在内。他的理论的成功之处在于，光需要借助某种介质才能传播的思想逐渐被淡化了。如果说光是一种波，怎么会不需要借助任何介质就能传播呢，这看上去像一道纯粹的哲学问题。（少说话，多计算！）不管怎样，自那之后人们开始以新的方式理解光的本质，在一次对自然的重要统一中，科学的两大支流即将交汇在一起。

希腊哲学家泰勒斯发现，琥珀摩擦特定物质能冒出火花（也就是我们所说的静电），摩擦过的琥珀纽扣能吸引头发，似乎具有某种力量。此外，某些石块也被发现具有吸引力。这两种天然的吸引力分别是由我们今天所说的电和磁产生的，这些现象的发现第一次微弱地暗示了两种力之间或有某种关联。18 世纪中期，博学者本杰明·富兰克林（1706—1790）发现电和磁都有两种不同的形式，他称之为正和负。这一特质被给定用来解释为何有些电荷相互排斥，有些相互吸引。即便了解了同性电荷相斥，异性电荷相吸，也无法用其解释其他现象，仅仅能依其断定带电物体会发生何种现象。不过，这也是阐释真相的起点。科学的首要任务就是对现象分门别类，然后尝试用意想不到的方式使不同类的现象产生联系。

19 世纪早期，丹麦物理学家、化学家汉斯·奥斯特（1777—1851）发现罗盘指针会转向通电流的线圈，这是电流产生磁场的第一次示范。10 年后，英国物理学家、化学家迈克尔·法拉第（1791—1867）接纳了这一观点，借用对称性思想（又是那项重要方法）进行思考：磁体通过线圈时是否会产生电流？于是电感现象就此被发现。他还发现了电流会影响偏振光，由此他想到电和光或许存在某种关联。

法拉第出身于铁匠家庭，在当书籍装订工时，他读了《大英百科全书》中一篇与电学有关的文章，对电学有了初步了解。后来他的人生出现了转机，英国化学家、物理学家汉弗莱·戴维（1778—1829）因其助手贪杯而辞退了他，改聘法拉第为助手。法拉第在思考一个问题，倘若电、磁本质上是粒子，粒子又是如何运动的呢。牛顿的引力理论背后也隐藏着同样的问题：天体是如何跨越太空影响其他天体的运行的呢？后来，因为万有引力定律产生了巨大的影响力，这个问题也被人们遗忘了。

法拉第设想，电粒子和磁粒子周围各环绕着“一股力量”，即一种空间状态，后来他称之为“场”。法拉第与爱因斯坦一样，都坚信自然是统一的。虽然法拉第数学水平素来不好（他对数学同样没什么兴趣），但他却提出了“场”的概念（为宇宙本质上由粒子构成的思想奠定了基础），由此他可以将不同的现象关联起来，对其做出同样的阐释。正是场的作用力解释了粒子如何运动。场被设想成许多箭头，指向各异，箭头的指向就代表了力的方向。很难说这种指向是纯粹的数学描述，还是真实存在的。场的概念无法深度解释远处的粒子为何知道该往何处移动；与以太和电荷一样，场也是为了使一种解释说得通而额外提出的概念。但我们发现，当赋予场某些特殊性质时，其他原本说不通的现象都得到了解释。场的描述被广泛接受，就像早前对待引力一样，我们也逐渐接受了场的观念，甚至到了后来，还认为场是世界上的一种有形存在。本轮是一种特设的辅助手段，但在托勒密的宇宙论中，每当要确保对星体运动的测量更为精确，都必须添加本轮；而在法拉第的场论中，单一的特定概念就能统一描述多种现象。

大自然促使我们选择相信所见的特异现象。就像见到苹果落地，我们便相信了牛顿提出的引力，虽然并不清楚那究竟是什么，直到爱因斯坦将其转变为时空几何；同样，当我们见到铁屑依循磁场自行排列时，我们开始相信磁场是真实存在的。场是用来解释力是如何跨越空间发挥作用的，就像牛顿所描述的引力也会跨越引力场发挥作用。实际上，场就是力。

奥斯特和法拉第的发现开始暗示，我们现在所知的是正确的，即电和磁有着密不可分的关系。静止的带电粒子周围有电场，移动的带电粒子则会产生电场和磁场。所以，当一颗带电粒子穿行磁场，磁场就会发生变化，因为移动的带电粒子自身也产生磁场。随后，变化的磁场产生电场，运动带电粒子的电场因此也发生变化，这一变化再次导致磁场发生改变，依此类推。这种增强作用就是电磁辐射。电场和磁场的循环增强是以最高速度进行的，也就是光速。

描述变化的电场和磁场时，不能二者只取其一。变化的磁场会生成电场，变化的电场也会生成磁场。当它们相互加强时，电磁——或者说光——由此产生。

同理，加速的电荷会生成电磁辐射：一个静止的电荷生成一个电场，一个运动的电荷生成一个电场和一个磁场，一个加速的电荷生成一个变化的电场和一个变化的磁场。但因为变化的磁场也会生成电场，两种场又一次彼此加强，生成电磁辐射。

早前我们认为所有的光，不论是阳光还是烛光，都属于可见光，后来却发现，光实际上是一个连续的辐射范围，也即电磁辐射频谱中的一部分。可见光不过是频谱中很小的一段，这一范围内的光线我们可以用肉眼看到，位于其他部分的则是看不到的：红外线辐射具有热效应，紫外线辐射能晒黑皮肤，X射线会摧毁细胞。通过给光线命名，我们对它们进行了划分，就像划分拥有不同特质的现象一样。我们根据光线的能量高低进行划分，从能量最低的无线电波，到能量最高的γ射线。大自然不会知道我们给它的细小部分都命了名。在大自然看来，光不过是一种连续的形式。通常科学家所说的光是指电磁辐射频谱中的任意部分。

电磁辐射频谱中细小的可见光区段又可细分成色彩区间。电磁辐射频谱两端分别为红端和蓝端，电磁辐射频谱似乎就是很窄的可见光区段的延伸。无线电波不是红色的，却出现在可见区段的红端之外；同理，X射线和γ射线出现在蓝端之外。

苏格兰数学家、物理学家詹姆斯·克拉克·麦克斯韦（1831—1879）是个怪人，大学时人称“狂徒”。他在1861年发表了一篇论文，论文中包含的四则方程式完整描述了电磁辐射的数学原理，并显示辐射是以光速传播的。麦克斯韦猜测电磁辐射和光是同一种东西，不过当时没有证据证明他的观点。德国物理学家亨利希·赫兹（1857—1894）最先通过电磁发生器制造出无线电波和微波，证明了所有电磁波都以光速传播。虽然麦克斯韦方程组的知名度比不上牛顿的运动定律和爱因斯坦的相对论方程式，但就其在科学史上的重要意义而言，麦克斯韦方程组足以与它们相媲美。看似抽象的方程式，加上赫兹的物理证据，将电学、磁学和光学统一起来，可以用同一种理论进行描述。因为我们是从历史发展的角度讲述这一事件，所以容易认为电和磁是光这种无形事物的真实组成部分。我们首先描述了电和磁，因为有关两者有更多深入的科学研究，我们认为电和磁更可能真实存在。相对整体而言，我们对部分了解得更多，因为整体始终是目标所在，可望而不可即，只能在未来达到。可以说，光这种事物，无形而又深邃，是很难把握的概念。科学研究给真相披上了奇怪的外衣。最前沿的认识反而最不可靠，因为它最为新奇、最近出现、最少接受测试，也最具假设意义。如今发现，磁和电是一种更为对称的事物的两个方面，这种事物就是光。

麦克斯韦方程组似乎存在一个严重缺陷：适用范围仅限于静止不动的观察者。但只要假定光速不变，问题就能得到解决。然而，这与牛顿力学中描述的运动完全相反。牛顿运动定律认为所有运动都是相对的，怎么会存在恒定不变的运动呢？麦克斯韦方程组绝对正确，牛顿力学肯定错误，爱因斯坦对此深信不疑，这个信念促使他认真思考这个假定并将其纳入自己的理论：光的运动很特别。结果便是爱因斯坦创造了狭义相对论，而且他对于电场和磁场如何产生关联有了更深刻的理解。根据狭义相对论，电场和磁场一定是同种事物的不同表现形式，当观察者在不同的参照系中转换时，他们会发现，一个参照系中的电场到了另一个参照系中，就变成了磁场。

1905 年是充满奇迹的一年，爱因斯坦在这一年发表了阐述狭义相对论的论文，还撰写了另外两篇极具影响力的论文。

在其中的一篇论文中，爱因斯坦列出了确凿证据证实原子的确存在（尽管那时人们已经明白，原子并非基本粒子，而是由更小的粒子构成的，但这些粒子是否真实存在还说不准）。他还有一篇论文阐述了布朗运动现象。最先描述这一特殊现象的是苏格兰植物学家罗伯特 · 布朗（1773—1858），他将其形容为花粉在水面上翩翩起舞，但此后近 80 年间，无人能解释这一现象。爱因斯坦发现，这一运动可以看成是单个水分子持续冲击花粉形成的，虽然他对这个观点不太确定——“我对这个问题无法形成判断”——但爱因斯坦的“不确定”常常是对其“确定”的伪装。不管怎样，从这时起，原子便成为具有物质特性的实体，这也为 20 世纪的化学和物理学奠定了基础。[1]

爱因斯坦在 1905 年发表的第三篇论文中解释了一个尚未被人

[1] 爱因斯坦找出了花粉在水面游走的数学规律，结果证明其与阳光在地球大气层的空气分子间的游走方式相同。因为蓝色的光比其他颜色的光更容易散射，所以天空是蓝色的，而且从各个方向看都是蓝色的。

解释的现象，即我们所说的“光电效应”。这篇论文后来成为量子物理的基石。

早前，赫兹发现了一种他无法解释的效应——紫外波段的光照射在金属板上时会产生火花。这就是光电效应。问题是，即便是非常微弱的紫外光，也会产生这种效应，而其他色彩的光，不论多么明亮，都不会发生作用。但借助经典光学理论无法解释这一现象，因为经典理论认为，不论是哪种色彩的光，只要足够明亮，都能产生火花。

爱因斯坦借鉴德国物理学家马克斯·普朗克提出的最新观点，解决了这项难题。普朗克曾用这个观点解释了另一个令人困扰的现象——“黑体辐射问题”，这一现象用经典物理学同样无法解释。观察发现，当物质被加热后，辐射出来的光谱具有相同形状的波峰。不同物质发出的光谱，波峰所处的频率不同，但波峰形状却保持不变。经典理论认为光波是平滑连续的，如此一来，波峰现象完全无法解释。普朗克提出了解决方案：他决定因循热能研究方法来处理光的问题。热量是单个粒子能量的测量单位，温度则是众多单个粒子的平均能量。普朗克决定视光线如热量，像是团块形成的。但他从不认为光真的是由团块组成的；实际上，他还明确指出，这种说法不过是数学手法，而非事实。做出这样的假设后，一项恼人的问题反而迎刃而解。普朗克不明白，为什么要用这种方式解决辐射问题；他只知道，采用这种方法，就能解释观测到的现象。爱因斯坦也采用了同样的观点，不同的是，普朗克把它当成数学问题，爱因斯坦则从物理角度切入，这与他当初从物理层面析解麦克斯韦方程组时的假定如出一辙。他坚信这种能量团切实存在。

爱因斯坦表示，光不是连续的波，而是成组的波束，这实际上使其有了粒子性。光的古典波动论指出，光线越明亮则能量越高，因此较亮的光光电效应会更强烈。这并非事实。倘若某一特定频率（或色彩）的光不引起火花，那么不论亮度有多高，这种光线永远也产生不了火花。反之，假如一种光的色彩能引起火花，那么不论这种光多么暗淡，火花终会闪现。爱因斯坦的新论述以不同的方式描述了光的能量。爱因斯坦将光分解成为许多组束（实际上就是粒子），称之为量子（源自拉丁文 quantum，意思是“多少”）。普朗克已计算出量子的大小，虽然当时他尚不肯定量子的存在。速度极大的光塑造了宏观世界，数值极小的普朗克常数则造就了次原子世界。各能量量子的大小等于光的频率乘以普朗克常数，该常数数值为 6.626×10^{-34} 焦耳 / 秒。[1]

1926 年，美国化学家吉尔伯特 · 路易斯（1875—1946）给光量子起名为“光子”。倘若一组束量子（或是光子）具有充分能量，就会促使金属表面的一颗原子排出一颗电子：排出的电子就是我们见到的火花。在爱因斯坦的新论述中，不论构成光的粒子数多么稀少，即不论光线多么暗淡，这种效应都会发生；但假如量子能量不充分，不论多少粒子照射到金属上，不论光照多么明亮，火花永不闪现。

爱因斯坦凭借这篇论文创立了量子物理学。近 10 年后，丹麦物理学家尼尔斯 · 玻尔（1885—1962）采用同一观点来解释另一个

[1] 用于测量随时间扩散的基本单位。

至今仍未解惑的现象。受热气体的原子会发出以已知的光谱线形式排列的彩色光线。我们已知，光谱图样是一种独特的信号，可以被用来识别一切元素，但经典物理学无法解释为什么会出现光谱线。为解决此问题，玻尔提出了设想原子外观的新理论。实际上，这是最早利用原子描述量子的尝试，也是对卢瑟福模型的改良——卢瑟福模型已取代汤姆森的梅子布丁模型。人们很快就清楚卢瑟福的原子行星模型并不能描绘出原子的真实外观。环绕轨道运行的电子是能放射电磁辐射的加速带电粒子。电子放射电磁辐射就会丧失能量。证据显示，电子环轨运行，不到百亿分之一秒便会坠入核中。

依照玻尔的描述，电子会环绕确切的轨道高速移动。如果电子具有完全确定的能量，就是通常所说的可量子化，那么就只能在不同轨道之间波动。光谱就是电子在这些不连续的轨道之间波动的证据。不同电子所含能量高低有别，这种能量差异从构建光谱线的光线中就可得知。放射出的能量块大小是确定的，足以证明爱因斯坦“光量子确实存在”的假说。我们已经知道，在玻尔模型问世后，宇宙学家才得以知晓遥远恒星的构造，才能够将哈勃望远镜的观测结果作为膨胀宇宙论的证据。我们之所以必须接受玻尔对电子状态进行限定的假设，同时乐于接受这一假设，是因为如此一来，更多现象能够得到解释。

量子物理学改变了我们描述光的方式，而且正因为我们使用光来描述现实，它同时也改变了我们描述现实的方式。原本呈波状的世界，经细致审视后，却呈现出颗粒的外观，如同曾经平滑的科技世界，今天也转由像素和数码构成。远观无从分辨两者差异，细致审视便能看出个中不同。

在对光的量子描述中，我们之所以看得到事物，是因为微小的光粒子（光子）对其进行撞击。倘若粒子足够小而且足够多，我们就能假设，粒子会进入我们所观察事物的所有缝隙，便得细节部分充分显现出来，由此我们便会产生这样一种印象：我们看到的是一个协调的整体，而不是每秒闪现 24 格图像，对现实生活进行幻化的影片。在这种情况下，要想把事物看得更清楚，就应该有更细小的粒子存在。

根据常识，如果我们只能靠抛掷这些微小的粒子来观察事物，那么不论力道多么轻柔，所看物体必定会以某种方式受到干扰。如果我们抛掷的是具有能量的粒子，那么它在撞击我们要看的物体时，会转移部分能量，这是不争的事实。单凭常识也可得出，如此观看世界，精确程度必会受到局限。不论观看世界的方法多么精确，终会干扰原物的呈现。

可以合理假设，在局限性之外还存在一个可观测的世界，虽然非肉眼可见，但我们知道它真实存在。但是用量子描述世界时，需要将合理性和常识搁置一旁。费曼也曾在谈到量子物理时表示“没人了解它”，这应该给了我们一些鼓舞。粒子运动的能量就像一块掩藏世界的幕布，背后的真相也趁机变成了完全不同的东西。

我们知道真相是怎样的：一个由各种运动中的事物组成的世界，可以用我们熟悉的位置、速度、质量、能量和时间等牛顿学说（或经典）概念加以描述。依照经典力学，已知粒子的动量（质量与速度相乘的结果）和位置，就能完整描述该粒子的运动。理论上，我们可以计算出粒子过去所在的位置，以及将来会在的位置。

然而，德国物理学家沃纳·海森堡（1901—1976）却在1927年提出了著名的测不准原理，该原理称，动量和位置不可能同时精确测出，从而否定了完整描述自然的经典理论。

牛顿定律描述了一个机械世界，不同的物体各自在时间和空间内运动。在这样的世界中，凡具有质量的事物，每时每刻都可测出相对参照系的位置和速度。理论上，只要得知孤立物体在某个瞬间的运动，就能知晓它在整个运动过程中所处的位置。其运动可用两个属性来描述，即位置和动量。倘若该物体并非孤立存在，同样按照理论，只要得知该系统中各个物体的瞬间运动，就能描述出整个运动系统（不过实际操作时会难得多）。19世纪初，法国数学家、天文学家皮埃尔－西蒙·拉普拉斯（1749—1827）写道，说不定有一种智慧生命能理解所有“宇宙间最大物体和最轻巧原子的运动……就这种智慧生命而言，没有什么事物是不确定的；未来与过去一样，将铺展在它的眼前”。海森堡告诉我们，世界并不是这样的。当然，就像小时候那样，我们马上就想知道个中原委。海森堡原理为什么能够成立？不幸的是，我们必须先接受世界就是这样，再根据这项新描述，做出可用实验检验的预测。正是因为通过实验肯定了这些预测，我们才相信海森堡的原理胜过我们先前的描述（能解释更多的现象）。

根据海森堡原理，我们越是准确测知某一粒子的动量，对该粒子所在位置就知道得越不准确，反之亦然。我们可以大致得知粒子的动量和位置，却永远无法同时精确知晓这两个数值。我们若想准确得知某一粒子的动量，就必须舍弃求得该粒子所在位置的想法。重点不在于粒子有可能出现在任何地方，而在于所谓的位置的概念本身毫无意义。反过来，倘若我们希望准确得知某一粒子所在的位置，那就必须舍弃求得其速度的念头：此时，速度及动量的概念就会变得毫无意义。这就是我们对事物真相的新认识。这与经典世界的观念非常不同，经典观念假定可以检测某一物体的运动，再根据这一信息，更精确地推算出其位置和动量。

动量和位置都是对较大尺寸事物构建的世界的粗略描述方式，我们称之为经典世界。量子世界的情况是不同的。在测量之前，粒子处在没有动量和位置的状态中。开始测量后，我们就会从量子世界中获取若干信息，我们将其看作是对该粒子在经典世界中的动量和位置的不确定性描述。牛顿所发现的（或者说是发明？）用来描述经典世界的性质，在幕布之后的量子世界中就不复存在了。

倘若我们想用经典理论来描述粒子，我们就会发现，这种描述永远是不完整的。在粒子被观测到之前，我们不能说其位置不确定。位置是宏观世界的特质。在我们测量之前，量子状态下的粒子可能处在不同的位置。唯有在测量之后，粒子才会透露出关于它位置不确定的信息。从海森堡测不准原理可知，经典世界是不可能被精确了解的。精确测量并非全无可能，不过精确测量之后，以经典方式完整地描述自然就成了不可能的事。

要想理解量子力学（倘若真能理出头绪），就需要了解测量的过程创造了我们所称的经典现实，或者说是可观测的现实的外观。事物在测量之前都非事物，而是存在于可用数学概率波来描述的可能状态中。除非从概率波中提取出信息，探询该粒子可观测特质的某个方面在某一时间呈现出什么样子，否则，随着时间推移展开的波就显得毫无意义。事物真相并非不可知，而是不确定。对此，海森堡用单词 *unanschaulichkeit* 来进行表述，该词在英文中并没有对等译文，较为精准的理解是“不确定”或“不可确定性”。处于量子态时，电子的行踪不是不确定，而是无法确定。

我们无法精确得知这两个问题的答案，否则我们早就确立了现实的经典本质。我们优先考虑经典世界，因为我们确定，世界就是由在空间中运动的事物构成的。量子物理学告诉我们，世界是一种假象，是由更深层次的真相所包含的局部信息构建的。事物构成的物质世界，不过就是局部信息的展现。这就是我们理出的头绪。

现在，我们开始明白基本粒子和尺寸间的奇怪关系。我们关于粒子大小的全部了解，不过就是为了匹配粒子经典本质的另一个方面（动量）。低能量的粒子占据一定空间只是一种表象。经典世界中一切事物的动量都很低，而且似乎都占据一定空间。这是从更深层量子现实中显露的假象。这种被占据的空间并不代表粒子的真正尺寸：仅在低能量的普通世界中，尺寸才是一种明显特质。基本粒子在高能量状态就变成点状。不过基本粒子的点状本质也并非它的“真正”尺寸：那是粒子在我们测量它的能量时呈现的模样。

量子物理学的数学表述经物理诠释后，被证明对知识界是一个艰巨挑战，且和早期试图解释爱因斯坦广义相对论方程组的难度不相上下。但是首先要确立数学体系，海森堡率先进行了尝试。由于当时花粉症肆虐，海森堡到北海的黑尔戈兰岛避居，就是在这里，他的研究有了突破。他意识到可以运用之前只局限于纯数学领域的数学实体——矩阵。（爱因斯坦撰写广义相对性方程组时，也用了创新的数学语言。）在哲学层面，量子物理学的早期发展曾面临重大危机。学界先驱划分为两大阵营：玻尔的拥护者强调量子跃迁的不连续性，爱因斯坦的拥护者则强调量子世界的波粒二相性。海森堡的矩阵将他划进了玻尔阵营。然而奥地利物理学家埃尔温 · 薛定谔（1887—1961）对海森堡的体系相当反感，并称之为“垃圾”（或许他使用的是某个意义相同的德语词汇）。他决意要拟出一套他自己的描述，于是他带了两颗珍珠（可塞进双耳排除背景噪音干扰），领着他的情妇在瑞士一家旅馆待了两周。1926 年，薛定谔写出了波动方程式，显露了他在对现实做出波动描述方面的独特品位，也表明了他并不喜欢量子观点的不连续特性。在研究了类似于小提琴弦震动的现象后，他写出了他的方程式。1924 年，法国贵族物理学家、第七代德布罗意公爵路易（1892—1987）证明了所有粒子都能用波动来描述，即便是球体也具有波动性质。大自然一如既往地呈现出令人惊叹的对称性。德国物理学家马克斯 · 玻恩（1882—1970）论称，薛定谔所谓的波动并非粒子本身，而是测量与粒子本质相关的概率的一种手段。薛定谔体系和海森堡体系之间悄悄展开了一场论战，虽然在数学层面，二者其实是等价的。

接下来，英国物理学家保罗 · 狄拉克（1902—1984）对薛定谔方程式表示了反对。如果说薛定谔觉得海森堡的数学表述很不堪，那么狄拉克对薛定谔方程式的看法也没什么两样。1928 年，狄拉克想出了如何优雅地描述这一类粒子，同时兼容爱因斯坦的狭义相对论：这是整合量子物理学与相对论的首次尝试。从根本上来说，狄拉克开启了把量子物理学转变成场论的过程，这个过程延续至今，不过自经狄拉克时期以来，关于它的描述变得越来越翔实。如今，物质世界正是被描述为场和粒子。

狄拉克方程式预测，世上存在带负能量的粒子，不过在当时，没人打算从物理角度剖析这个方程式。海森堡就狄拉克方程式发表看法时说道，那是“理论物理学历史上最可悲的章节”。然而，那时已经发现了带负能量的粒子。1932 年，证明这类“反物质”存在的首要证据出现了，当时侦测到一颗和电子一样的粒子，不同的是，当电子遇到它之后却消失了。这种反电子又称正电子，在后来的观测中还发现，所有基本粒子都伴有相应的反粒子。

海森堡测量方法的局限性在于，我们不仅不得不在动量和位置间进行取舍，还要在能量与时间中进行取舍——牛顿描绘经典世界的另一组量值。根据海森堡原理，由物质和反物质构成的粒子对在高能态下可以存在，前提是存在时间不能过久。这些粒子对大体上会彼此中和，因此它们并不存在于经典世界中，也不违背任何经典物理学定律。这种粒子对的存在，实际上就是非生命世界中的借贷偿还现象，或说是生自科学家所说的真空（可别和我们上学时所学的真空混为一谈，那种真空是泵制造的无物状态）。这种粒子能借用未来时间，能逆时而行，还能超光速前进，与此同时，还不会违背爱因斯坦定律。

从远处看，真空不过就是无物状态。我们越是靠近，就会发现无物状态蕴含越多能量。亚里士多德曾说自然憎恶真空，其实他认为，不存在空无一物的状态，看来他的观点是正确的。

高能粒子无端生成又无故消失。它们随机出现，随机消失，这与我们所在的一切皆有因果关系的世界完全不同：我们熟悉的经典世界由大型的、移动缓慢的低能量事物组成。要想窥知无物状态中的巨大能量，就必须增加能量。我们往真空注入的能量越多，就有越多粒子凭空生成。绝对无物状态完全不可能出现，这就保证了世界不会化为空无，当我们深入观察时便会发现，世界反而变得越来越有活力了。所谓的虚无太空并不存在。太空几乎是完全空无的，然而在微观的尺度上，空间看起来就没那么空了。真空是空间在大尺度上的一种属性。

世间所有可见物质仅由四种粒子组成：两类夸克（分别为上、下夸克）、电子，以及与电子有关的粒子——中微子。不幸的是，阐明这四类粒子性质的前提是必须先有其他几百种粒子（再加上它们相应的反粒子）。经发现，当往真空注入大量能量后，所有粒子都能瞬间生成。这类粒子数量极多——在粒子加速器中显示为一个个短暂出现的能量尖峰——被统称为粒子动物园。相传意大利物理学家恩利克 · 费米（1901—1964）这样回答一位学生的问题："年轻人，如果我记得住这些粒子的名称的话，我早就成为植物学家了。"

这些粒子的数量如此之大，让人很伤脑筋，同时，搜寻大自然优雅定律的工作似乎也陷入逆境。目前，场和粒子的描述最可靠的证据都源自于这样一个事实——这些理论是科学史上最为精确的理论，获得过最为精确的测试，即便是爱因斯坦的相对论也未被如此精确地检验。对量子场描述测试，其精细程度可达十亿分之一，相当于用比一根发丝更细小的单位来测量纽约到洛杉矶的距离。然而这批统称为标准模型的量子场论却有失优雅，十分令人困扰。理论物理学家托马斯 · 基布尔（1932—　）甚至曾表示，标准模型"简直就是极其随性又十分不堪的理论，根本就是瞎扯”。甚至这一模型的支持者都坦承，那是东拼西凑而成的。如果标准模型本身很丑，至少它意味着存在更深层次的对称性。

尽管只有两种夸克参与可见物质的构建，标准模型却包含了三对夸克，分别为上夸克和下夸克，奇夸克和粲夸克，顶夸克和底夸克。这六种性质统称六味。这些夸克的名称恰好彰显了夸克的独有特质。一个夸克并不会比另一个夸克更粲（有魅力）、更靠上方或更靠底端。要想知道在物质世界中这些性质分别呈现哪种外观，是完全办不到的。就某种程度上来说，这是事实。比如“正”和“负”的概念，原本富兰克林用这两个特殊称号来作为电荷属性，直到后来才发现所谓的正负取决于物体是否带有多余的电子。唯有观察到磁体或带电体相斥或相吸时，正负的说法才有意义。“顶”和“上”不过是用来区分其他现象的两个特有称号，唯一差别是，那些现象和我们所在的世界相隔太远，而且没有表现出任何的物质形式。某些粒子还具有另一种特性——自旋。奥地利物理学家沃尔夫冈·泡利（1900—1958）借用自旋来解释为什么原子内任意特定的能量层级只能存有特定数量的电子。有了自旋提法，我们就可以说，电子被束缚在不同的能量层之内。被束缚在不同能量层的电子形成的能阶，可用量子来衡量其中的差异。我们已经知道，电子在不同能量层之间的跃迁以及由此释放出的能量量子，是形成元素电磁辐射频谱的唯一原因。这种独有的自旋特质，被认为介于电荷特性（我们在日常生活中能够对其有所感知）以及上、下夸克的特性（没有可供类比的例子）之间。量子世界的自旋特性可以通过现实世界的事物来理解，比如将其转换为球的特性。基于此，我们或会认同，不论奇夸克、底夸克所指为何，量子自旋都变得更有意义。然而，由于量子世界的所有特性都经过量子化——只对应不连续的数值，所以很难阐明量子化自旋或量子化电荷的真实意义。更糟的是，后来事实证明某些粒子只发生 1/2 自旋，这样一来，我们先前对自旋的任何解释都说不通了。越是深入探究量子场理论以期找出自然的终极对称性，我们必须解释的世界特质就显得越发抽象。科学家不只辨识出 6 种夸克，还发现这每种夸克有 3 种不同的形态，这些形态的名称都是任意选取的，即 3 种不同的色彩。实际上，现在已有 18 种不同的夸克。

所幸，数学表示方法也起到了促进作用：6 种夸克具有我们前面提到的 3 种对称特质，此外，由夸克构成的粒子许多是由 3 个或 2 个夸克构成的。举个例子，质子由 2 个上夸克和 1 个下夸克构成，而中子则由 1 个上夸克和 2 个下夸克构成。在量子世界里，标准模型中的夸克总是 3 个或成对地出现，没人知道其中缘由。我们希望这暗示着存在某种尚未被发现的对称性，一旦发现，就能简化我们的描述。科学存在信念才能有所进步，用约翰·惠勒的话来说："凡是重要的事物，本质上都是完全单纯的。"如果说科学拥有信条，那么这条就应居于首位。科学家相信宇宙是统一的，而且其统一性还能用优雅的数学方法加以描述。标准模型远谈不上完全单纯，但它确实暗示了可能潜藏着某种我们尚未了解的单纯性。

粒子动物园是利用高能粒子加速器从真空中抽离出来的。如今我们已经摒弃了一个观点，不再认为高能粒子具有大小尺寸，如此一来可以改变关注的焦点。我们不再为了看见事物而向其抛掷细小的粒子，而是从真空中生成越来越多的高能粒子，以此来检视微观世界。粒子加速器就相当于尺寸更大的显微镜：它们都让我们能够深入窥探最细微的事物。对男孩来说，粒子加速器是一种终极玩具。粒子加速器就是让能量充沛的粒子相互对撞，从而促使能量更充沛的粒子凭空生成。幸运的话，一款新式粒子加速器（2008 年初试失败之后）在 2009 年就会上线。大型强子对撞机由一串环形隧道组接而成，隧道位于地下百米深处，其中最长的隧道周长 27 千米，贯穿瑞士和法国边境。这条最长的隧道含有 9,300 件超导磁体，各重数吨，经冷却温度可降至深空低温。大型强子对撞机能把粒子加速至光速的 99.9999991%，并能推使它们猛烈互撞。有了这样的机器，难怪默里 · 盖尔曼会说："若有个孩子长大后成为科学家，他就会发现，自己整天玩乐还有钱拿，玩的还是人类发明出的最为精彩的游戏。"

制造各种各样的粒子显然必定能得到某些好处，否则我们早就放弃这一做法了。一如既往的好处是，标准模型成功地统一了众多现象——许多都是自然现象——并将其归为单一描述：完全由粒子构成的描述。爱因斯坦认为，若能统一光（电磁辐射）和引力，说不定自然也能统一。只可惜，要研究细小事物构成的世界，还需要假定存在另外两种力：强核力和弱核力。标准模型尝试统一这些力，所依循的方法是借助粒子观点来描述这些力。

光和电磁力都是光子的表现形式。必须引入电磁力的概念，这与当初牛顿引入引力的概念是一个道理，这样才能解释为什么带负电的电子会受原子核中的带正电质子的吸引。正是这种力让物质形成了固态。通常认为原子内部近乎虚空，不过另一种说法或许更切实际，即原子内部充满力场。

量子场并不像法拉第所设想的场，有许多箭头指着不同方向；

就某些层面而言，量子场更为明确。法拉第发明了一种描述方法，利用场中被观测到的粒子的行径来表示两种基本自然力：电力和磁力。量子论场也是将基本力描述为场中的粒子，只是对于基本力是什么以及如何描述粒子和场，如今我们有了不同的观点。在量子场论中，万物都可归结为粒子。[1] 可以说，粒子描述已经胜过了波描述。甚至连场本身也由粒子构成：场就是所谓虚粒子构成的云雾。虚粒子之所以获得如此称谓，是因为在几乎完全由数学公式构建的量子场中，见不到它们的输入与输出，但又需要利用它们来做出有效解释。对务实的科学家而言，虚粒子是否存在于物质世界并不是那么重要（虚粒子和“真”粒子间没有明确的分界线），重要的是，统称为标准模型的量子场描述是否真能发挥作用。然而，如果我们自身在宇宙中并不占据特权地位，因而降格成为物质世界的调查者，就不得不接受这样的事实——所谓的稳定或可观察的物质之所以存在，完全是因为真空是由不可观测的粒子组成的浓汤，这些粒子会无端生成又无故湮灭。如果不接受这一点，我们就会发现自己身处奇异处境，我们认为存在的物质之所以存在，是因为有其他某种东西不存在，或是只在数学意义上存在。无论如何，目前已有非常确切的数据显示，总体来说，这类粒子确实存在。虚粒子云雾能产生细微压力，这一现象称为卡西米尔效应，在可观测世界能够测量得到，就如同一只纤小的手伸过一条分界线，该界线将可见世界和包纳更广范围的世界分隔开来，这更广阔的世界正是我们所在的可见宇宙的诞生之所。如

[1] 法拉第曾考虑原子是否可以被看作是力场线的密度而不是物理实体，这个想法至今仍具有革命性。

此说来，这批虚粒子仿佛就存在于可见宇宙的疆界之外，这代表着辐射演化的一种方式。宇宙仿佛是台机器，负责处理约 10^{80} 颗可见粒子的信息。

按量子场论所述，大自然业以归结成种种能量场，这些场都是由无因次的粒子构成（从经典世界的视角观之并不存在），这些粒子全都无缘无故地生成或湮灭。非数学家几乎不能理解这种描述怎么可能和物质世界有关。量子场论相当抽象又与数学高度相关，我们根本无从选择，只能接受这样的描述是可行的，因为这种种奇特的场确实能够描述出世界的真相。

量子场论连同其关于场的新概念，把电磁力描述为一种作用于由虚光子云雾生成的场的力。这种力被描述为电子和原子核内的质子对虚光子的交换作用。至于这种粒子交换是如何进行的，看起来没法解释。“交换”是种比喻，这样一来，我们就不必耗尽一生设法为此奠定数学基础。电磁力的量子场论被称为量子电动力学，号称是物理学的珍宝。20 世纪 40 年代，这项理论的水准达到了高峰，做出贡献的人士包括理查德 ·费曼，生于英国的美国理论物理学家弗里曼 ·戴森（1923—　）和朱利安 ·施温格尔（1918—1994），以及日本物理学家朝永振一郎（1906—1979）。后来费曼、施温格尔和朝永振一郎还凭借这项成果共同获得诺贝尔奖。最初，理论似乎与当时收集的实验证据相左。但费曼深信理论是对的，出错的是实验结果。“‘这项理论’很优雅、很美，”费曼表示，“这该死的东西在隐隐发光。”光的这种最精细、最深层的相互作用大体能够阐述可见世界的特有风貌：世上存在稳定的原子、分子和实体物质。

同理，另一种量子场论被发展出来解释强核力如何把质子和中子束缚在原子核中。一如前例，把未知的力称为强核力算不上是一种解释，但开启了解释的过程。据观测，质子和中子被束缚在原子核中。自然界中不存在能够约束它们的任何作用力，所以，必定另有自然力在发挥作用，那就是我们先前命名为强核力的力。强核力的特点在于其完全局限在原子核内部，而电磁力和引力的作用却没有范围限制，这就是它们的不同之处。强核力同样被描述为场内虚粒子的交换作用，不过这次交换的是一种名为“胶子”的粒子。这种交换阐明了夸克如何结为质子和中子。这种场论称为量子色动力学。夸克颜色的任意对称保证强核力得以存在。我们之所以乐于相信存在这种对称性，原因在于，由此我们便能创造出强大的数学描述，绝大部分的自然界从而可得统一。同理，量子动力学所描述的电动力，正是因为有了电荷这个随意的称谓才确保了存在。这两种量子场描述都是物质存在的重要原因。

19 世纪 90 年代，贝克勒尔意外发现 α 衰变现象，这一现象最终通过强核力得以解释清楚。放射性元素有多种途径衰变成其他元素。举个例子，铀自然衰变为钍。海森堡测不准原理是这种现象的根本起因，原子核内所含高能量自发改变，处在“量子隧穿”进程中。由于可从真空借得能量——这与经典物理学定律相违背——次原子粒子才得以在原子核外现身。这就是 α 衰变过程中发生的现象。若是照经典世界的观点来看，能量会将粒子永远禁锢在原子核内。

α 辐射就是含有高能量的 α 粒子束。α 粒子和氦原子核完全相同：由两颗质子和一颗中子结合而成。试以铀原子为例，当一颗铀原子核失去相当于一颗 α 粒子所具有的能量，且这股能量逃离强核力的作用范围，并出现在原子核外时，以上现象就可称铀原子衰变。发生这种衰变的原子数量非常多时，就会生成 α 粒子束射线，这些射线集结成了太空中的辐射。严格来说，α 粒子并不局限在原子核内，要想解释这种能量的再分配现象，最好借助涉及胶子一类虚粒子进行交换的中间阶段。这就是虚粒子称为“虚”的起因：它们主要发挥数学功能，目的是平衡能量账簿的数额。

弱核力与强核力一样都只局限在原子核内。在 19 世纪 90 年代，贝克勒尔还意外发现另一种放射性衰变，叫作 β 衰变，弱核力正是解释 β 衰变不可或缺的力。依量子场论，原子核所含粒子会从一类粒子转变成另一类粒子——有人称之为改变风味——并会以辐射的形式散发出能量（当时被描述为其他种类的粒子）。这就是我们所说的放射性衰变。弱核力需要借助几种虚粒子才能传播，这些虚粒子都来自粒子动物园，分别称为 W^+、W^- 及 Z 粒子。锶 90 元素产生 β 辐射后进而衰变。在 β 衰变期间，一颗中子自发转变为一颗质子，一种元素也转变成另一种元素。就夸克层级来看，一颗中子由三颗夸克构成，倘若其中一颗改变风味，那颗中子也就变成一颗质子。依量子场论，夸克衰变时会发出一颗 W 玻色子（一种虚粒子），同时夸克也会变成高能电子。β 辐射不过就是高能电子束。[1]

放射性衰变是元素发生转变的秘密，也是炼金士点石成金的

[1] 阴极射线也是电子束，不过能量较低。

秘诀。卢瑟福是最早采用人工手法将一种元素转变成另一种元素的先驱，他在 1919 年就利用核反应把氮气转变为氧气。

粒子加速器中的粒子并不是直接可见的：高能粒子衰变成其他粒子，这些粒子接着又转变成其他粒子，留下衰变尾迹，赋予各种粒子特有的讯号。自从布朗运动被间接用来证明原子是实际存在的，更细小的物体实质存在的证据也变得越来越精确。

自 20 世纪 70 年代以来，弱核力和电磁力的描述逐渐统一为电弱力。这项描述要求名为希格斯玻色子的粒子提供对称要素。玻色子是所有能够传递作用力的粒子的统称（到目前为止，我们已遇到了胶子、光子以及 W 粒子和 Z 粒子两种玻色子）。物理学家当时已经知道，假使 W 粒子和 Z 粒子都没有质量，那么它们和无质量的光子就无法区分。假想出希格斯玻色子就是希望能撰出一种数学描述，借以解释推想出的更深层的对称性，这种对称性可将 W 粒子、Z 粒子和光子等诸粒子统一起来。依照电弱理论，所有粒子起初都是同种物质，当希格斯场的对称性被破坏，才变生出种种不同粒子。希格斯场让部分粒子速度减缓并赋予其质量。这一点具有重大意义。希格斯玻色子及其生成的场，就是造成变化的原因，于是原本完全由辐射构成的世界转变成了包含有质量的事物的世界。我们总算渐渐明白光是如何变成物质的。基于浅显的理由，希格斯玻色子又被称作“上帝粒子”，然而它的正式名称是以苏格兰物理学家彼得 · 希格斯（1929—　）的名字命名的，因为希格斯在 20 世纪 60 年代提出了这种破缺对称。不过到目前为止，希格斯玻色子仍未精确测得。就此，人们同样寄望于大型强子对撞机能为这一课题带来曙光。

标准模型暗示电弱力和强核力终将统一，在能量非常高的层级中两种力可整合形成更为对称的描述。可惜这种能量等级实在太高了，现有实验远不能操作，说不定永远也无法实现。不过，自从前苏格拉底学派人士率先投入探索以来，这是2,500年来第一次，关于真相的统一描述总算是有点苗头了。标准模型最致命的缺点在于它无法对引力提出令人满意的量子场描述。再者，标准模型对粒子的描述也预测不了任何一种粒子的质量。预测结果的误差高达16个数量级；也就是说，预测出粒子的大小只为实际测定尺寸的10^{16}分之一，然而无人知道其中原因。

量子物理学有何实际意义，这个问题尚无定论。对此科学家意见有分歧，反应各不相同。有些人认为，理论能提出精确预测，还能被精确验证就够了，至于理论的实际意义，他们并不在乎。还有人表示这个问题不值一提，另有些人则认为这一问题直指核心，探问了我们是谁，所从何事。

核心问题是，量子世界是在何处（什么数量级）转变成经典世界的，同时它是如何转变的？1927年，薛定谔把这个问题概述到他的思维实验中，即他那著名的“薛定谔的猫悖论”。薛定谔设想把一只猫和一些放射性材料放在同一个箱子里，目的是把明显属于经典层面的事物（猫）和明显属于量子层面的事物（某种放射性原料）放到一块。这项思维实验（实验进行中并没有伤及任何动物）的构想是，假设放射性原料开始衰变，箱中装有毒剂的小瓶子就会破裂，进而把猫毒死。根据量子物理学的传统解释，即所谓的哥本哈根诠释，除非进行测量，否则就不能断定放射性原料是否发生了衰变。按照哥本哈根诠释，当测量完成，就会出现波函数坍缩。也就是说，系统会呈现出某个特殊的数值（数字由测量产生），这个数值跟多个可能出现的结果相关联，是这种多种可能性所导致的、一系列可能出现的数值中的一个。就像海森堡所指出的那样，在完成测量之前，量子体是没有历史的。整个量子世界都没有历史。海森堡告诉我们，在量子层面，甚至连单一粒子都无从预测。

那么由谁动手测量？薛定谔的观点是，当我们打开箱子，观看里面的放射性原料是否已经衰变，这时就可以说我们在动手测量了。假设放射性材料已经衰变，那么唯有在这一瞬间，材料的衰变历史才显现出来。倘若在观察之前衰变就已经发生了，那么与此同时，那只猫又是处于哪种状态呢？量子世界的物体可以存活在这种叠加态下，然而经典世界的事物在这种不确定状态中又代表着什么意思呢？看来量子物理学是将观察者和被观察的对象融合到一起了。

后来这一点表明了通过观看放射性原子，确实有可能延缓原子的衰变，这相当于用量子说来证明那句古老谚语：老盯着烧水壶，水永远煮不开。持续观察会让描述量子体的波函数停止演变，从而可能搁置原子衰变。不过我们真的能运用这种力量来操纵现实吗？难道世界只有在人类进行观察的时候才具有意义？其次，如果人类做得到，为什么其他有意识的生物做不到呢？甚至连猫也不行。“人类具有特权”被证明就是一种反哥白尼原则的想法。人类不再位于宇宙的中心，但这里得出了很糟糕的一点：人类竟然可以决定真相的本质。

结果发现，我们确实能够拥有这种影响量子体的力量，但量子体却很难和自然界的其他部分相分离，正是这项事实提供了破解这种困局的途径。时至今日，要分离出诸如勃克明斯特富勒烯（由 60 颗碳原子构成）一般大小的分子，已经有可能办到了。如今也已证实，在实验室环境下，可以让这种分子同时通过一道屏幕上的两条狭缝，这项实验大体上承袭自杨氏双缝实验。换句话说，科学家已经证明，他们能揭示诸如勃克明斯特富勒烯般大小的分子的量子性。在几十年前，无论当时的唯物派人士对世界抱有哪种看法，这种可能性都超乎了他们的想象。不过，现在我们知道，这种魔法有可能实现。科学家已发现把勃克明斯特富勒烯分子从可见世界分离出来，同时还能保持分子的量子本质的办法。我们可以说，这种分子其实就是某种概率波，而且通过两道狭缝的也就是这道波。唯有当我们做了测量，并且得知分子在何处，它才会变成具备客观现实属性的可见世界中的可见物体。对我们而言，分子能够出现在其最终会出现的地方的唯一方式，就是通过双缝。不过，倘若我们猜想，分子通过了双缝，就分裂成两种存在的实体，那就犯了错误：相当于把我们定义的可见世界的存在意义进一步扩充了。只有能够被观测到的事实才是存在的，这个观点是很狭隘的。存在还可以从更深层次来理解，那就是量子世界的存在层面，我们只能从统计层面和不确定的层面测量。量子真相并不是指同时出现在两处或多处地方，而是指不会出现在我们指定的位置。这种存在并非不存在，这是我们所谓的存在的一种延伸。

我们将对象从经典世界中分离出来，这两个世界各自的本质就很明显了。然而，要想将量子体和自然界区分开，却相当费劲。就连区区 60 颗原子构成的物体，都必须保持在极低温度下才不会化为经典世界中的事物。从量子世界跨入经典世界的过程称为“脱散或退相干”。最近，我们已摆脱了薛定谔的猫悖论中内在的“人类具有特权”这个反哥白尼原则的梦魇，因为我们知道了，进行观察的是大自然，并非人类。风和阳光让我们感知到树木的存在，我们即使并未在某处观察树木，也相信树木的存在。量子体和环境互相作用，这才生成了诸如猫和桌子等我们所知的经典世界的物体。我们已经想出方法来避免量子体脱散，不过这极难做到。自然太宽广了，况且它还含纳、测量万物。我们或能阻止单一分子脱散，但想要将由 10^{27} 颗原子构成的一只猫退相干，机会恐怕十分渺茫。

信息能从一个地方泄露到另一个地方。那么退相干似乎就是自然在宇宙间散播信息的方式，说不定连我们为什么感受到时间是向前推移的，都和它有一定关系。这种时光流逝也许就是信息流的流动，这种信息流能防止量子客体和自然分离过久。

20 世纪 20 年代，对量子物理学的诠释仍然有待解释清楚，存在的本质也让物理学与东方神秘主义有了联系，这种联系至今仍让部分科学家困扰不已。某些东方思维方式让我们知道，世界并不是由物质构成，但也不是空无一物的状态，而是一系列现象整合在一起。量子物理学也步入了相同的境地。当我们从整体中分离出我们的观测目标时，目标被分离出来只是假象。深层次的现实是被我们分离出来的整体其实并不可分。科学方法圈定种种现象以便更好地研究它们，通过这些描述，就能找出渐次涵纳、贯穿更多现象的自然定律。近几十年来，情况逐渐清晰，科学可能有能力得到单一的自然定律，来展示如何将未分离的整体现象像分离对象那样描述出来。由于方法论源自于分离的理念，所以我们很容易相信深层现实都是分离的，以至于完全忘记人类的终极目的是了解整体现实。量子物理让我们开始能够理解某些神秘主义的理念：看似由分离事物构成的世界是如何从不可分离的统一体世界中生成的，并且这个世界很可能空无一物。

量子物理有很多彼此矛盾的理论。多重世界理论就是其中一种，由美国物理学家休·埃弗雷特（1930—1982）在 1957 年提出。埃弗雷特并不认为波函数坍缩仅仅是经过测量才会发生的，他的假设是，量子世界的各种可能事件其实都发生了。所有可能的世界都平行存在，一切可能的结果也分别在不同世界中实现。每一个平行世界中只会出现一种设想中的情况。这是所有可能出现的量子世界之间的界限。放射性物质和猫被放入每个平行宇宙中，在一些宇宙中，猫能活着，在另一些宇宙中，猫就活不了。

物理学家大卫·多伊奇（1953— ）鼎力支持这项理论。他认为能验证多重世界确实存在的证据一定很快就会出现。量子计算机被认为再过 10 年左右就会问世。量子计算机不再像传统计算机那样基于 0/1 二进制运算，其运作原理是，量子体保证了同时处于多重潜在结果的状态，这样量子计算机就能同时进行多重运算。事实上，如果将可见宇宙的每个粒子都化作量子计算机为全宇宙的人类处理问题，那么量子计算机理论上只需几秒钟就能破解令传统计算机毫无办法的现代安全系统。量子计算机能否成为现实，多伊奇询问道，量子运算又在何处发生？量子计算机只能依靠平行宇宙的计算能力来运作。

从反面的角度来看，多重世界的假设实在是匪夷所思。科学方法论对其完全不适用。理论也有进展。不过通常大家都同意，最好的科学定义都是最为简洁的，也就是说，其中涉及的原理数量最少。这种理念号称“奥卡姆剃刀”，命名自最早阐述这种理念的英国方济各会修道士、哲学家奥卡姆的威廉（约 1288—约 1347）。根据多重世界理论的预测，平行宇宙数量繁多，说不定有无限多。这种预测足以让部分科学家认定该理论毫无价值。

尽管爱因斯坦也是量子力学的创建者之一，但他无法认同的是，如果观测者没有在观测，电子就并不存在。他认为，量子物理之上一定存在一个更深的层次，这一层次具备理论的完整性，就像气体理论一样，尽管是统计层面的完整性，但却完全是由决定论来确定的各种可能。就理论而言，运用牛顿运动定律理应能够描述气体。就实际而论，如果想一个粒子一个粒子地描述哪怕一罐气体的分子运动，恐怕用全宇宙的时间都不够。若是从统计角度来处理分子（就像我们处理人群一样），那么我们就能理解气体的整体运动，而无须了解每个原子的行为。我们维护其具有完全决定论的可能性，但在实际应用中，只能勉强得出一个统计学层面的定义。爱因斯坦认为，量子世界最终会完全通过这种方式展现出来。

爱因斯坦对美国理论学家戴维·博姆（1917—1992）的研究特别感兴趣。经典世界的整体性，是以我们对分离事物的认识整合而成的。博姆反驳这项观点并表示，其实整体性才最终决定了我们眼中的分离事物的各种行为。这就好像我们通过照相机的不同视角来观看世界，再把这些视角当成解释不同现象的证据，但想来我们也清楚，这些相机的视角，其实都是唯一真相的不同视角。

爱因斯坦与苏联物理学家鲍里斯·波多尔斯基（1896—1966）及以色列物理学家内森·罗森（1909—1995）一道设计了一项思维实验，称为“爱因斯坦–波多尔斯基–罗森悖论”（缩写为EPR），以此验证，量子物理学描述的真相不应该像其他理论（好比哥本哈根诠释）所说的那么不完备。这里不深入探讨细节，爱因斯坦–波多尔斯基–罗森悖论要我们想象一种只含两颗粒子的装置，这两颗粒子需要确保具备以下属性：双粒子系统能量守恒，但朝相反方向自旋并飞行。根据量子力学的哥本哈根诠释，当我们决定做测量时（以自旋为例），该系统的波函数会坍塌为多种可能的结果。这意味着只有在测量的一瞬间，才会知道某颗粒子的旋转状态，然而当测量一颗粒子的旋转时，我们可以通过系统能量守恒来知道另一颗粒子是如何旋转的，即便两颗粒子相隔数百万公里，仍然可以得出这样的结论，于是悖论就出现了。这种可能性，似乎违反了爱因斯坦自己的定律，因为信息传播受到光速限制，不可能瞬间传达。爱因斯坦称这种可能性为“幽灵般的超距作用”。另一颗粒子怎么可能“知道”波函数坍塌已经发生了？在某种程度上，这则悖论和薛定谔的猫悖论并没有太大差别，因为其主要目的就是要强调，宏观世界和量子物理学描述的微观世界之间存有某种无从调和的不连续性。

法国物理学家阿兰·阿斯佩（1947— ）设想出将EPR悖论的思维实验变成现实实验的方法。阿斯佩经多年仔细测量，在1982年证明量子世界确实是不完备的，这个结果对爱因斯坦（和波多尔斯基及罗森）而言很遗憾。时间更近的几项精密实验也投入验证，日内瓦大学学者尼古拉斯·吉辛环绕日内瓦湖铺陈光纤网络，延伸好几公里直至邻近城镇，结果表明存在量子体瞬时交流的可能性。爱因斯坦错了，世界确实以一种不严密的方式存在。

科学方法发现了许多巧妙手段，来扩充我们所谓的存在和真相的含义，甚至超越了我们所称的可见宇宙。科学理论想要进一步发展，就需要添加以下规则：想要对科学理论做出实质性解释，数学是根基，最终，这还得由日臻强大的数学来指引方向。尽管如此，成果却是一种十分奇幻的唯物学说——比如说相信平行世界的数量是无穷尽的——对神秘现象和奇思妙想几乎无法做出鲜明区分。如此一来，神秘主义和唯物主义又依何物划分呢？

第
8
章

有物和无物

在马尔盖特的海滩上，
我能联结起
虚空和虚空。

——T.S. 艾略特，《荒原》

科学界最著名的方程式莫过于 $E=mc^2$，这一等式描述的是能量和质量间的关系，爱因斯坦的狭义相对论已暗示了两者之间的关系。我们可从该方程式得知，能量（E）和质量（m）是同一事物。此外，人类发现，自然界有一个不变的常数，通过它，我们可以精确地得知，任一给定的质量蕴含多少能量。这个不变的常数就是光速 c，它（在真空中）传播速度约为 299,792,459 米／秒。从爱因斯坦的方程式可以看出，把光速这个大数值平方之后，所得数值结果大得惊人：约为 8.99×10^{16}。从这里约可寻见，为什么少数质量就相当于大量能量：这是原子弹的秘密。最初，爱因斯坦把方

程式写为 $m=E/c^2$，似乎质量蕴含着更深层的原理。$E=mc^2$ 与 $m=E/c^2$ 是等价的，写成这种形式纯粹是为了更加美观，因为如此一来就很清楚，能量其实才需要更深层的解释。我们知道，扭曲时空的是质量，也有可能是希格斯场将质量充斥在能量中。对于能量，我们了解较浅。我们知道能量具有多种形式，也知道这些形式如何互换，但归根到底，我们仍不明白能量是什么。举例来说，阳光经光合作用可转变成植物物质，历经漫长的时期，部分植物物质可转化为煤。我们烧煤的时候，煤分子间所含的化学能量再次转化成光和热。格列佛在旅行中曾遇见一群科学家，他们试图从黄瓜中回收阳光。他们其实并不疯狂。但愿他们有充裕的时间，还有许许多多的黄瓜。

20 世纪 40 年代的一天，爱因斯坦和在俄国出生的理论物理学家、宇宙学家乔治·伽莫夫（1904—1968）一道穿过普林斯顿校园，两人边走边谈，伽莫夫无意间提起，他在推敲爱因斯坦质能等式时，突然想通，恒星有可能是无中生有而成的，因为恒星质量所含的能量，正好与它的引力场能量相互抵消。爱因斯坦听后大为震撼，以至于如伽莫夫所说："由于我们那时正好穿过一条街道，好几辆车子被迫停下，才不会撞上我们。"若说广袤的宇宙不过是由不同层级的星体构成的，那宇宙很可能也是无中生有的。宇宙的总能量为零。巴门尼德和李尔王错了：宇宙就是从无到有的。

我们发现自身陷入奇怪的颠倒处境。看起来恒星棋布的宇宙原来竟空无一物，而最窄小的空间却充斥着巨大的能量。对于自然，我们有两种不切实际的描述：相对论从宏观上考察整个宇宙，量子物理学则从最微观层面仔细研究宇宙。戏剧性的是，将两种描述综合起来看，它们既流露出统一性，又展现出对立性。

自然界有四种作用力，“东拼西凑”的量子物理学标准模型能说明其中三种力——电磁力和弱核力结合构成单一的电弱描述，以及强核力的量子色动力学描述——还暗示了在极其高能的情况下，三种力有可能统一，但前提条件是在粒子动物园中增添另一个层次的粒子——超对称粒子。超对称粒子使得科学家能够发现两群粒子间的联系，一群粒子描述的是各种自然力（玻色子），另一群基本粒子描述的是物质（费米子）。统一电弱力和强核力需要付出高昂代价：粒子动物园中有成百上千种粒子，每种粒子都必须配有超对称伴子。就夸克和电子等物质粒子而言，超对称伴子被分别称为超对称夸克和超对称电子，而就光子和胶子等载力粒子而言，超对称伴子被分别称为光微子和超胶子。这项描述的主要不足是，直到现在，尚未探测到这成百上千种粒子中的任何一个，但在数学层面，统一还是有可能实现的，这也可以说是一个起点。这一次，科学家们又寄希望于借助大型强子对撞器，通过各种方法让证据浮现。有些科学家迫切地想找出证据证明超对称粒子事实上并不存在。有些人觉得标准模型实在太难掌控，以至于令人意外的、不符合预测的物理学证据可能会更加有用，这些证据兴许会指向某种新颖的描述真相的方式。

超对称性也验证了如何通过引力来统一标准模型所描述的三种力。通过预测一种载力粒子即引力子及超对称粒子——引力微子，标准模型得到了扩充，可涵括引力的量子描述。这两种粒子尚未被探测到，根据标准模型，引力子若存在，数学中便会出现烦乱的无穷数，这通常也象征着该理论已经瓦解。尽管引力子还未找到，起码我们知道它的绝对模样：我们确切知道它具有哪种自旋，也知道它必然与光子一样不带质量。我们还知道，由于引力作用极其微弱，想要探测到引力子必定非常困难。引力的强度是光作用力的 10^{40} 分之一，因此，根据预测，引力子几乎不会与物质相互作用。据称要想探测到引力子，就必须配有木星大小的装置，装置外侧还需罩上几光年厚的铅盾，即便如此，我们探测到的引力子数量恐怕也不足以令人信服。超对称性虽然欠缺物理实证，但数学反倒预测出，所有自然力在能量极高的情况下都可统一：能量须约达 10^{19} 电子伏特[1]。这实在不值得庆贺，因为即便是大型强子对撞机产生的能量都达不到 10^{13} 电子伏特。而且，哪怕稍微提高能量都需要投入巨额成本，因此这种能量的统一似乎永远无法实现。

目前已有多种理论尝试把引力和粒子物理学统一起来，其中最具希望却也最令人沮丧的当属弦理论。弦的震动能量达到 10^{-35} 米宽时产生的环境是弦理论所适用的环境，而这一环境须由电子和夸克的最大尺寸往下降 17 个数量级后才得以形成。弦之于电子犹如老鼠之于太阳系一般渺小。

从弦的观点来看，粒子动物园的粒子之所以细小如点，纯粹是因为从远处观看。若贴近观看并进入高能层级，我们所认为的场和粒子就会现出本色：它们是由纯能量的振动长度构成的。为了能够找到隐藏在量子世界随机表象下的深层对称性，弦理论试

[1] 电子伏特为一颗电子所负荷电量乘以 1 伏特。另一种定义规则是，一个电子经过 1 伏特的电势差加速后所获得的动能。

图将量子世界的动态本质清除无余。

弦理论把量子理论改为一个平整的理论，好让对最小事物的描述与广义相对论这种对较大世界的平整描述相结合。追求实现上述统一的理论被称为万有理论（万物的理论）。目前还不清楚弦理论是否属于这种理论。

毫无疑问，要想实现这种统一，肯定要付出代价。最初，弦理论是 26 维理论，后来发现一种对称的数学对象后，缩减为 10 维理论，即超弦理论。这一对称的数学对象被称为卡拉比 – 丘流形，以意大利裔美国数学家欧金尼奥 · 卡拉比（1923）和华裔数学家丘成桐（1949— ）之名命名。遗憾的是，直到 1995 年，分呈 5 种不同形式的 10 维理论才合并形成 11 维的 M 理论，我们如今谈论的弦理论即 M 理论。

弦理论相当复杂，它描述的可能存在的宇宙约有 10^{500} 种。理论没有明确指出该如何从那些解决办法中挑选有关这个宇宙的描述。我们也必须询问，假使真相存在于 11 维度中，我们为什么只察觉出其中 4 个维度——3 个空间维度和 1 个时间维度。若额外的维度都是空间维度，那我们一般会认为，由于另外 7 个维度紧密卷叠在了一起，所以我们难以察觉。从远处观察，电缆线像是条一维的线，但在缆线上行走的昆虫并不这么认为：昆虫绕线走动，从远处来看，这只昆虫似乎消失之后又重新出现。自然界其余 7 个维度消失不见，就是这种假象的延伸，只不过发生在更多的维度中。倘若弦理论的额外维度也涵括若干时间维度，那么这种描述就会变得更加令人费解。

一般认为，量子世界之所以可能仅仅呈现出混沌、动态的形貌，纯粹因为平稳变动的 11 维世界在我们眼中就像四维虚幻世界一般。当我们认为世界是建构在 11 维度内时，世界就会变得更加对称。

使用大型强子对撞机或许有可能找出证据以证明这些额外维度确实存在（如此一来这台机器会变得非常忙碌）。据猜想，某些迄今为止尚未被发现的、通常处在能量尖峰的粒子，或许反而会呈现“能量缺失模式”，因为这些粒子潜藏在紧密卷叠的空间维度中。说起来这也算是种奇怪的测试。有胆量的人才敢去相信对弦理论晦涩的数学描述不仅具有物理学意义，而且我们还可通过某个预测过的，但至今尚未被观察到的粒子，证实这一意义。

标准模型和弦理论都需要借助超对称性理论，我们也知道并没有证据显示超对称粒子确实存在；不过至少在弦理论中，束缚标准模型引力描述的无穷数问题是可以处理的。弦理论能被广泛接受，实际上是由于某些弦恰好具备成为引力子的属性。事实上，弦理论预测出引力子不带质量，同时具备自旋特质。不论弦理论是不是万有理论，都算是有关引力的量子理论。

广义相对论为我们提供了对引力的描述，因此，若想得出另一种关于量子物理学中引力的描述，我们还必须想办法将这两种描述归并成同一种描述：广义相对论必须和量子物理学相结合。科学家已经逐渐明白，量子世界是从何处开始变成大型物质世界的：哪怕将几个分子作为量子客体分离出来也是极其困难的。与此相对应，我们或许会问：对大型事物的描述从何处开始变成了量子描述。

基于广义相对论的宇宙大爆炸论不仅描述了整个宇宙，同时也描述了生成中的宇宙，借此可知关于自然的两种描述在何处会产生交集。事实上，还有一种惊人的直接方法可得知空间和时间的量子（假使真实存在的话）呈现何种形貌。若回溯宇宙大爆炸的膨胀历程，就会发现，宇宙似乎是从一个能量或物质密度无穷大的点演变而来的，这不过是用另一种说法来表示，宇宙大爆炸理论在创世之时便不适用了：一席帷幕落了下来，使宇宙的起源变得复杂难懂。幸好我们还有一套理论描述世界的最小尺寸，从量子理论中便可得知广义相对论在何处瓦解。将量子物理学和宇宙大爆炸论放在一起，我们即可知晓，宇宙在还没有变成纯量子客体之前是多么微小。

虽然我们的能量世界和物质世界始终不断变换，但自然定律中出现了好些神秘数值，人类已经利用或找到这些数值来描述这一变换。出现在不同自然定律里的数值彼此似乎毫无关联，好比代表光速的常数 c、用以度量引力强度的引力常数 G、电子所带电量 e，还有决定一份“能量子”有多大的普朗克常数 h。有些科学家认为，我们若要得出一套万有统一理论，必须了解是什么将数值彼此关联起来的。这些自然常数通过丑陋的符号来展示难看的数值：好比 G 等于 $6.67259\times10^{11}m^3s^{-2}kg^{-1}$。不过，只需通过简单的常数运算，我们就能找出自然度量单位——普朗克单位（别和普朗克常数混淆了）：可表示万物的最小计量单位。

普朗克长度为 4.13×10^{-35} 米，这可能是最短的长度，但意义非凡。既然我们知道光的速度为多少，也知道光是宇宙间运行最快的传播媒介，那我们也能计算出普朗克时间，可以说，普朗克时间是极具意义的最短时间段落。那不过是光跨越一普朗克长度单位所需的时段；做个简单计算就能得知，普朗克时间等于 1.38×10^{-34} 秒。那么，就某种意义来说，凡是含有时间的宇宙，在诞生之时的年龄肯定已达 10^{-34} 秒，因为时间在此之前没有任何意义。同时，那时任何尺寸的宇宙肯定也已达 10^{-35} 米宽，因为比那还小的宇宙没有意义。

我们从量子物理学可得知，谈论基本粒子的能量比谈论它的尺寸用处更大。我们知道粒子能够揭示空间幅度，如果我们坚持这一点的话，不过现在我们也知道，尺寸本身小到何种范围就会完全从世界上消失。

弦理论是由一节节能量片段编结而成的，这些能量片段恰好存在于具有长度意义的临界点上。自然量子场描述所含的粒子和场，就是被这种细小能量丝线的震动特质所替换。弦理论和毕达哥拉斯的许多观点两相应和。这一发现代表的就是，拨动不等长的弦，所发出的声音彼此间具有简单的数学关系。依据弦理论相关的高等数学，震动强度就是我们在世间所见的质量，震动模式则是基本力。至于个中缘由却很难说清楚，就如我们也很难说明，为什么基本力可以用一团虚粒子来描述。一般这些观点都采用数学方法进行验证，我们这些可怜的数学圈外人，对这些描述只能不加深究予以相信了。

弦理论并不是唯一的方案，有些物理学家还认为，弦理论是科学界的灾难，它吸引了许多最高明的人才从事徒劳的工作。回圈量子引力理论也试图借助量子理论来解释引力。依据弦理论，真相是由能量弦编结而成的。量子回圈引力说提出，物质是由空间量子和时间量子编织成的；这是创造相对论时空的一种方法。[1]一些理论学家认为他们所推测的空间量子和时间量子实际上都是存在的，不过，既然量子物理学中的所有事物都被切成细小片段——包括自旋、电荷、色彩、质量、能量，等等——那么空间和时间为什么不是如此呢？依量子回圈引力所述，粒子动物园中的粒子都由普朗克长度的空间段落编制成形。史蒂芬·霍金更加深入地探究了这类观点，并提出宇宙史都是量子化的历史。我们测量宇宙所采用的方法决定了宇宙最后的历史。我们在测量的同时也改变了我们的过去。霍金和美国物理学家詹姆斯·哈特尔合作建构了一套理论，提出将时间在极其高能的条件下转变为空间的方法，这一方法能够解决我们谈论的关于宇宙起点的诸多问题。霍金和哈特尔论称，追究宇宙的起源毫无意义，因为在当时，时间等概念并不存在。“宇宙之初”并不是我们所说的初始阶段，因为在高能层级，时间维度会变成空间维度。不过说起这一点，人们通常会深陷极度抽象的世界，甚至陷入虚拟的时间，最终，人们很有可能因此变得疯狂。

引力量子理论讲述了宇宙如何形成，甚至描述了宇宙的形成没有时间上的起点。要想获知引力的量子本质，还须配有庞大的能量，能量物理学则告知我们能量具体有多大。理论上，我们若能把这股能量输进真空，我们就能重获宇宙初始的状态。随着输入真空的能量逐渐增加，我们也开始接近宇宙的原始量子本质。随着粒子加速器功率的日渐提升，我们所见的现象就会越来越接近

[1] 依量子力学，空间和时间就如牛顿力学所述的一样都是坚硬的，不像狭义相对论和广义相对论描述的那般柔韧。

宇宙初始之时的状态。

宇宙大爆炸越是向后回溯，宇宙中万物所含的能量就越高，直至所有的物质都化为辐射。最新几项理论似乎表明，早先，当宇宙还是纯量子客体时，所有自然力也都受制于它的对称性，由此构成单一的实体。据比利时出生的美国物理学家阿曼德·德尔塞姆（1918—　）所述，宇宙生自“先已存在的宏大无物对称状态的自发爆炸现象”。真空的巨大能量和对称性都遭毁坏，可见宇宙由此生成。

古人借助诗歌来传播知识。现今的唯物创世故事已变得十分深奥，或许只有诗人才能理解其中真正的含义。在科学论述中，诗歌以数学的形式呈现，数学语言甚至体现了两者的相似性：对称、优雅、单一、简练、微妙、深邃。诗歌与数学是理解真相的两种方法，这些相似性是诗歌与数学的最高特性。自那以后，数学成为科学的语言。但这套语言甚至在成群的科学家内部都日益变得无法翻译。这并不是单独一种晦涩的语言，而是多种晦涩的语言，每一种语言分别由不同专业圈的少数人来使用。

然而，量子理论之所以受人赞叹，并不是由于数学的复杂高深，也不是因为它能够发现几百种粒子并为之命名，事实正好相反。我们愿意为潜藏在破碎格局下的单一、统一迹象付出高昂的代价，就像碎片都是从某些美丽的物件脱落并跌碎的残骸，而困难和破碎的处境就是我们需要付出的代价。

万有理论似乎可以确定，宇宙在初期阶段具备的某种完美对称的形式后来破缺了。随后一切事物应运而生。由此看来，完美对称似乎并不是这个世界的特质，而是世界生成的条件。这个世界是破缺对称性的一种。古希腊人了解这一点。他们知道，最美丽的事物并不是那些完美对称的事物，而是接近完全对称的事物。唯有高高在上的天界才可能具有完美的对称性。科学史可以说是追求对称的历程。美国物理学家鲍勃·帕克（1931— ）曾说：“形态辨识是一切审美的基础，不论音乐、诗歌还是物理学，都是如此。”[1]

宇宙的完美对称好比立于笔尖的竖直铅笔，这种状态太过对称，以致无法维持。这支铅笔必然立刻倒下，但我们无法知晓它会偏往哪个方向。当然，倒下的这一关键瞬间并不是一个瞬间，也不发生在任何地方（因为位置并不是这个地方的特质，这个地方实际上并不是一个地方），这需要更好的类比。不论这种对称性是什么，它破缺的原因仍然未知。

1952 年，乔治·伽莫夫把早于宇宙大爆炸的时期命名为奥古斯丁时代，名称得自圣奥古斯丁，因为他曾写道，时间出现于宇宙诞生之际。宇宙诞生后的 10^{-43} 秒，一片对称辐射的出现意味着宇宙在时间中生成了。不过片刻，四种自然力就保持了对称性。

从 10^{-43} 秒到 10^{-36} 秒

宇宙膨胀，温度立刻从可能的最高温度——10^{32} 量级（普朗克温度）开始下降。在这个“时代”的某个时期，对称破缺，引力开始进入世界。从我们的优势方面来看，我们认为，统一引力和

[1]《新科学家》，2006 年 12 月 9 日刊载。

其他自然力所需的能量，要高于其他三种自然力相互统一所需的能量，所以我们还必须假定，引力才是打破对称的第一力。对称性的破缺也称为相变。在我们的局部世界里，水结冰，即水由较对称的液态，转变为较不对称的冰块形态，就是相变。

到这个时代的末期，温度已降到 10^{27} 量级。宇宙史通常依循时间进程讲述，以下降的温度为线索同样也可陈述。宇宙膨胀现象不可避免地与它的冷却与演变历程有关联。宇宙在时间中膨胀，宇宙间的事物向外扩散、冷却、演变。

宇宙年龄 10^{-43} 秒与宇宙年龄 10^{-36} 秒差别或许不大，但若以普朗克时间作为测量单位，差别就显现了，前一个为 1 普朗克时间单位，后一个则达 10^{7}（1,000 万）普朗克时间单位。

由于强核力和弱核力仍旧统一，所以理论上宇宙中此时的唯一粒子就是希格斯玻色子。

从 10^{-36} 秒到 10^{-12} 秒

当宇宙年龄达到 10^{-36} 秒，强核力开始打破它与电弱力的对称关系。粒子个数增多，其中包括调解电弱力的 W 和 Z 玻色子。

在介于宇宙年龄 10^{-36} 秒和 10^{-32} 秒的某个时间（年龄介于 10^{7} 和 10^{11} 普朗克时间单位），宇宙不只是膨胀，甚至出现暴胀——这套理论最早由美国物理学家阿兰 · 古斯（1947—　）于 1982 年提出。根据大爆炸理论的描述，宇宙的膨胀现象是稳定增长的过程。不过据推测，宇宙在这个时段呈指数膨胀，在这短暂得令人震惊的时期里，宇宙的尺寸却不断倍增，倍增或达 100 次。据称宇宙年龄

还不到 10^{-32} 秒时，每隔 10^{-34} 秒它的尺寸就倍增一次。

宇宙倍增 100 次，看似平淡无奇，不过这却让宇宙从原本存于量子景观中的物质，摇身变成葡萄柚般大小的事物。[1] 我不懂宇宙为何会摇身变成“葡萄柚”般大小的事物，但在科学家和科学作家中间流行这样一个说法：这是选择的结果。由于既没有外部参照，也没有任何内部观察者，很难说在何种意义上宇宙是一个水果的大小。宇宙以高能辐射（光）的形式诞生，在某种意义上，它早已是无限的、永恒的。从宇宙外的视角（它并不存在）观察，时钟并不会嘀嗒作响。如果将来有某一观察者赋予长到葡萄柚般大小的宇宙以意义，那么它可以有任意的意义。葡萄柚是可见的宇宙，但也可能宇宙起初的大小与膨胀就是无穷的。我们所称的宇宙仅仅是那样的景观下的宇宙。

暴胀理论有助于我们解决广义相对论无法解释的部分难题。

---

[1] 西洋棋或许是 1,400 年前印度人民发明的，有关这项发明的神话故事里说道，若事物数量一再倍增，很快就会进入数字大到令人束手无策的境地。有个农夫觐见皇帝，献上他发明的（或发现的）棋，皇帝大喜，问农夫想要什么赏赐。农夫谦卑地说，他只求用棋盘方格测量一定的米作为报酬，测量方式是，第一格 1 粒米，第二格是前一格的 2 倍即 2 粒米，依此逐一量至第六十三格。皇帝觉得这样的计算方式并不费力，速予准许，甚至感到十分欣喜，竟然这么轻松就将农民打发了。随后，袋袋白米呈递上来，依次颁发。1 粒、2 粒、4 粒、8 粒……依此推进。第六个格子量得 32 粒，第十格为 512 粒，到了第 28 格却有 123,217,728 粒。量到这里，皇帝想必已是震怒。最后一格的米粒数将是 2^{63} 粒，这我们可以验证，到了最后一格，所容放的米粒数已经超过地球有史以来所有稻米的收获总量。假使你真能不厌其烦地计算，就可得出 2^{63} 为 9,223,372,036,854,775,808，或可换算为接近 10^{18}，相当于 10 亿 X10 亿粒。1,000 粒米约为 25 克，所以 1 千克米约含 40,000 粒。于是我们可求得大米的总重量为 230 X10^{12} 千克，换一种说法，即 2,300 亿吨白米。稍做调查就能得知，中国 2005 年稻米总产量达 3,179 万吨，而中国大米占全球市场大米总量的 40%，由此可推知全球市场大米总量约为 7,500 万吨。倘若全球每年都以这等数量产米，那么棋盘的最后一格，就相当于装进 3,000 年出产的大米总量。不过，稻米产量在千年之前肯定极低，直到近代大米产量才开始与世界人口以同步指数增长。实际上，直到第二次世界大战结束之后现代矮稻穗才问世。所以我们可以断言，棋盘最后一个方格的米量肯定远远超过人类自 12,000 年前开始农耕以来收获的大米总量。

爱因斯坦补充进广义相对论里的宇宙论原则认为，宇宙平整地充满着物质，虽然明显不是这样，至少局部并不是这样。我们发现，在我们所熟悉的诸如恒星、银河系、星系团等结构里，物质凝结成团。只有当宇宙处于最大尺寸时，可见宇宙中的物质才会看起来是平整地分布着的。广义相对论不能解释为何宇宙处于较小尺寸时会变成块状，但量子理论可以解释。量子世界的随机性和变动性是解答这一问题的线索。

在真空中，数不尽的能量泡沫应运而生，它们创造了我们有时所谓的量子泡沫。我们的宇宙就是从这种泡沫中产生的。量子场论容许这类泡沫直径增大到 10^{-27} 米左右，接着它们又要返还于真空中。偶尔，会有泡沫无端地逃离真空。其中一个泡沫变成我们的宇宙。换句话说，我们向来所称的宇宙，不过就是某片暴胀的量子景观碎片，在这幅景观中，尺寸没有任何意义。宇宙的尺寸有可能是无限的，它所逃离的量子景观实际上已不具有尺寸的意义。

这幅量子景观就是众多（可能为数无穷）宇宙的生灭之所。要说此量子世界比从其产生的任何宇宙都大，其实并无意义。只有在我们可见宇宙的局部地方，尺寸才具有意义。说不定在超出可见宇宙视阈的宇宙其他部分中，尺寸都毫无意义，更别提逃脱了真空的其他宇宙了。

就在哥白尼派决定动摇地心说时，这套暴胀模型带来了些许令人心安的结果。我们必须假定另有许多气泡——甚至可能有无数多个——也膨胀并成片融入量子景观中，且各具不同的自然定律。如此一来，我们可再次肯定，即便处在这奇异的量子景观中，我们的地位也并不占优势。我们向来所称的可见宇宙显然就是局部现象，甚至我们所称的宇宙也不过是局部现象。“真实的”宇宙是一片量子景观，我们所处的宇宙（成片的宇宙就是所谓的可见宇宙）及其他众多宇宙由此衍生。就如原子并非不可分割，即便这一名字暗含相反的意思，宇宙也不再是界定万物存在的字眼。科学家选用多重宇宙一词来称呼这处新发现的领域。

我们的局域宇宙便是量子景观中随机的、无故波动的礼物。不论宇宙两端最远处以外的事物是以最大尺寸或以最小尺寸呈现，都超乎我们目前对于自然法则的理解力。从历史发展的角度来看，当我们从更深层次来描述宇宙时，宇宙随之增长变大；如今宇宙的增长已经越出了尺寸这个概念范畴。不论是多重宇宙，还是我们如何用另一种名称称呼的宇宙，两者可能都超出了我们的描述能力。当我们努力寻觅它的身影，宇宙变得更加捉摸不定。

暴胀是否不仅仅是出色的数学花招，现在下定论还太早了。严格地说，暴胀是一种模型，或说是一种假设，但还未形成理论。目前还不清楚数学是如何转变成实验性测试的。暴胀模型给实验物理学家带来了严峻挑战。目前该模型的预测能力还比不上其解释能力。人们目前一致认为暴胀模型是解释宇宙起始发展的最佳科学描述。最鼓舞人心的是，该模型还能解决看似棘手的各种难题。暴胀将量子的随机波动解释为遍布宇宙的成团物质。量子泡沫先天具有的团状属性演变成了星系或星系团的属性。量子模式通过可见宇宙中的各种尺寸，在暴胀的一瞬间反复地出现。由于暴胀发生时不需要传递信息，因此其速度可超光速。光速限制了信息在宇宙间传递的速度，不过，我们倘若想象宇宙曾出现暴胀，那么宇宙间的任何物质实际上都能保持原状。宇宙不过就是吹胀到较大尺度罢了。暴胀还能解释为什么取不同尺寸的大自然看来都是相似的。

分形几何是区分具有奇特属性的客体类型的数学分支，分形几何研究的事物，其部分看起来和整体是一致的。在自然界中，花椰菜就是分形，山脉、雪花、云朵和蕨菜也是如此。分形物件之间也会产生共鸣：海岸线看起来就像叶片的边缘，气旋看起来就像是星系。暴胀确保了最大尺寸下的各尺寸宇宙都呈分形样式。我们从宇宙论原理可知，最大尺寸的宇宙是平整的。我们将宇宙看成一个整体时，宇宙似乎带有一片面包的质地（我指的是精密加工的白面包），当宇宙的尺度较小时，那块面包便显现出碎屑结构（你瞧，我也忍不住做一个如此贴近生活的比喻）。同一种量子模式暴胀成为尺寸不一的宇宙。时至今日，量子世界的无起因属性和随机属性便可解释目前宇宙的外观。

暴胀猜想还有其他作用：它能解释空间为什么看来不可思议地平坦。这里“平坦”的意思是指三角形的内角和等于 180°，这与我们在一张平坦的纸上做几何绘图得出的结果相同。若在一颗球上画三角形，所得内角和并不等于 180°。若从宇宙论原理推知最大规模的宇宙具有一片面包的质地，那么根据常识可得知，空间不大可能像一片面包（或一张纸）那般平坦，因为宇宙间充满质量，从而得出结论——质量会扭曲时空。在广义相对论首次提出后，宇宙论的发展正处在早期阶段，该理论认为，宇宙中的质量已将空间扭转为质量本身。如果在这种“封闭式”的宇宙中开始一场旅行——倘若我们的行程够远——最终会发现，我们又回到起点处（仿佛我们绕行全球一周却是在三维弯曲空间中绕行，而不是在地球的二维曲面中旅行）。当时还有另一种想法，认为宇宙的质量终能战胜大爆炸现象，从而将宇宙重新集合，转回最初的量子状态。不过自20世纪60年代以来，从种种观察结果可知最可能的结果是，宇宙将会永远膨胀下去，空间不仅平坦，还可以说是极其平坦。

暴胀对诸多现象的简单解释，说不定太简单了。暴胀将空间变得平整，就好像在给一只收缩的气球充气。空间变得平坦发生在质量有机会影响空间几何之前。倘若用以描述暴胀量子场的数学模式真能描述世界的本来模样，那么肯定还有一种尚未被观察到的粒子潜藏在真空当中。那除了是暴胀，还能是什么？希格斯玻色子把质量带进世界，电子含带的电荷担保有电磁力（描述为虚光子场），色能担保有强核力（描述为胶子场），所以暴胀，如果存在的话，就能描述促使宇宙暴胀的力场。

然而，大爆炸理论预测，现存所有物质早在一开始就已生成，被无限地压缩。暴胀理论认为，宇宙可以从约10公斤的物质中创造生成，这就开启了一个撩人的，或说是骇人的前景：也许能够在实验室中创造出一个宇宙。根据暴胀模型，宇宙间的所有物质，都是在空间的真空暴胀时创造生成的。宇宙在暴胀之后还持续暴胀，不过根据大爆炸理论的预测，其速度放慢了一些。

从 10^{-12} 秒到 10^{-6} 秒

暴胀之后，当宇宙年龄达兆分之一秒时，宇宙温度也已经降

到 10^{13} 量级。这时电弱力对称性开始破缺，也能够首次感受到电磁交互作用和弱交互作用。宇宙间充斥着粒子动物园中的种种粒子，这些粒子都以虚粒子形式存在，所处状态被称为夸克－胶子等离子体。具有质量的基本粒子通过借助希格斯场获取质量。虚粒子和反粒子不断生灭，一旦两种粒子相互湮灭，便回到了最初的能量状态。整体来说，这个阶段并不存在“实”粒子。宇宙是能量，而非物质，强核力处于主宰地位，关于这点，从遍布空间的等离子中含有胶子就能窥见端倪。

从 10^{-6} 秒到 1 秒

宇宙此时宽约为 1 千米。随着宇宙持续冷却、膨胀，另一种不对称现象开始显现。夸克与反夸克相互湮灭每满 100 亿次，就会留存下一颗夸克。苏联核物理学家及异议分子安德烈·沙卡洛夫（1921—1989）提出解释，认为这是粒子动物园中单一粒子特有的不对称现象，我们将这一粒子称为 K° 介子。粒子动物园大约含有 140 种不同的介子。从理论上来说，这种物质存在的极小偏差足以解释宇宙间的所有物质。不过这项理论能否成立，目前仍无共识。有科学家称，宇宙间反物质数量应与物质数量相等，但目前，反物质仍未现身，这成了宇宙间最大的谜团之一。若存在完全由反物质构成的星系，那么我们不时地便会见到这些星系与由物质构成的星系对撞（这时就会释放出庞大的能量）。但却没有证据足以显示宇宙间存有由反物质组成的结构。

夸克和胶子等离子体渐渐凝缩成质子和中子。此时温度已充分下降，夸克也首次被拘禁在质子和中子内部。凝聚夸克的强核力有种奇特属性，这在量子动力学中已有描述：夸克键拉扯得越远，它的作用力越强，因此我们才不曾观察到孤立存在的夸克。夸克一旦被拘禁，就永远受禁锢了。

这一时期称为强子时代。强子是统称，指的是粒子动物园中由夸克构成的各种粒子。最常见的强子是质子和中子，这两类强子也称作重子，意指所有由 3 颗夸克构成的粒子。其他所有类型的强子被称为介子，由 2 颗夸克构成。当宇宙年龄达到 1 秒，世界上也满是与强核力有关的奇异的粒子。粒子加速器能重现宇宙部分早期状态。

与此同时，微中子也现身了，这种粒子与电子的产生有关。微中子应该是宇宙中最为多产的粒子，然而，迄今为止都未能侦测到大爆炸中生成的微中子。意大利物理学家恩利克 · 费米率先推想，认为微中子是解释弱核力的“因绝望而采取的补救手段”（他的原话）。不过到了 1956 年，这种粒子经验证是真实存在的。

据称，宇宙年龄还未达到 1 秒时，宇宙本身就已经非常老了，我们可能会认为那时的宇宙年轻得不可想象，虽然这一观点有失偏颇。这时，时间已过去 10^{43} 个普朗克时间单位。如今，宇宙的年纪是 10^{60} 个普朗克时间单位，目前地球上已知的最古老的生命形式，是在宇宙的岁数达到 10^{59} 个普朗克时间单位（数十亿年前）时出现的。如果以年为单位计量，宇宙的年龄已经很老了（137 亿岁），那么，以普朗克时间单位来计算，宇宙就是非常非常老了，相对说来，生命的首次出现就发生在片刻之前。

从 1 秒到 3 分钟

在这个时代，主导宇宙的是电子及同族其他粒子——轻子。轻子只有 6 种类别。其中电子、μ（介）子和 τ 介子都带负电量，同时带有 1/2 自旋，不过 3 种粒子的质量相差却很大。[1] 另外 3 种轻子与微中子有关，每种都几乎（却非完全）不带质量。

从 3 分钟到 20 分钟

当宇宙年龄达到 3 分钟时，电子便开始主导整个宇宙。宇宙经充分冷却后，质子和中子借助强核力便可聚为一体，这一聚合过程称为核融合。最早的原子核在宇宙间出现了。这段融合时期只维系了 17 分钟。这段时期过后，由于宇宙温度过低，合成进程难以为继。原子核多半是单一质子，氢核与其相同，不过那时氢原子还未出现。宇宙另一要素由两颗质子和两颗中子组成，质子和中子可聚拢合成一种名为 α 粒子的核，这种核与氦核是同一物质，不过，当时世界上同样也没有任何氦原子。当时宇宙中氢核的数量约是氦核的 3 倍，加上其他几种数量稀少的轻核，包括少量氘核（氘是氢的同位素[2]，由一颗质子和一颗中子结合而成的不

[1] 别忘了，凭直觉无法理解 1/2 自旋会是什么样子。自旋是一种量子化属性，原本也和经典世界间的相对属性具有某种连带关系，不过当它逐渐嵌入量子物理学的特异世界当中，和一切经典含义的关联也随之疏离了。

[2] 同位素是具有相同质子数、不同中子数的原子。中子数最少的原子更加丰富。例如，碳 12 原子（含有 6 个质子和 6 个中子）在自然界中要比碳 13 原子（含有 6 个质子和 7 个中子）更加丰富。有些同位素并不稳定，即具有放射性。碳 14 原子（含有 6 个质子和 8 个中子）就不稳定。碳的相对丰度为：碳 12 接近 99%，碳 13 接近 1%，碳 14 不到 0.0000000001%。

安定的核）和微量锂核（由 3 颗质子和 3 颗中子结合构成）。当时宇宙间只有这些物质。宇宙年龄为 1 秒时，宇宙中仅存有质子和中子。几分钟后，质子和中子就开始演变成稍微有些复杂的物质。粒子物理学预测，在早期宇宙中，每产生 1 颗中子，肯定伴有 7 颗质子。如今宇宙中的现存物质也证明事实确实如此。在与今天留存星际中的氢、氦的数量值进行比较后，早期对宇宙间中子与质子数量之比所做的预测，结果精确得令人咋舌。实验结果可以证明，粒子物理学和天体物理学描述的是同一物质的真相。这也证明，我们针对事物大小所做的不同描述，是可以协调兼容的。

从 3 分钟到 38 万年

宇宙中另一种改变在大爆炸发生后 3 分钟左右便可以察觉得到。电子、正（反）电子对及其他各种轻子、反轻子对不断相互湮灭，宇宙中因此充满了光子（电磁辐射粒子）以及 W 和 Z 两类粒子（除了质量有所差别外，这些粒子和光子无从分辨）。

大约过了 7 万年，宇宙也从最初辐射遍布的状态，转变成辐射和宇宙间物质的相对密度大致相等的状态。

大爆炸过后 24 万年至 31 万年间的某一时刻，宇宙已经充分冷却，氢核和氦核也开始捕获电子，这一过程称为重组。此时，最早的氢、氦中性原子已在宇宙中出现。当时宇宙间几乎所有的物质，都由这两种元素组成，同时，宇宙间各处还散布微量的氘、锂。

宇宙早期，在中性原子出现之前，遍布早期空间的带电物质的等离子持续向外散射光子（光粒子）。如今宇宙间布满了中性物质，光子因此得以聚拢形成光束。所谓的黑暗时期已经结束。不透明的宇宙也变得透明了。光线大量向外涌现。我们如今见到的宇宙微波背景辐射，就是宇宙大爆炸发生 38 万年后遗留下的物质：光子。其温度从最初的 2,700 摄氏度下降到比宇宙的最低可能温度（−273.15 摄氏度，或凯氏零度，也称为绝对零度）高 2.7 摄氏度的数值，光子冷却前的宇宙尺寸是现在宇宙尺寸的千分之一（宇宙的尺寸和背景温度有直接对应关系）。早期宇宙存有化石的证据就是，宇宙间存在大幅红移的电磁辐射，这一辐射也就是如今所称的微波，波长约为 1.9 毫米。随着宇宙微波背景图测绘得越发精确，我们对于宇宙早期状态的认识所含的推测成分也变得越来越少。

第
9
章

向恒星的诞生致敬

我立大地根基的时候，你在哪里？你若明白事理，只管说吧！

——《约伯记》，第 38 章第 4 节

大爆炸的数千年之后，宇宙才成了我们现在所熟知的模样：宇宙里有物质，宇宙里有光。一个由光和物质组成的膨胀宇宙在 137 亿年的时间里不断进化变成了现在的宇宙，证明了宇宙就存在于我们身边。

对于宇宙来说，过去并没有完全消失。我们通过观察从宇宙的过去、宇宙的某处穿越而来的光，看到了宇宙曾经的样子。从遥远星球而来的光让我们信服宇宙中有恒星等天体，对于不同星球来的光线的不断研究让我们相信这个物质的宇宙就是这些天体的层级系统。

朝着宇宙看等同于回溯历史。从宇宙最久远的过去传播而来的光线以微波辐射的形式到达地球。宇宙微波背景辐射是对宇宙大爆炸后 40 万年的宇宙的模糊描写，同时也是对于我们曾是何物的最模糊的描述。宇宙微波背景辐射是“万物”的地图，从“万物”中，进化出了 21 世纪宇宙的万事万物。让我们重提这个问题：宇宙包含在什么事物中？一定会得到有趣的答案。我们永远无法到达 137 亿年前我们曾经存在过的地方。宇宙在不断膨胀，它的源头也离我们越来越远。即便我们可以以光速旅行，到达宇宙的尽头也需要 137 亿年。任何情况下，如果我们以光速运动，我们就必须成为光本身：而自相矛盾的是，当我们变成光，时间在我们眼中就好像是静止不动的。以光速运动的我们看不到那离我们远去的辐射。可见的最遥远天体是以光速的 93% 的速度离我们远去的类星体。宇宙的边界真的是极限，但它是什么的极限？我们说不出来。如果我们可以以肉体到达宇宙的边界来看看外面还有什么，外面的事物需要和我们现在对可见宇宙中所有物体的描述都不相同。

作为初期宇宙的天体图，宇宙微波背景辐射看起来均衡到令人好奇的程度，就好像某个特定的奥妙样式被不断地复制再复制。这个样式每千份就会有一个部分完全相同。宇宙微波背景辐射似乎证实了爱因斯坦“宇宙本平坦”的猜测，至少大范围上看是这样的。宇宙变成了什么样子蕴藏在细节里。宇宙中有数不清的变量，虽然这些变量似乎微不足道，但正因为它们的存在，宇宙中才会出现我们今天所见到的各个数量级的天体。这些变量是从量子世界的粒状物膨胀得来的。经过了几亿年的时间，我们在宇宙微波背景辐射中看到的一小部分杂质已经进化成为一个充满了氢气和氦气分子云团的宇宙，这些云团大小不同，在数十亿年之后也会进化成为我们在宇宙中看到的结构复杂的恒星。

这些云团内部温度极低，氢气和氦气都可以以气态存在其中。与外太空的其他区域相比，这些云团的密度相对较高，虽然这些云团比我们在实验室里制成的真空的密度要低。宇宙初期的气体有四分之三都是氢气，另外四分之一是氦气。宇宙中的那些恒星都是从这些气体里进化出来的。接下来，这些恒星还会进化成我们熟知的引力结构，如星团、星系、星系团以及星系团的星系团（超星系团）。

恒星是混乱气体的产物，气体定律（地球人花费了几个世纪才计算出来）也得到了很好的阐释。虽然气体定律可能表达得直白明确，但是如何在这些广大的分子云团上应用气体定律还没能被完全理解。我们确切地知道人类能看到的所有正在诞生的恒星都是从分子云团中诞生的，所以我们推断，在过去恒星同样是从分子云团中诞生的。

有质量就有引力。虽然引力非常微弱，但是它是宇宙故事的主旋律。天文学的开端就是对宇宙大型维度的研究，并且在一开始的时候主要研究的就是引力。引力的出奇微弱似乎和我们看到的宇宙的广袤相呼应，好像广袤就是微弱的交换条件；但是为什么它们之间存有这样的关系还是一个谜团。

从分子云中继续缩小数量级，我们就可以发现相对较小的云团，这些小云团在引力的作用下逐渐浓缩，形成了一些恒星。具有代表性的是，每 100 颗恒星中，有 40 颗将属于三合星系统，剩下的 60 颗属于双星系统。人们推测，许多三合星系统会排除一颗恒星，一些双星系统会被断开，所以太阳独自一个的现象也不算罕见。

引力使得分子云浓缩、旋转。它也使得分子云变成扁平的碟状。一颗恒星最终能变得多大取决于周围的分子云密度大小。所有的恒星都是由一个太阳质量十分之一的星核开始进化的，随后吸收周围的分子云来增长自身质量。在质量增长的时候，恒星更注重密度的增加而不是体积的增加。

星核中气体原子间距被压缩得越来越小，气体原子随之变得越来越有活力，这等同于说云团中心越来越热。碰撞产生的能量使得原子失去了它们小心夺得的电子，又变回了原子核。这些原子核大小只有原子的一万分之一，也意味着引力可以使它们变得更加紧密，把核心的温度推向更高。

当核心的温度达到 1,000 万摄氏度的时候，这些原子核已经足够紧凑，可以被核聚变融合。这一情况和宇宙初期第一批原子核被融合时的情况相似，当然现在核聚变反应在宇宙的各处都有发生，每一个聚变反应区都是一颗恒星核心的诞生处。用通俗的语言来说，天体学家认为气体云团会瓦解、燃烧。诗人可能会赞美恒星的诞生。在新生恒星的星核里，四个氢原子核（四个质子）被融合成一个氦原子核[1]（两个质子和两个中子），同时产生能量。更简洁地说，四个质子中的两个被转化成了中子，转化后的能量差值以两个正电子（阳电子）和两个中微子（一种与电子和阳电子的产生相关的粒子）的形式释放。

人类现在还没有找出一种可控的复制太阳能量的方法，但是近 50 年里人们一直在取得新进展。高效的人工核聚变反应还需

[1] 氦原子的原子核是一种典型的 α 粒子。高能量的氦原子核流就是我们所说的 α 射线。高能量的电子流就是我们所说的 β 射线。

要一些时日，也许要再等 50 年。如果我们掌握了这种技术，那么我们就可以找到一种制造清洁能源的方法。核聚变反应的废料是氦气（完全无害）以及少量氢的放射性同位素（氚，一个质子和一个中子），氚的半衰期只有 12 年。现在，地球上绝大多数的核能来自核裂变反应，其原理是通过分裂重原子的原子核产生出巨大能量。

一些来自恒星核反应的能量以处于电磁辐射频谱不同部分的辐射扩散。对于遥远处的观察者来说，这些反应可能被观察到，在光谱上看起来是光点。处于现在这个年龄的宇宙里没有遥远的观察者。那么宇宙还要成长多少年才会造出这样的观察者，以及宇宙中到底散布着多少可供观察的地点呢？人们依旧在思索这类问题。

核反应的一些能量是以热量形式释放的，这也使得恒星的核心变得更热。当星核的温度达到 2,500 万摄氏度的时候，恒星就进入了一个稳定期：增加恒星重量的引力和分裂恒星的核反应作用得到了平衡。一颗恒星的稳定期会持续多久依赖的是生成恒星的云团的原始重量，也就是恒星的原始重量。（恒星在稳定期就像是实验室里制造氦气的坩埚一样）。

比太阳质量三分之一还要小的天体由于质量太小无法成为闪耀的恒星。恒星质量的上限是太阳质量的 150 倍。这些最大的恒星在我们现在观测到的宇宙范围内是十分少见的。科学家认为超过太阳质量 8 倍的恒星不是由气体云压缩形成的，但是它们具体是怎样诞生的还没有被证明。不过，这些最重的天体也许和那些小型天体有着同样的诞生方式。

和太阳质量相等的恒星可以维持稳定的氢气燃烧状态达数十

亿年。太阳已经保持氢气燃烧的状态 50 亿年了，它剩下的氢气还够燃烧另一个 50 亿年甚至更久。更大型的恒星耗尽能量的速度也更快，所以质量是太阳质量 3 倍的恒星可能只能维持稳定状态大约 3 亿年。如果是太阳质量 30 倍的恒星，它会在 6,000 万年里耗尽自身的氢气。质量是太阳三分之一的恒星可以保持氢气燃烧 8,000 亿年，如果宇宙到那个时候还存在的话。

在某一个时间点，所有的氢气将被耗尽。在这个时间点上恒星开始瓦解。在数百万年，甚至数十亿年的稳定期之后，恒星因为引力立即向内坍缩。之后，恒星会在零点几秒内进入一个新的稳定状态。

由于星核坍缩，恒星的外层会向外扩张，使整个恒星看上去巨大无比。这时的恒星体积可能达到原来的100倍，并且通体红色。恒星变成了红巨星。

红巨星的星核在温度达到 10^8 摄氏度的时候进入新的稳定状态，这个温度足以使由氢气燃烧得来的氦气开始燃烧。一种新反应发生在足够巨大的恒星之中：3 个氦原子核被融合成为碳原子核，碳原子核再加上 1 个氦原子核会融合成为氧原子核。

一颗质量是太阳 30 倍的恒星已经维持了 6,000 万年的氢气燃烧状态，现在这颗恒星变成红巨星，会继续以燃烧氦气的状态维持另外 1,000 万年。我们的太阳质量足够大，可以进入燃烧氦气的阶段，它可以维持氦气燃烧的状态达 3 亿年。所有初始重量达到太阳质量一半以上的恒星都可以进入红巨星阶段。宇宙中大部分的恒星是红矮星，一种质量小于太阳一半的恒星。它的光芒暗淡、温度低，发出的光芒达不到太阳的黄色。还有一些更小、更暗淡的恒星，它们被称作褐矮星。这些小型恒星无法成为红巨星，但是会衰弱冷却成为黑矮星。褐矮星衰弱的过程比宇宙现在的存在年份还要长，所以在相当可观的时间段内我们无法观测到黑矮星。

依赖于恒星初始的质量，恒星坍缩、星核温度升高的过程创造出像洋葱一样的多重燃烧层，燃烧层里会生成更重的元素。在更高的温度下，碳元素将会燃烧，生成氖、镁和更多的氧。温度继续升高，氖元素会燃烧，这个燃烧的过程会一直持续下去，氧元素、硅元素和硫元素都会逐步成为燃烧的原料。

质量在太阳的 1 倍到 2 倍之间的恒星终其一生也只能达到制造碳元素和氧元素的阶段。质量达到约太阳 4 倍的恒星可以在更长的阶段内制造新元素，比如氖、镁和氮。达到太阳质量 8~11 倍的恒星可以达到燃烧镁元素的阶段，但这一阶段只会持续一天，镍和钴会在这一阶段内生成。

燃烧和引力坍缩的循环不可能永恒地进行。依据泡利不相容原理[1]，最终恒星里的物质会被压缩到极限。这一原理为量子的紧密度设置了界限。质量大于太阳 15 倍的恒星可以达到最终的阶段。对于这样的恒星来说，最终的燃烧过程是不受控制的，在此过程中生成铁元素，也是一颗恒星能制造的最重金属。铁元素的原子核比任何一种重元素的原子核都更致密。

星核中心这些新元素的生成来自组成宇宙 99.9% 部分的其他元素。最初的宇宙是由氢（76%）和氦（24%）组成的。经过发展，现在的宇宙组成元素有：氢（74%）、氦（24%）、氧（1.07%）、碳

[1] 泡利不相容原理以奥地利理论物理学家沃尔夫冈·泡利的名字命名，也就是泡利本人发现了这个原理。

（0.46%）、氖（0.13%）、铁（0.109%）、氮（0.10%）、硅（0.065%）、镁（0.058%）和硫（0.044%）。宇宙自诞生之日起至今只消耗了大爆炸时产生的 2% 的氢气。而大爆炸创造出的氦气还没有被消耗，保持着原来的总量。这 2% 的氢气变化成了 8 种新的元素，或者说金属（因为某些原因，天文学家把这些恒星制造的产物称为“金属”，不论它们到底是不是真正的金属）。在宇宙里至少还有 84 种自然存在的元素，外加只在人类实验室里出现过的 20 种元素（可能在外星文明里也存在）。这 84 种自然存在的元素是足够巨大的恒星爆炸时产生的。

比太阳体积大数倍的恒星能够以这种爆炸的方式结束自己的一生。经历了最后的不可控燃烧阶段，这些恒星无路可退，只能选择向外扩张。它们以超新星的形态爆炸，爆炸的过程还未被人类完全理解。超新星爆炸是宇宙中最大规模的爆炸，产生的能量使得星核内部的元素开始一系列的反应，并且第一次制造出了少量其他自然存在的元素。一段时间内这种爆炸的亮度比 100 个星系加起来还要强。1987 年，在南半球的天空观测到了恒星爆炸，4 个月里爆炸的亮度一直相当于一颗临近的恒星。一旦爆炸的恒星冷却，新创造出来的元素的原子核就开始捕捉电子，并且变成稳定的原子，这些原子大部分都是宇宙的新成员。

现在我们还不确定要能变成超新星的话一颗恒星需要多大的体积质量。质量是太阳 10 倍的恒星几乎可以确定会以爆炸来终结生命。质量是太阳几倍的恒星不一定会爆炸。比太阳质量小的恒星肯定不会爆炸。对于类似于太阳的恒星来说，红巨星外扩的外层终将消散，留下一颗由碳和氧构成的致密星核。这颗星核被称为白矮星，其质量相当于恒星初始质量的一半到三分之二。（我们的太阳最终会变得和地球体积相似，但是质量只有太阳原始质量的一半。）银河系里 97% 的恒星都将面临相似的命运。如果宇宙的生命足够长，白矮星将会衰弱成为黑矮星。大部分的恒星都是双星系统甚至多星系统的成员。最常见的超新星被称作 Ⅰa 型超新星。这类超新星是由一颗质量为太阳 1.4 倍的白矮星逐渐从双星系统的另一颗巨星吸收物质而形成的。当这颗白矮星的质量达到钱德拉塞卡极限（白矮星的最高质量），它就会爆炸。由于 Ⅰa 型超新星都在完全相同的极限爆炸，它们爆炸发出的亮度也完全相同。这种绝对的亮度被用作探索遥远宇宙的明灯。Ⅰa 型超新星离我们越远，它们的亮度看起来就越微弱。因为这种超新星十分常见，它们可以被用来测量我们到其他遥远天体的距离（因为遥远天体的周围几乎都会有一颗 Ⅰa 型超新星）。

大型恒星进入超新星阶段（这样的超新星被称作 Ⅰb、Ⅰc 和 Ⅱ 型超新星）后留下一个小型致密的核心，被称作中子星；最大的恒星留下的核心就是黑洞。

爆炸的恒星为宇宙中的生命提供了必需元素。有想法认为，在造星的前 10 亿年里，单单银河系就有 5 亿颗超新星被创造出来。大型恒星寿终正寝，然后爆炸，重组成为新的恒星，之后再爆炸——可能要重复好几次。但整个过程比小型恒星耗尽所有氢气所需的时间还要短。质量在太阳的 10~70 倍的恒星被称作超巨星。还有更罕见的特超巨星，其中一些质量可以达到太阳的 100~150 倍。（恒星被定为超巨星或特超巨星并不完全是根据质量。）手枪星是临近银河系中心的一颗特超巨星，其质量是太阳的

150 倍，但亮度是太阳的 170 万倍。它的预期寿命只有 300 万年。

一个令人震惊的实验证据表明超新星爆炸是我们在地球和宇宙其他部分找到的元素的起源。比铁更重的元素都有一种能量特性，基于相关的一些技术原因，我们很容易描述出到铁为止的元素是怎样在恒星核心生成的。在恒星核心里创造这些元素的反应一直进展顺利，只要有碳元素，恒星就可以通过融合更多的氦原子核来创造新元素。不好描述的部分是碳最初是怎样被创造的。理论上可以通过融合两个氦原子核来创造铍元素，但是铍元素非常不稳定，在融合另一个氦原子核成为碳元素之前，铍元素会瞬间还原到两个独立氦原子核的状态。在科学史上的一个著名实验中，弗雷德 ·霍伊尔预言碳元素可以直接由三个氦原子核融合而成，不需要经过铍元素的阶段，只要碳元素真的拥有迄今为止从未被质疑过的特性。他预测碳元素会在某种能量频率中产生共振，这样，在恒星核心里三个氦原子核就能顺利地融合成碳元素。霍伊尔设计了一个在地球上就可以操作的实验来验证自己的预言。在实验中，他预测的特性被证实了。很显然，霍伊尔找到了一种在实验室里检验恒星诞生理论的新方法。

科学家们喜欢理论里的缺陷（尤其是别人理论里的缺陷）：这样的缺陷使得他们可以检验理论的正确性。明显的缺陷可以成为改进的动力。但科学的暂时性总是被人误解。科学的暂时性是发展的动力，并不是弱点。把某种东西称作理论并不是说它只是一种想法；理论是科学解释的最高形式。真理的暂时性是科学前进的方式，是科学的本质。

经过数百年的理论推定和实验，现在应该可以画一条线把某些真理核心从所有的暂时真理中圈出来。毕竟，所有的新理论都必须包括以前的成果，并且描述一些新的方面。所有人都可以对这条线画在哪里自由表态，但是画这条线的人肯定不是在搞科研，而且科学方法也不需要这条线。科学持续发展，寻找更伟大的真理（如果我们必须要用“真理”这个词的话）而不是“绝对真理”。不幸的是，很少有人能忍受这种不确定性，科学家和普通人都一样。

虽然我们已经非常了解恒星是怎样形成的，但是我们的理解中还有很多漏洞。理论推断最初的恒星是完全由氢和氦构成的，因为当时的宇宙里只有氢元素和氦元素存在。可是这样的恒星（第三星族星）从未被观测到。第三星族星可能普遍比后来的恒星更大，只有短短不到100万年的生命。之后，它们就以超新星的形态爆炸，走向生命的尽头。

我们发现的最古老恒星是第二星族星。它们的形成方式就像前文描述的那样，但是创造这些恒星的压缩气体云中不仅有氢气和氦气，还有少量的重元素。重元素是在第三星族星的核心形成的，恒星爆炸之后，这些重元素散落到了宇宙的各处。新增的这些元素可能会加速某些过程；否则，后续的恒星核内生成重元素的过程就是恒定不变的。我们的太阳就是年轻恒星的代表。第一星族星比第二星族星含有更多的重元素，并且第一星族星是由前几轮的造星过程产生的物质组成的。

迄今为止，我们在宇宙中观测到的星系，银河系自然不例外，都是宇宙早期形成的。现在观测到的一些最古老的星系距离我们大约 132 亿光年[1]，也就是说，这些星系是在大爆炸之后 50 万年形成的。直到最近，我们都认为星系是在很短的时间内由旋转的、星系大小的分子云塑造而成。这个全面的描述提出星系诞生的时候其实已经完全定型了。但是最近的观察表明星系是从一些基本的部分进化而来的。原始的简单星系被称作原星系，我们并不太了解它们的样子。10 亿年之后，我们现在所看到星系的一些可辨认特征已经出现。古老恒星的球状星团可能已经形成，与此同时，在星系的中心部位还有一些会变成第二星族星的凸起物出现。和银河系类似的星系螺旋状结构可能需要 20 亿年才能形成。这之后，星系会保持相对稳定不变的状态，我们的银河系已经有数十亿年没有发生改变了。有些星系是椭圆的，但它们最初可能也是螺旋形，在和其他星系的数次碰撞之后才变成椭圆形，这也可以解释为什么椭圆形星系是宇宙中最大的星系。早期的宇宙比现在的宇宙小，内部星系十分密集。星系之间永远会相互碰撞，这种碰撞的方式现在人类还无法模拟。

以上的原因使得人类很难界定星系的年龄。某些意义上星系都很古老。银河系最古老的恒星大约有 132 亿年的年龄（也可能更老），几乎与观测到的最古老星系年龄相似。但是银河系的螺旋是在 65 亿年到 101 亿年之前才逐渐明显的。最古老星系的估算年龄一直都在上调。

星系很少被独立发现。它们都是某些复杂的动态星系层级结

[1] 严格来说这些星系应该离我们更远。宇宙年龄是 137 亿年，这 137 亿年确保了宇宙的尺寸至少是 137 亿光年。但是宇宙实际上要更广阔一些，因为我们必须要把宇宙正在膨胀这一事实计算进去。宇宙从一个直径 137 亿光年的碗状膨胀到了直径 400 亿光年的碗状。在实践里，当天文学家说到遥远的天体离我们的距离时，他们都会忽略宇宙膨胀，虽然他们了解这一事实。

构的一部分，这些层级结构也反映了宇宙的不规则特性。现在，宇宙被视为由大量星系线状结构组成，线与线之间有着虚空，那里没有星系的存在。[1]在线相交的地方可以发现星系密集的星系团。

所有年轻星系共有的特征就是它们的中心位置都有名叫类星体的大型活跃黑洞。类星体是一种吸收误入它引力范围内物体的黑洞。物体被吸收到黑洞中后会被撕碎，变成电磁能：黑洞和类星体一样明亮。

当类星体周围没有任何物体可供吸收之后，类星体会暗淡到普通黑洞的亮度。我们银河系的中心也有这样一个沉寂的黑洞。在它的引力范围之外，银河系里的发光天体找到了一片乐园。

类星体几乎存在于早期宇宙的所有星系中心，虽然没人知道为什么。它们是早期进化出的星系组成部分，就像是第三星族星一样，但是人类并不了解它们。最初的类星体可能是从早期宇宙最大型的云团中诞生的，这些大型云团被快速地拉拽到一起——可能是传播到整个宇宙的、大爆炸之后余下的冲击波引发的[2]，因而这些云团直接变成了黑洞。大量的物质从宇宙中被清除，锁在了星系的核心之中。这些古老的巨大天体发射的光线在现在看来就是红移到无线电波和光谱可见光部分的电磁辐射。人们认为类星体一开始体积就比后来出现的恒星更大，而且随着时间推移，它会通过吞噬周边的物质变得更加庞大。我们今天看到的一部分类

[1] 2004 年，一片直径 10 亿光年的巨大虚空被发现。它比之前发现的最大虚空还要大 40%，温度比宇宙的其他部分低 30%~45%。推测这片虚空是我们的宇宙和另一个宇宙碰撞的证据。

[2] 这种情况下，大爆炸还伴有一种噪声。能量环的冲击波在早期宇宙中传播，类似于声音通过介质传播，当然冲击波传播的介质不是空气或者水（可能是现代对天体音乐的再认识）。

星体质量是太阳的数十亿倍。

我们很难判断在类星体刚刚诞生的时候它们相互之间有多近，因为当时的宇宙远比现在的宇宙小。现在我们看到的活跃类星体都分布在宇宙的最边缘和最年轻星系的中心。变得不活跃的类星体都出现在较老的星系中心，比如银河系。类星体戏剧性地阐明了我们的宇宙如何从能量宇宙变成物质宇宙。人类目前辨认出了大约 10 万个类星体。宇宙中到底有多少类星体尚存争议：可能有数百万，也可能更多。现在发现的最遥远的类星体距离我们 130 亿光年。最耀眼的类星体名为 3C 273，它的亮度可以达到太阳的 2 万亿倍以上。虽然 3C 273 离我们有 24.4 亿光年远，但我们使用业余的设备就能很容易地观测到它。类星体在如此遥远的地方还能如此闪耀，这一事实指出了它们肯定是无比光亮的。人们认为类星体肯定是在第三星族星之后出现的，因为有证据表明类星体上蕴含着比氢和氦更重的金属元素。

人们接收到的来自早期宇宙的背景辐射图正在变得越发精细。在最近的图像中，我们不仅可以看到宇宙微波背景辐射的证据，还可以看到另一种与中性氢谱线相关的背景辐射。这种背景辐射被称作 21 厘米辐射，顾名思义，其波长就是 21 厘米。目前还很难解释 21 厘米辐射，但它可以告诉我们很多早期宇宙的故事。21 厘米辐射模式中的间隔似乎是氢原子改变状态时的证据：氢原子从中性原子变成了原子核和电子组成的等离子体。大爆炸后几亿年，宇宙再一次发生了电离，又一次充满了带电粒子。再次电离的宇宙就是我们今天看到的宇宙（还有零散的中性分子云，其温度适合恒星形成）。据推断，第三星族星爆炸的冲击波可能是宇宙再次电离的原因，突然出现的类星体可能是另一个原因。

尽管现在没有观测到第三星族星存在过的证据及类星体如何形成的证据，但是对第一和第二星族星形成的物理描述是现代物理取得的最大胜利之一。恒星形成的物理描述在一个描述中囊括了关于微小物质及巨大天体的理论。

现在，这个描述只是粗糙拼凑而成的，还存在不少瑕疵。它将会引领我们从高能量的辐射状态来到实体天体（恒星）组成的物质宇宙。我们努力取得的成果依旧得益于人类制造越发复杂的科技设备的能力，理论的瑕疵也和往常一样为科学家们指出了通往更完善理论的路线。

毫不夸张地说，以上理论中的不足具有极大挑战性。在理论层面没能完全统一光和引力这一点在宇宙中恒星的物理层面也体现得十分明显。通过光和引力两种观察方法来检查物质宇宙的内容时，我们会看到另一幅大相径庭的影像。一个星系或一个星系团内可见天体的数量预设了这些天体结构的运行方式。可惜，星系及星系团根据引力产生的运动体现出它们似乎包含着比我们可见数量更多的天体。如果只含有我们可见数量的天体，那么星系的外边沿部分未免运行得太快了，星系团的外边沿也是同理。我们所在的银河系是一个扁平的螺旋状星系，有两条主旋臂。银河系以每秒 220 公里的速度围绕中心轴运转，已经超出了科学家们预测的速度极限，看起来银河系里还有我们看不到的天体存在。这些看不到的天体帮助银河系维持其螺旋形态。的确，宇宙中的各大天体结构要想维持现在我们观察到的运动状态，每个天体结构周围肯定都环绕着由不可见的具有引力的物体组成的巨大光环。银河系周围环绕着一个由暗物质组成的光环，其直径达到了银河系可见部分的 10 倍。我们借助光看到的宇宙天体数量与通过引力运动预测的天体数量差异巨大。我们如果试着解释天体结构是如何聚集在一起形成现在的样子，就会发现宇宙其实包含着远远多于人类可见数量的天体。不可见天体的数量是可见天体的至少 5 倍。不可见天体被称作“暗物质”：“暗”是因为这些物质无法用现在掌握的光的性质来描述。我们不必非要阐明暗物质，暗物质不可见，也无法被理解。如果有一天我们理解了暗物质，那么对于光的理解就肯定会相应改变，以便使暗物质对我们可见。

宇宙中悬浮的暗物质就像不可见的蜘蛛网横跨在宇宙的大型天体结构上。当然也有一些理论阐述了暗物质可能是什么。一段时间内人们认为暗物质是晕族大质量致密天体（MACHOs）组成的。晕族大质量致密天体是一类天体的总称，这些天体只要有光可供反射就能被观测到，其中包括暗气体云、暗淡的恒星（比如太阳潜在的共生星）、未被检测到的星体、小型黑洞等。我们现在可以非常确定众多未被阐明的宇宙质量都以这种形式存在。大质量弱相互作用粒子（WIMPs）是另一种可能的形式。这类粒子来源于超对称理论的预测。超中性子——中微子的超对称粒子——就是大质量弱相互作用粒子的候选之一。据我们所知，目前还没有检测到任何超对称粒子。

大爆炸后 90 亿年（50 亿年前）

20 世纪 90 年代后期，一个令人震惊的发现表明大约在 50 亿年前，宇宙向外加速膨胀的速率开始上升。所以，宇宙中不仅有我们漏掉的天体，还有我们漏掉的能量——而且数量庞大。这些被遗漏的能量统称为暗能量。

根据爱因斯坦的广义相对论，宇宙拥有巨大的内在能量，为大爆炸提供了动力。爱因斯坦把宇宙常数添加到了自己的理论之中，只是因为一开始他无法接受宇宙不是静态的。当宇宙是动态的这一事实逐渐明晰，爱因斯坦就去除了宇宙常数，宇宙也就可以继续膨胀。在更近的年代，科学家发现有必要重新插入宇宙常数，使得爱因斯坦的公式能够描述正以高速膨胀的宇宙。宇宙的膨胀速度高于广义相对论的预测。（也许爱因斯坦加入宇宙常数并不是犯了大错，他只是出于错误的原因添加了宇宙常数。）这次新调整给予太空一个与引力类似的力量，不过这个力量是斥力而不是引力。太空结构内含的这种力量的特性只有在最大维度里才明显可见。一种尝试解释此种斥力的想法推测万有引力在那样的维度中也会变成斥力。在宇宙的最外沿，任何还没有开始被引力拉扯到一起的物质永远也不会被拉扯到一起了，就好像我们扔出一个球，球加速远离我们一样。在外边沿，膨胀的力度超过了引力。星系和星系团会受到引力的约束，但是超星系团将带着遥远的星系一道从宇宙视界中消失。

用来描述加速膨胀的宇宙所需的宇宙常数非常小。实际上这个常数非常接近于零，大约是 1 除以 10^{60} 得到的数值。我们竟然生活在这样一个宇宙之中：我们的大自然选择了一个无限接近零却又不是零的常数，这让许多科学家感到担忧。

另一些人疑惑暗能量是否是常量，如果不是，它就不可能是修改后的宇宙常数。一开始有人希望真空的能量可以被用来解释宇宙的加速膨胀。可惜，真空的能量比所需的数值大 10^{120} 倍，这股能量足以瞬间撕碎一切物质。另一种理论希望通过假设存在另一种弥漫宇宙的量子场来解释宇宙的加速膨胀：也就是第五种力，有时被称作“第五元素”。但是这样的量子场需要另一种未被发现的粒子（类似于希格斯玻色子，但不与物质发生反应）。

如果我们对宇宙大爆炸的理论研究方向正确，那么我们就必须相信宇宙中 23% 的物质是不可见的，73% 的物质以暗能量的形式存在，只有 4% 是正常的物质。又或者，所有被遗漏的物质都可能证明我们的大爆炸理论有问题。目前大爆炸理论在许多方面一直都很成功，所以当大爆炸理论没能描述大部分组成宇宙的物质时，几乎没有科学家感到惊慌。无论如何，除了大爆炸理论之外我们没有第二个选择，并且科学家其实是希望一个理论崩溃以便寻找更优的理论。找出理论里的谬误就是科学进步的方式。现有的理论可能会被修正，也有可能会被完全不同的新理论所取代。

对宇宙进行全面的思考，抛开现在令人苦恼的暗物质和暗能量，我们可以推测大爆炸后 5 亿年左右，宇宙中出现了我们现在称为可见宇宙的部分，这部分由简单的恒星组织构成，虽然这些恒星组织已经比气体宇宙复杂，但其复杂性还远远比不上现在这个宇宙。宇宙是充满活力的，物质在宇宙中来回奔忙。但是我们依旧会认为宇宙边缘的部位非常无趣，就是一些遥远的火球飘荡在广袤的外太空。这种观点并不十分令人害怕，并且我们对如此简单的故事存疑是正确的。故事听起来简洁可能是由于事实真的如此，也可能是因为这是我们所知唯一的描述遥远天体的方式，这些天体看上去简单是不是因为我们离它们太遥远？就好比从远处看错综复杂的山地环境，那些犬牙交错的地形也只是简单的蜿蜒曲折。早期宇宙处于时间与空间的最远端，处在我们知识的极限。关于宇宙的故事开头可能很简洁，因为我们刚刚开始研究怎样阐述这个故事，又或者所有故事的开头本就应该简洁。

现代的创世故事重现了简单的对称结构是如何进化为复杂结构的。问题是：什么是最复杂的结构？有多少个这样的结构？科学家在宇宙中找寻着最复杂的天体结构，并且努力把早期宇宙的简单性与现在宇宙的多样性和复杂性统一起来。讲述故事的下一部分，也就是复杂结构开始出现的时候，我们必须更仔细地观察一个典型星系的内部发生了什么。研究宇宙逐渐复杂化的过程时，除了星系内部我们不知道还有何处可看。如果我们通过观察银河系内部来讲述宇宙的故事，我们起码可以开心地相信我们的星系是一个典型星系。在宇宙的各处，在其他一些典型的星系之中，类似的宇宙故事也在上演。

第10章

返回家园

宇宙有一个有趣的性质。宇宙让所有生灵都认为它独特的性质对生命的存在而言是冷漠无情的，然而实际上它的性质对生命来说无比重要。

——约翰·巴罗

我们的家位于可见宇宙之中，我们自信更大型的天体不会挑选我们的家园授予特权。我们住在一个典型的超星系团内，本星系群也是一个典型的星系团，里面有一个典型的星系。我们不相信银河系中形成太阳系的部分与其他部分不同，也不相信我们的星系和其他螺旋状带旋臂的星系不同（这些星系内蕴藏着第一星族星）。

约50亿年前

大约50亿年前，银河系内我们今天所处的位置上是一团大型产星云[1]，里面的气体浓缩成了许多恒星，包括我们的太阳。形成太阳系的气体云团直径大约为 240 亿千米，里面蕴含的物质是至少两代以前恒星的遗留物。

产星云内部的热气必须先冷却，然后云团才能浓缩成为一颗新恒星。如果气体过热，里面的分子移动速度过快，引力就无法控制它们的运动。单靠引力可能不足以使得分子云浓缩形成我们的太阳。前一代恒星爆炸产生的冲击波很可能和引力一道促使了太阳的形成。

前面无数代恒星的爆炸会使某些分子云团过热，无法成为新恒星的温床。它们会永远以分子云的形态存在，现在我们观测到的大部分分子云都应该属于这种情况。这些云团的恒星形成活动会减缓，不是因为缺乏氢气，而是缺乏温度合适的氢气，它们的产星活动可能在更古老的椭圆形星系中就结束了。宇宙恒星形成的巅峰时段是大爆炸后的 100 亿年左右，现在恒星形成活动正在缓慢减少。可能在 1,000 亿年之后，所有的恒星形成活动都会结束。

引力会使所有云团旋转，不论大小。浓缩形成太阳的分子云团也不例外。云团的旋转使得碟状结构中心的气体打旋，形成一个不断增大的球体。外部的气体和尘埃旋转到更远的位置。引力也使得云团变得更平。在银河系的其他部分，人们发现了周围只有尘埃光环环绕的新恒星。根据我们的观察，恒星最后能变得多大取决于环绕在其周围的分子云有多稠密、里面有多少尘埃。当云团核心的质量达到太阳的五分之一时，核聚变反应就开始了。

[1] 虽然宇宙中很多气体云都会浓缩产星，但是比起气体云团的总数来说，产星云还是十分罕见的。

云团的外围是低温区，在高温下不稳定的分子在此可以完好无损、不至于分解。当第一批恒星爆炸的时候，所有自然存在的元素第一次出现在了宇宙里，还有一些简单的分子也同时出现，例如水和二氧化碳。这些简单的分子以细小尘埃粒外层冰壳的形式出现。比如，一些尘埃可能是高度压缩的碳，也就是细碎的钻石或是石墨。

恒星形成到爆炸的循环过程就是制造更多更复杂分子的化学实验室。数百种碳氢化合物（大部分或是全部由氢和碳原子组成的分子）第一次出现在恒星形成的云团中，甲醛、氢氰酸及其他益生元就是其中一些代表。益生元之所以获得这个名字，是因为它们对生命十分重要，但它们是以何种机制助力生命尚不明朗。外太空中发现的其他一些复杂化合物，比如糖醛，已经在实验室中与其他物质发生反应，生成了一种名叫核糖的糖。核糖是核糖核酸（RNA）的重要组成部分。从核糖核酸分子中移除一个氧原子，它就会变成脱氧核糖核酸（DNA）。

虽然我们知道的生命只有地球上存在的这些，但是益生元分子却广泛地分布在宇宙之中。这些复杂分子甚至在太阳系出现之前就存在了。形成太阳的气体云团里有10%~15%的物质来源于从前至少两代恒星形成的过程。我们所知的生命需要大约90亿年的恒星形成过程来提供适宜的环境。这90亿年之后，宇宙中很多与银河系相似的星系大概都拥有了适合生命的环境。

在天文学概念中，恒星是快速浓缩形成的。一旦达到了适宜的条件，太阳会在大约10万年内浓缩诞生，开始燃烧。太阳形成后留下了碟形的尘埃云，从这团云中诞生了太阳系的其他天体。太阳占据了太阳系 99.9% 的质量。包裹着燃烧核心的尘埃云外面，温度不足 30 摄氏度，比典型的英国夏天的最高温度还低。在这一区域内，数代恒星形成运动中产生的复杂分子得到了保护。

现在没有什么证据可以证明太阳的生命循环与体积相似的第二代恒星[1]的生命循环大不相同。可以确信，在讲述太阳的故事之时，我们也是在讲述宇宙中重复发生过许多遍的故事。

前几代恒星产生的碳元素会稍稍加速氢气燃烧的过程；否则氢气就会反应变成氦气，就像是人们所预测的在第一代恒星中发生的反应一样。此反应释放出的辐射经历大约 1000 万年的过程后进入太阳的表层，以光和热能的形式散发出来。太阳变得更亮了：它不断地损失质量增加亮度，并且这个过程会一直持续。太阳大约每 10 亿年增加 10% 的亮度。它每秒燃烧 400 万吨氢气，但鉴于太阳上的氢气超过 10^{27} 吨，至少再过 50 亿年太阳才能耗尽这些燃料。

只有类似太阳的第一星族星（也就是从金属含量高的分子云中诞生的恒星）才拥有行星。在太阳达到最终质量之前，剩余的物质形成了太阳系的行星。这些低温的剩余物质随时间流逝逐渐增大，在引力的作用下组成了大小不等的石块，最大可达到行星大小。大型粒子吸引小型粒子，体积像滚雪球一样越来越大。人们对行星形成时间的预测各不相同，但是被称作微行星的原行星（直径最大达 1 千米）至少需要数万年才能形成。直径达到 50 千米甚至 500 千米的行星则需要至少数十万年才能形成。

---

[1] 当天文学家谈论“第二代恒星”的时候，他们指的是所有不属于第一代恒星的恒星。组成太阳的一些物质来源于第三轮恒星形成运动。

大约在太阳进入氢气燃烧稳定期之后 100 万年左右，太阳系就已经成了活跃的天体系统。太阳系包含着 20 个与月球体积相等或更大的天体、约 100 万个直径大于 1 千米的天体，以及更多体积更小的天体。

关于行星形成的理论研究尚处于初始阶段，气态行星形成的理论则尚处于假设的范畴。最近，一些科学家认为气态行星起源于大型卫星凭借引力吸引未能参与太阳形成的气体。其中一颗卫星处于距离太阳的最佳位置，这里温度适宜，可以吸引更多气体。后来这颗卫星变成了今天的巨大气态行星——木星，它花费了 500 万年才达到今天的质量。木星的岩核质量达到了地球[1]的 29 倍，其岩核吸引的大气层质量则高达地球的 288 倍。我们无法看到气态行星的陆地表面，只能看到巨型大气层的顶层。

土星一直在与木星较劲，最终土星成了太阳系第二大的气态行星。它花费了 700 万年的时间成长到最终质量，比木星多用了 200 万年。

太阳达到了最终质量之后马上开始喷射太阳风（从太阳表面喷出的高能量质子和电子，也称“恒星风”），吹散了太阳系里遗留的氢气和氦气。据推测，如果太阳风的强度比现在高，那么太阳系里的气态行星都无法形成。这一细节使得哥白尼派学者非常忧心，因为他们一直坚持宇宙无中心。有观察数据表明一些新生恒星周围没有气态行星就是基于上述原因。宇宙中可能有许多“太阳系”，人们正在猜测我们的太阳系是不是有一些性质使得它在宇

[1] 地球是天文学家进行测量的地方单位，适合用来建立不同体积天体之间的关系。我们可以再一次猜想，外星人可能会选取另外一种比较测量物。

宙中独一无二。

因为位置不太好，土星吸引到的大气层只有木星的四分之一，即便它们的岩核大小几乎一致。对于离太阳更远的气态行星天王星和海王星来说，吸引气体的工作就更难了。太阳系的这四颗气态行星吸收了太阳遗留的所有气体。

天王星和海王星位于太阳系的冻结线以外。它们的星核是由少量岩石和大量冰组成的，这些冰是冻结了的不稳定氢化合物。

往更远的地方看，冥王星及其他的外海天体只能靠冰和剩余的碎片组建自身。围绕在冥王星周围和冥王星外的冰彗星也是由剩余碎片组成的。这些彗星都位于柯伊伯带内或者遥远的奥尔特云之中（如果奥尔特云真正存在的话）。

很多人质疑这个理论的正确性。观测数据表明，我们在其他行星系统里观测到的多数大型气态行星都离它们的“太阳”很近，比木星到太阳的距离近许多。电脑模拟得出了如下推断：所有的气态行星可能都是在距离恒星很近的地方形成的，由于复杂的引力模式，这些行星逐渐远离了恒星。根据最新理论，木星在距离太阳很近的地方诞生，之后逐渐远离太阳，来到了现在所处的位置。这一直白的解释告诉我们大型气态行星是快速从围绕年轻太阳的气体中浓缩诞生的。

描述那些没能成为气态行星（比如木星和土星）核心的岩石物质有何命运之时，科学家们有着非常确定的理论。这些岩石物质被太阳引力拉扯到近日地点，形成了类地行星，如水星、金星和火星。类地行星主要是由金属和名为硅酸盐的矿物质构成的。当时，太阳系内圈的温度非常高，不稳定的化学分子无法存活。类地行星形成后遗留的岩石碎片在一片区域内运行。这片区域名叫小行星带，位于类地行星和气态行星之间。

所有的行星运行方向都一致。如果站在太阳的北极上看，所有的行星都是以逆时针方向运行的。从太阳系还是扁平旋转的尘埃云时直到现在，太阳系逆时针运动的特征就没有改变过。牛顿和拉普拉斯都察觉到了这种现象并不是巧合，他们都没说错。在太阳系还是尘埃云的时候，里面的尘埃就以逆时针方向运动，就算尘埃已经组成了行星的核心，它们也一直保持着同样的运动方向。只有少数彗星因为被冲撞进入新的运行轨道而以顺时针方向运行。哈雷彗星就是一个例子。

在这样的描述之中，太阳系被简化成了相互碰撞的球体物质组成的简单动态系统。更早的时候，宇宙是被引力吸引而来的对撞气体粒子组成的云团，再早的时候，宇宙是夸克和胶子构成的等离子体。对于宇宙的物理描述大多数都是关于大小不同的粒子相互碰撞的故事。

宇宙其他与太阳系相似的区域里，天体是一系列具有宏观体积的存在，它们的运动非常符合牛顿力学。太阳系的小型天体因为大型天体的引力变得混乱，它们加速运动，也更容易相互碰撞和碎裂。彗星和星子还没有进入最终的稳定运行轨道之中，它们四处乱跑，相互碰撞，被不同来源的引力推来挤去，其中影响最大的就是来自木星的引力。很多太阳系的大型天体也还没能进入稳定的轨道。彗星最终会在柯伊伯带或者奥尔特云中找到归宿，但在去往归宿的路上，它们有时候会撞到行星。

当类地行星被撞击后，它们会变热。如果撞击的次数足够多，或者被大型天体撞击到，类地行星的温度会变得极高，铁元素会从组成行星的岩石中融化出来。之后，铁元素逐渐冷却，变成包裹星核的外壳。太阳系诞生后的 1 亿年内许多天体相互碰撞，其中至少包括两次大型的撞击事件，其中一次涉及水星，另一次与地球相关。

通过测定陨石及月球上采集的石块中所含的放射性同位素，科学家们测算出了地球和太阳系的年龄。现代的测定结果符合 1953 年美国地球化学家克莱尔 · 帕特森（1922—1995）第一次精细测算的结果，当时他测定地球的年龄约为 45.67 亿年，前后误差很小。帕特森通过测算地球岩石中所含铀 238 的半衰期得到了以上结果。铀 238 的半衰期约为 45.10 亿年，因而特别适合用来测定地球的年龄。在 45.10 亿年时间内，任何数量的铀 238 元素都会有一半自然衰变，喷出 α 粒子之后变成另外一种元素——钍 234。这种衰变被称为 α 衰变，由强核力力场产生和控制。钍 234 也会自然喷出电子衰变成为镤 234，这个过程被称为 β 衰变（由弱核力力场产生和控制）。在这一系列衰变产物的末尾，一种稳定元素最终形成。由此，人们可以通过测定衰变产物的相对重量来推定含有衰变产物的物质的年龄。

我们又一次结合了我们关于量子世界的知识（特别是关于核力的知识）与关于宏观世界的知识（对整个太阳系年龄的测定）。地核中蕴含的铀元素使得地核固化的速度放缓。在明了铀的这一作用之前，出生在贝尔法斯特的物理学家威廉 · 汤姆森（1824—1907），即日后的开尔文勋爵，一直根据极高温地核的冷却固化现象对地球的年龄进行测定，并错误地得出了地球只有 4 亿岁的结论，后来他又一次把地球的年龄大幅度减小。所以说，只有了解了放射性物质的性质，我们才能正确推断出地球的年龄。

地球达到最终质量的 1,000 万年后，它被一颗与火星体积相当的天体击中。这次撞击后果十分严重，产生的大量热能使得两颗星球的铁核开始融合，地球很大一部分的岩石地壳碎裂并且被抛入宇宙之中，在地球周围形成了一个环形带。随着时间推移，地壳碎片在引力的作用下聚集在一起，形成了我们的月球。并不是所有人都信服这种月球形成方式，但是在现有理论的基础上，这一形成方式是最合理的。月球的运行轨道近似正圆形，可能也昭示着最初施加在月球上的引力不可能是歪斜的。批评家声称在当时太阳系的动态状态下，轻微的正切碰撞几乎不可能发生，但是有另一种更直接的影响力将月球的运行轨道压迫到更近似椭圆，而不是我们所观察到的正圆形。我们可以确信的是，月球不像其他的类地行星一样有铁核。

久而久之，太阳系的活动也减弱了。过了大约 5 亿年之后，99% 的天体碰撞都已经结束。但是在距今 41 亿到 38 亿年前，发生了一件有趣的事情。天体之间的撞击再一次开始，这段时间被称为后期重轰炸期。月球上形成于那个时段的众多撞击坑证明了当时太阳系又变回了活动剧烈的地方。后期重轰炸发生的原因尚不明了，但据推断，如果主要的气态行星从其他位置移动到了现在它们所处的位置，那么复杂的引力潮会打破太阳系本该拥有的平静。

后期重轰炸期末尾，宇宙恢复了均衡和平静，大致上成了我们今天看到的样子。太阳系中只有少数几个主要的天体绕日运行，剩下的所有天体和物质都被推到了小行星带、柯伊伯带甚至奥尔特云中。此时太阳系彻底稳定下来，似乎在之后的几亿年内也不会发生任何改变，除非人类找到打破平衡的方法。现在，我们的地球被大型彗星撞击的可能性已经下降到约每 100 亿年一次，被小型彗星击中的可能性大约是每 1,000 万年一次。由于被天体击中的频率非常低，我们有了一种永远安全的错觉。

人们逐渐找到了证据来支撑太阳系可能也是宇宙中典型的行星系统。直到 1992 年，太阳系还是我们唯一知道的多行星系统。同年，第二个类似系统被发现，它位于脉冲星 PSR 1257+12 周围，距离太阳 980 光年。1995 年，科学家观测到一颗木星大小的行星正围绕一颗类似太阳的恒星飞马座 51 运行。1999 年，另一个多行星系统被发现，其中的“太阳”也和我们的太阳一样位于燃烧氢气的阶段。这个行星系统围绕着其中心恒星运转，整个行星系统位于名叫仙女座 υ（天大将军 6）的多恒星系统之中，距离我们大概 44 光年。所以天文学家越来越确信他们可以找到更多的恒星系，以及和我们的太阳系非常相似的“太阳系”。

科学家们发现了另外一些“木星”，也就是和木星相似的巨型气态行星，现在科技发达，足够帮助人们看到宇宙天体。木星的质量比太阳系其他行星加起来的质量还大 2 倍。目前的科技早已越过了木星的障碍，新的技术和进步的科技无疑会帮助我们离找到其他“地球”的梦想更近一步。我们尤其希望找到被称为“宜居地球”[1] 的行星，这些行星上的条件适宜生命存活。

[1] 适宜居住是非常苛刻的条件。行星上的温度必须刚刚好适宜居住，不是太冷也不会太热。

太阳系外的第一颗类地行星于 2005 年被发现，自那时起，其他的类地行星也逐渐进入人类的视野。它们被称作超级地球，质量至少是地球的 5 倍，这些行星更像是小型的气态行星，虽然没有那么多气体。2007 年，人们可能检测到了第一颗“宜居地球”。有 3 颗行星围绕格利泽 581 恒星运转，这颗恒星质量约为太阳的三分之一，距离我们 20.5 光年。它的 3 颗行星都与地球大小相似。

想要找到某种物体，不论是什么物体，第一大要求就是我们必须理解“某种物体”是什么。我们看到一个球之后再看另一个时，很容易就会意识到这也是一个球。但是要想了解另一个地球是什么样子，我们首先需要知道是什么让我们的地球如此独特；只有这样我们才能知道该如何寻找另一个地球。破除特权和垄断思想的要求就是 400 年间科学进步的持续动力。400 年前，哥白尼把地球从宇宙物理中心的位置上除名，并且无意识地建立了如下科学原理：地球不仅没有位于宇宙的中心，而且它在任何方向上都不可能是宇宙的中心。在其他地球上发现类似地球的环境鼓励我们坚持哥白尼的理念，那就是在这里发生的事情不仅仅发生在这里，也可能发生在宇宙的其他许多地方。发现其他地球使我们能够把地球看成实验对象，可以与同类的其他行星相互比较。其他地球的存在也丰富了我们对地球的个性与共性的认识。地球的独特之处也更加明晰。

现在我们依旧可以坚持一个信念（或者说是一种倾向）：宇宙中只有一个地球。相反，认为地球并非独一无二的坚定信念发展得越超前，也就意味着声明地球独一无二的理论之路越来越窄。

我们从破除地球假定的独特性出发，未必是要展示我们并不重要，而是因为这是一种制定科学探索目标的方法，因为我们想要更深地理解是什么造就了我们。现在，人们的视角还是太狭窄，过于关注这颗离太阳第三近的行星（地球），由此得出了许多令人烦恼或令人兴奋的例子证明人类和地球有特权，科学则必须想办法应对。只一心破除这些特权思想可能会让科学走入歧途。特权思想有一天是否会消失绝对是一个信念问题。

地球明显的杰出性质就是它是生命的家园。作为哥白尼学说的赞成者，我们相信宇宙的某处肯定有生命存在。但是在我们研究这些生命之前，我们必须弄懂什么是生命，以及生命需要什么存活条件。

如果没有木星保护地球不受天体撞击，很难想象地球上会有生命。我们在这里遇到了第一道难关。不仅是地球上的环境使生命成为可能，似乎整个太阳系的环境也是生命所必需的。我们也知道宇宙的整体环境注定了生命会是罕见现象，因为大约需要 100 亿年的恒星形成过程才创造了生命所需的分子，并且恒星形成运动正在放缓。这种论点把宇宙的环境和人类的生存环境联系到一起，是人择原理的一种解释说明，不论是不是哥白尼学派的科学家都会使用这种说明方法。

人择原理能够有效地帮我们评估决定宇宙复杂性如何形成的参量还有多少变化余地。例如，人择原理可以用来解释宇宙奇特的扁平形状，或者解释为什么宇宙常数无限接近于零。哥白尼学派的人可能会提出宇宙出奇扁平的形状让我们更加相信还有其他宇宙的存在，那些宇宙的空间可能会扭曲成各种形态，可能没有生命存在，也可能有与我们不同的生命存在。我们观察到一个形态如此扁平的宇宙，因为只有在这样的宇宙里才能进化出观察者（比如人类）。这可能是维护人类并不拥有特权这一思想的方式之一，虽然会让人感到苦恼。平行宇宙和多元宇宙使得量子定律无须依赖于作为宇宙观察者的人类就能发挥作用。非哥白尼学派的人可能会说其实已经没有多少回旋余地了，虽然他们也会用人择原理以避免自己无视其他可能存在的宇宙，以及为本宇宙复杂程度的不足辩护。热力学第二定律告诉我们所有系统都会在时间推移中逐渐失去秩序。宇宙在一处创造秩序，付出的代价就是在另外一处混乱无序。问题是，人类的进化需要什么代价？我们是否敢于相信人类出现的代价就是宇宙成为现在的样子，形成现在的体积，包含现在这么多的能量？

在那次偶然的天体相撞中掉落的地球碎片后来变成了月球，我们知道月球对于生命的存在也十分重要。月球阻止了地球围绕地轴疯狂自转，把狂野的运动变成了轻微的晃动。没有月球，地球的位置可能会倾斜，倾斜角度比火星还要大。地球的轻微晃动加上地球围绕太阳的公转导致了四季变化，如果地球的运动过于狂野，季节的变化会剧烈到不适合生命存活。如果没有月球的出现，地球上的生命可能要经历非常困难的过程，并不是说生命将会消失，而是我们无法想象那种情况之下生命会如何发展。我们对宇宙的描述最终因为想象力有限而被束缚。人类就是宇宙的产物之一，所以我们不可能比宇宙更有创造力，不足以描述出宇宙想要描述的事物，不论我们认为宇宙是何模样，这个模样都只是人们能力范围内的想象。

科学家有时会碰到非常怪异的巧合，所以我们不知道该如何把它们分类。当月球刚刚诞生时，它距离地球的距离只是现在地月距离的三分之一，因而当时一个朔望月只有 5 天。月球一直以每年 38 毫米的速度离地球远去，减缓了地球的旋转。[1] 现在，地月距离是日地的四百分之一。虽然这个事实看上去并不值得注意，但是，月球直径恰好是太阳的四百分之一，也就是说在月食过程中，月球可以完全挡住太阳，这一现象在遥远的过去和遥远的未来都是不可能出现的。古人利用月食现象提出了对日地距离的最初估算。看上去我们无法利用这个巧合得出太多科学成果。

因为地球有一个铁核且一直在自转，所以它创造了一个磁场来保护自己不受辐射的影响。说辐射有害主要是因为辐射会伤害地球上的生命。太阳释放的宇宙射线主要是质子和电子风，风速为每秒 400 千米（是太阳风暴速度的 3 倍），而地球的磁场可以使宇宙射线发生偏离。宇航员离开宇宙飞船之后必须非常小心地避免被宇宙射线伤害。如果生命必须有磁场的保护，那么我们必须希望其他的地球也能有磁场。否则，我们就需要想象出其他复杂生命在不被高辐射伤害的情况下得以进化的方法。

如果没有地球磁场的力量，宇宙射线将会彻底破坏地球的大气层。火星没有大气层就是因为它的磁场力量太弱。弱磁场“地球”上的生命必须具备在没有大气层的情况下也能存活的能力。

甚至地球上的铀含量都刚好适宜生命存活。如果铀含量过少，

[1] 一段时间以前，地球也减缓了月球的旋转速度，所以两颗星球联系在一起了，月球也一直以同一面朝向地球。事实上，月球也和地球一样有些晃动，因而它展示的部分比一面稍多。地球也回敬月球的支持，从月球上看，地球也一直以同一面朝向月球。

地球会过快冷却，变成惰性星球；如果铀含量过多，高放射性水平将会让生命无法存活。现在的放射性水平证明太阳是第三轮恒星形成过程遗留的物质构成的，这又提醒了我们：不仅太阳系的环境非常平衡，适宜生命存活，整个宇宙的环境也是非常平衡的。[1]

当太阳系稳定下来，地球不再被频繁的灾难性碰撞威胁，这时地球被称作球粒状陨石的远古石块击中的小型碰撞事件使得异常复杂的故事继续展开。展开的复杂故事依旧是有关球状物体撞击其他球状物体的。气体颗粒变成恒星；星系互相碰撞，宇宙变成了我们现在看到的样子（整个宇宙的外形）。星系内部，我们看到"太阳系"像台球台上的球一样运动。现在我们来仔细看一个稳定的太阳系——我们的太阳系，在这里，小型的碰撞讲述了宇宙复杂性的新故事。

球粒状陨石把一度飘浮在形成太阳的尘埃云低温边缘处的分子带到了地球。那些比太阳还古老的、形成于前几次恒星形成过程的化学分子被带到地球，成为生命的种子。时至今日，球粒状陨石依旧会掉落到地球。1969 年，一颗球粒状陨石坠落在澳大利亚默奇森。此陨石含有 411 种不同的有机化合物，包括 74 种氨基酸，其中的 8 种都是生命有机体蛋白质的组成成分。20 世纪 70 年代，阿曼德 · 德尔塞姆对元素丰度的研究表明生命有机体内的氢、氧、碳、氮和硫元素的富集与陨石内部上述元素的富集之间定有

[1] 出生在匈牙利的美国数学家约翰 · 冯 · 诺依曼（1903—1957）发现了人与铀之间更加独特的关系。他提到："如果人类和科技早出现几十亿年，铀 235（制造原子弹的重要物质）的分离可能会更容易。如果人类和科技晚出现 100 亿年的话，铀浓缩的过程会变得非常缓慢，以至于失去了实用性。"在人类发现灭绝物种的方式和人类需要多聪明才能发现这个方式之间，有一个绝妙的平衡。这个平衡中存在一个重要的问题还没被解答：我们有没有聪明到能使人类灭绝呢?

关联。生命泄露了其起源于彗星的事实。磷元素是个例外，它虽然存在于所有生命有机体之中（只是在分子里），但是彗星里却没有这种元素。相反，天体里非常丰富的元素中只有一种对生命无用：惰性氦气。生命如此复杂，构成生命的分子却只有 30 种左右，这 30 多种分子都是由宇宙天体富含的元素组成的。

看上去，地球上的生命并不是凭空而来的。构成生命的精细复杂分子最初都是在外太空中组合而成的，那时地球还不存在。当我们猜想在哪里能找到外星生命时，我们其实找错了方向。我们本身就是外星生命。人类起源于外太空，地球上也可能还有其他的外星生命（可能是细菌之类），只是我们没有发现而已。

科学家们谈到了一个生命的“经典宜居区”，许多要求都令人失望地（抑或是令人兴奋地，这取决于你是否把希望只寄托在地球上）仅有地球满足。地球距离太阳的距离刚好使得水能够以液态存在。事实上，地球是我们所知宇宙里唯一一个水同时以三种形态（冰、水和蒸汽）存在的行星，注意，是我们目前所知的唯一具备此种条件的行星。

水（H_2O），宇宙中最常见的三原子分子，也是被球粒状彗星和彗星尘埃带到地球的。每年都有至少 3 万吨水以彗星星尘的形式到达地球，直到今天也还是如此。[1]在地球漫长历史的某个时间点上，地球大气充满了水蒸气，地球降下了第一场雨：倾盆暴雨，填满了大洋。雨的最早化石证据是在印度发现的石头上的雨滴凹痕，其形成时间距今至少 30 亿年，不过人们认为在那之前地球断

[1] 这个量不算多：3 万吨的水只够填满一个 100 米长、30 米宽、10 米深的池子。

断续续下雨的状态已经持续了至少 10 亿年。连水的性质看起来都刚好适合生命出现。有观点认为水分子里特别复杂的粒子组合法可能与生命有关。更通俗地说，如果冰的密度不比水小（同物质固体状态比液体状态密度小的现象很不寻常），那么大洋将会从底部开始冻结，杀死所有的生命。

我们都知道水对生命的存活至关重要，剑桥大学的费利克斯·弗兰克斯说道："没有水，一切都只是化学现象。""但是加上水就成了生物学。"水对于无机物的重要作用就不太明显了。

地球上的陆地在历史上曾经移动和改变，是构造板块支撑着它们，托着陆地移动。如果没有水，构造板块就无法移动。水对于构造板块就像汽油对于机械，水提供了动力使得大陆能够移动。现在，地球上有 7 块主要的构造板块，还有一些小型的构造板块。我们不知道在地球非常年轻的时候陆地是如何在大洋上被分割开来的，但是我们知道在 40 亿年的时间里，地球的样子都和现在大不相同。构造板块是由地壳和岩石圈组成的，这两个上层一同缓慢地在名叫软流圈的下层上移动。构造板块一年可以移动 0.66~8.5 厘米，和指甲生长的速度差不多。人们错误地认为固体构造板块的运动和液体的运动一样，可能是因为被称为徐动的现象。徐动现象中构成岩石圈的矿物颗粒在一个地方分开后会在另一个地方重组，让人感觉岩石好像是在做向前的运动。由于构造板块的运动，在陆地上我们已经看不到地球早期被轰击的证据，但是在大洋底部及布满陨石坑的月球表面还留有一些证据（月球没有构造板块）。

现在，地球构造板块的运动正在使大西洋变宽，华盛顿和巴黎之间的距离每 10 年会增加 30 厘米。相对地，太平洋正在收缩。地球上运动距离最长的地方是阿拉斯加狭地，它曾经与现在澳大利亚东部的位置相连。这块大陆在 3.75 亿年前断开了——鉴于我们现在关注的时间都是以 10 亿年为基准，这个时间点离现在还是挺近的。之后，阿拉斯加开始向北漂移。其他大陆可能在遥远的过去也移动过更长的距离，但是我们目前还不清楚这段历史。

构造板块的边缘会出现非常剧烈的自然现象：地震和火山活动。就是在板块边缘，山峰拱起，海沟下陷。以现在的世界为标准，在 1,000 年之后，喜马拉雅山脉的某些部分可以升高 1 米，其他的部分可能被侵蚀掉 1 米多。在遥远的过去，根本就没有喜马拉雅山脉。

如果过去地球突然开始损失所含的水资源，那么现在的地球会更像金星——一个有构造板块但是构造板块不移动的行星。金星曾经也有板块活动剧烈的时候，如果它的大气层持续变化，以后可能会再出现剧烈的板块运动。目前，金星的大气里主要是二氧化碳，整个行星都被包裹，形成了极端温室气候。光可以穿过，但是在光谱中接近红外区域的光无法通过。太阳辐射穿过大气层击中金星地面，其中一部分光，也就是接近红外区域的光，会被大气层反射回去。红外辐射也无法逃出大气层，原因与它无法进入大气层相同：大气层里有二氧化碳。红外辐射就是热能，所以热能被困在金星的大气之中。玻璃也有同样的性质，它能过滤掉太阳光的红外线部分，这就是温室能保持温暖的原因，温室效应也得名于此。

温室效应把金星表面的温度提高到了 400 摄氏度。与金星相反的另一个极端是火星，一颗冰冷荒凉的行星。火星上没有熔岩，也就没有火山活动。地球处于两个极端的中间，是地球的大气层帮助地球保持了这个微妙的温度平衡。难以想象的是，如果不是月球的形成征用了地球表面的一部分，现在的地球表面就太厚了，构造板块的运动无法出现。所以，月球是地球生命故事的重要组成部分。

地球引力场的大小刚好可以保持大气层，就像保持它的磁场一样。月球没有大气层，因为它的引力太弱。即便月球离地球这么近，月球也不是宜居之处。在月球上，一天之内最低温度能跌至 -170 摄氏度，最高则可升到 100 摄氏度。地球的第一个大气层完全由氢气组成，氢气来源于 43 亿年前地球开始冷却时释放出来的气体。随后，火山活动喷出的气体——氨气、甲烷、二氧化碳和水蒸气也加入大气层之中，改变了大气层。

地球还年轻的时候，太阳的亮度比现在低三分之一。但是当时的地球大气中二氧化碳含量很高，大气层又比较厚重，所以地表温度达到了 100 摄氏度，大洋里的水接近沸腾。

磁场保护地球不受辐射的有害影响，可是后来进化的大气层用它复杂的结构承担了更多的保护作用。大气层分成若干分层：磁层、散逸层、电离层、中间层、同温层（或平流层，包含着臭氧层）及对流层。地球的内部结构也分很多层：地壳、上地幔、下地幔，还有一个包裹着铁核（地核）的熔铁层。电离层位于大气层上层，距离地球表面 80 公里，能够吸收 X 射线和一部分紫外线辐射。臭氧层距离地表 20 公里，由与众不同的氧分子 O_3 组成，而一般的氧分子结构是 O_2。臭氧层特别善于吸收紫外线辐射。更重的氧

分子 O_3 是紫外线的分离效果作用于水分子的产物。臭氧层自地球诞生之时开始逐渐成形，虽然当时地球上还没有稳定的氧气。

岩石物质从碟状的星尘云中吸收物质壮大自己，最终形成了地球。但是现在地球上并没有类似的岩石物质存在。这些原始的岩石物质在地球的运动中发生变化，融入了地球的岩石。火山把地壳变成了种类众多的火成岩，其中最主要的两种是玄武岩和花岗岩。玄武岩是火山岩浆喷出后快速冷却的产物，它组成了洋底的海床。花岗岩是熔岩在地下缓慢冷却的产物，大部分大陆的底层都有花岗岩分布。

很难说最古老的石头到底历经了多少岁月。地球诞生之初的5亿年内，在剧烈的天体碰撞之中，地球表面持续熔化，地质年代表重新归零。我们能找到的最好说辞就是：岩石的年龄要从它们以现在我们看到的形式存在的第一天开始计算。地质年代开始于这些地球制造的岩石。最古老的火成岩在加拿大被发现，科学家认为它可能含有超过40亿岁的岩石颗粒。这也阐明了为什么我们说水肯定出现在至少40亿年以前，因为板块运动需要水的帮助。找寻古老岩石的最佳地点就是月球，月球上没有构造板块，所以也没有构造运动，能够保留古老岩石的原貌。月球上的一些岩石被检测到有约40亿年的历史。

关于地球的物理条件我们已经说了这么多，不知道这些条件是否在宇宙其他地方也是生命出现的先决条件。在我们认定地球条件对于我们认知中的生命的必要性之前，我们必须弄明白地球是如何从物质地球变成了生命地球，从而更深地了解“生命”的含义。

生命，比如蒙娜丽莎，可能“比她所坐的岩石还要古老”。[1]有人认为一些简单的细菌生命最早是从外太空来到地球的，可能是被经过地球的彗星捎来的。微生物可能搭上了古老岩石的顺风车。人们对这一说法颇有争议。争议比较少的说法是人们认为在地球诞生后的几千万年里，生命可能从零开始了好几次，但每一次都被当时的极端环境所扼杀。生命和其他从宇宙中诞生的复杂存在一样，它没有退路，只能选择一有机会就努力出现，并且在环境适宜的时候维持尽量长久的存在。不论生命是什么，以及生命是如何出现在地球上的，我们只需知道，地球的海岸线稳定之时，生命就出现了。

[1] 沃尔特·佩特在《文艺复兴》(1893 年)一书中对达·芬奇名作所做的著名美学鉴赏。

第11章

瓜瓞绵绵

我现在准备谈谈一种形体是怎样变成其他形体的。

——特德·休斯

我是一个祖先。

——拿破仑

美国某些大人物的祖先可追溯至“五月花”号。此外，也有些人表示，后登船抵达的祖先才更了不起，因为先来的人都是奉派的仆役。整理过家谱的人都知道，哪怕只想理清区区几个世纪前的世系渊源，也是相当困难的。英国显贵世家追寻与诺曼人的亲缘关系时，即便依照家族树回溯千年也鲜有收获。

600 多个世代可追溯至前 10000 年的最早的农耕社会。但实际上，没有人追溯到那么久远的家族史。《圣经》中有一个冗长乏味的章节，追溯了古希伯来部族的血统世系，而在某一时期，有些文化据此来计算其自身存续的时间。17 世纪早期，中国文献开始传入西方，文献中记载了前 3000 年一位皇帝的生平，以及一段比其更久远的历史。在印度也有类似的故事，这似乎也暗示了，这两种文明即便不比希伯来文明更加古老，至少也同样悠久。正是这一令人不安的现象促使牛顿抽出大量时间投入编纂《旧约》所载的家族谱系。一个世代之后，法国作家、哲学家伏尔泰（1694—1778）主张东方文化较为优越。为破除这一异端思想，教会力图破坏伏尔泰的名声。大家都认为伏尔泰奉守的是无神论，其实不然，他不过是反对有组织的宗教罢了。

爱尔兰阿马郡的大主教詹姆斯·厄舍尔（1581—1656）在 1650 年发表了著作《旧约年鉴》，他在书中草拟了一份创世年表。[1] 詹姆斯在 1654 年发表了对这部著作的补充，在其中他推算出创世发生在前 4004 年 10 月 23 日这个周日的前一晚。在此之前，至少是从圣徒比德（约 672—735 年）时代开始，就有人试图确认创世日期，厄舍尔算出的日期与前人的结果差别并不大。如今大家常把厄舍尔当成傻瓜，然而在当时，他却是名震欧洲的人物，还是位深受他人敬仰的学者。据某些《圣经》学者所述，人类当家做主的时间照理来说不超过 6,000 年，并以《彼得书》的经文为证：造

[1] 爱尔兰多为天主教徒，厄舍尔接受的却是新教徒的教育方式，研读《圣经》之余，他也博览所有拿得到的书籍。当时厄舍尔广受敬仰，使其推论出的创世日期（简化为 10 月 23 日）被后人称为“厄舍尔日”，而附有他推算出的创世年表的《圣经》，甚至到了 20 世纪都还能找到。人们受到《圣经》引导出的“物种不变”观念的影响，这种情况经过很长时间的思想革命才发生改变。——译者注

物主视一日如千年，视千年如一日。(《彼得后书》第3章第8节)。如今我们认为，创世约始于前4000年，自此6,000年后终止。我们现在确信，在前4000年，美索不达米亚开始使用轮子。在1701年版的英王钦定版《圣经》中，厄舍尔的日期被设为页边注。宗教激进主义者也与这一版的《圣经》产生了奇特的关系。

到了牛顿时代，部分信徒已相信，地球的年龄肯定远比纪年法计算的还要古老。牛顿认为，地球或许已有5万岁，法国自然主义者乔治·布封(1707—1788)大胆估算地球年龄约为7万岁。18世纪中期，康德还曾思考地球是否已存在百万年之久(那么宇宙年龄则为无数个百万世纪)。法国数学家和物理学家约瑟夫·傅立叶(1768—1830)借助数学方法分析热损耗，估算出地球肯定已存在1亿年之久。根据我们对宇宙最小和最大尺度的认识，我们如今知道地球的年龄大概是46亿岁，然而直到20世纪50年代，我们才有了这一认识。

如果说回顾历史的历程隐蔽难辨，那么通向地质时期的道路更是极其模糊。生物不断繁衍生息，但大部分终归消逝。幸运的是，借助亿万年的地质历史，我们尚可寻觅这些路径。一旦脱离历史，踏入漫长悠久的进化年代，我们就必须面对这样的事实：引领我们前进的不过是零星的化石而已；然而，值得注意的是，化石只有在特定的情况下才能形成。首先有骨骼的生物要恰好在腐败过程缓慢的场所中死亡，同时该处还必须发生沉积作用。如此一来，沉积的矿物质会逐渐取代生物骨骼中的矿物质，当骨骼中的矿物质被完全取代后，新化石也就出现了。更为罕见的是，动植物柔软部位发生沉积作用，或是树脂包裹小动物或植物的一部分，并经过硬化和化石化后形成琥珀。没有这些珍宝的助攻，我们无法想象该如何着手证明进化理论。人们在伊特鲁里亚人的墓穴里也发现了些许化石，由此可知，人类在文明诞生的初期就已经明白化石的重要性。

既然化石数量相当稀少，我们又该如何判断哪些是人类祖先的化石呢？我们必须摒除我们能够在现存生物和已灭绝生物之间建立直接的联系的想法。在进化过程中，生物灭绝是不可避免的，存活才是生命中的意外。化石数量极其稀少，但生命形式却多到让人难以置信。譬如大自然中的青蛙卵或种子，种类数量极其繁多，以至于我们不敢想象，自远古以来，这些物种的数量该多到何种程度。关于我们能在亿万种存活生物当中找出直接的谱系的这一观点，就算理论上说得通，实际上也办不到。

进化是确定无疑的，英国自然学家查尔斯 · 达尔文（1809—1882）在其所著的《人类的由来》一书中也贯穿着这一理念，即所有生命都可追踪至“较低级的形式”。同时，美国哲学家丹尼尔 · 丹尼特（1942—　）也表示，这是“有史以来人类最棒的想法”。[1]

所有生命形式都源自共同的祖先，并且最终归于唯一一个共同的祖先，生活在地质研究所能追踪的最远时代。尽管达尔文的《人类的由来》打着鲜明旗号，进化理论却没有去找直接的谱系，而是在漫漫历史长河中不断摸索搜寻着共同的祖先。我们若是相信所有生命都源自共同的祖先，那么我们也就相信，即便将这些

[1] 参见丹尼特 1995 年出版的《达尔文的危险观点》（*Darwin's Dangerous Idea*）一书。

后代分散到不同的层级，沿着地质时间逆行，最终也都将汇聚到这共同的祖先上。因为年代太过久远，我们永远也没办法找到这个共同的祖先。不过可以明确的是，我们可以得知，人类和现今的生物以及一切过往生物的关系是多么密切。

为不同生命形式命名并建立关系并非进化论首创。18 世纪时，瑞典自然学家卡尔 · 林奈（1707—1778）对生物分门别类，将其分为属和种。在那个年代，分类也已不是什么新鲜事[1]，只不过此前还没人像林奈那样系统地做分类。经过林奈整合、命名的植物约有 7,700 种（着重分析它们生殖器官的差别），动物约有 4,400 种。有史以来，人类和其他生命形式首次一同被纳入分类体系。不过林奈信守当时的正统思想，他表示，物种数量“与创世者创造的一样多”；他还表示，自从神造万物后，所有物种一举出现，此后一直保持原样，完全不曾改变。早在达尔文之前，林奈就提出猿类是长着尾巴的人类，不过林奈的思想体系不涵盖进化的理念，实际上，正好相反。在达尔文时代之前，生命被看作固定的“壮阔生命链”，在这条生命链中，生物依次从最低级向最高级排列，人类处在顶峰位置。在《物种起源》出版前 22 年的 1837 年，英国哲学威廉 · 胡威立（1794—1866）还坚称“物种都是在自然界真实存在的，一个物种完全不可能转变成另一个物种”。

达尔文革命的目的就是要破除这种物种固化的观念，而这也再次导致科学界与教会发生正面冲突。人类不是创世的目的，也不是终点。面对自然和时间的随机筛选，目的性就显得十分多余。

[1] 前 6 世纪时，阿那克西曼就曾猜想，生命从海洋中诞生，因为人和鱼的身体构造有相似之处。

动物并非屈居人类之下、供人类利用的低等生物——人类也是动物。达尔文的理论再次否定了人类的优越地位，这也因此演化成为另一种哥白尼原理。粗野的动物历经血腥斗争演变成人类，人类的演变史实际上最终应追溯至上古黏虫。

早在达尔文之前，单一的创世观点就已受到抨击。法国自然学家乔治·居维叶男爵（1769—1832）是他那个时代顶尖的自然学家，他就为何已灭绝的生物留下了化石证据，而现存生物却没有留下任何化石提出了自己的观点，指出历来已有多类物种灭绝（实际上有 32 种），并有多类物种诞生（不过后来他摒弃这一构想，支持物种种类恒定不变的正统观点）。另有一些人力证《圣经》的创世故事是真实发生的，他们认定化石都来自于大洪水来袭前就已灭亡的动物，因此在地壳抬升理论出现之前，凭大部分化石都从高处出土这一点，似乎就可证明这种理论的真实性。

居维叶男爵还推动了比较解剖学研究的发展，将现存物种和化石物种进行比较。相传他能仅凭一件骨头就还原一只动物。早在达尔文时代之前，通过共同特征构建动物界就已备受推崇。举例说来，我们如今深信，犬、狐、熊和浣熊的中耳的独特特征，加上其他的几项特征，才可构成犬科类群。胎盘哺乳类食肉动物特征多样，而这类动物都拥有十分独特的牙齿，称为裂齿。令人困惑的是，食肉目动物并不全都吃肉。猫熊就是典型例子，它们几乎只吃植物。相反，肉食性动物也并非全部归属食肉目。人类经常吃肉，却不归属食肉目。不过，食肉目动物全都属于哺乳类，人类也包括在其中。鸟类、蜥蜴类、蛇类和龟类都不属于哺乳动物，不过这些种类和哺乳类一样，都从卵发育而来，卵中也有带防护功能的羊水。脊椎动物是体形比较大的类群，包括羊膜类和其他具有脊柱的类群。根据可见的共同结构特征为生物分门别类本身带有高度暗示性，暗指这些生物源自共同的祖先，但不论这种分类带有多少暗示性，都无法验证进化现象的发生，也无法解释进化的进程。胚胎发育研究结果也暗示所有生物都源自共同的祖先。哺乳动物的胚胎发育到一定阶段就会长出鳃，这一线索暗示了我们人类和鱼类具有共同祖先。我们也可根据哺乳动物的心脏功能，阐述鱼类心脏的机能，这两类心脏的基本构造是一样的。

达尔文并不是最早提出进化现象的科学家。他的祖父伊拉斯谟·达尔文（1731—1802）就曾疑惑，是否所有动物都源自“一根生命长丝”；乔治·布封尤为疑惑的是，北美野牛是否与欧洲野牛有共同的祖先。法国自然学家让·巴蒂斯特·拉马克（1744—1829）是早期的进化论支持者，不过在近现代，他的见解已不再受世人青睐。拉马克主义的观点认为，后天发展起来的特性——好比经常去健身房能锻炼出壮硕的体魄——可以传给后代。达尔文采用了另一套解释，用以说明特性的改变是如何在各代间传承的。自然往往会选出最能适应环境变化的特性。除了自然选择的观点，达尔文还提出了性选择原理：这两个原理描述了进化是如何在宏观层面发生的。黄褐色羽毛的雌鸟通过性来控制自然选择。雌鸟在挑选配偶时，通常会选择能生育出强壮后代的雄鸟。

性选择似乎经常和自然选择相背离。雄孔雀绚烂的大尾羽有碍飞行，也容易使它们成为攻击的目标，但是在自然选择塑造的适合孔雀生存的环境中，这种性炫耀却是复杂且奢华的展现。

达尔文将自然选择简化为随机性、无目的性、性、暴力和死亡。几十年后，在另一领域当中，西格蒙德·弗洛伊德（1856—1939）也会得出相似的结论。

自然选择无非缺失道德的胡作非为——“谋杀和猝死是大势所趋”[1]——这一观点给维多利亚社会带来了巨大冲击。唯有适者才能生存的信念，促成了任意妄为的社会达尔文主义，这一理论由英国经济学家赫伯特·斯宾塞（1820—1903）发展形成。斯宾塞创造出“适者生存”一词，还提出了自由放任经济模式。物种通过生殖得以完善的理念造就了优生学，最早提出这套构想的是博学家弗朗西斯·高尔顿（1822—1911），他是达尔文的表弟。达尔文对这种阴暗的见识感到不安：“很难相信在平和的林间和宁静的田野上，竟发生着这么可怕的无声战争。”最后他对上帝失去信心，转而抱持淡泊的思想，通过深思宇宙的浩瀚来寻求慰藉。

达尔文认为，经历漫长时光，自然选择和性选择能逐步将一类物种改变成另一类物种。达尔文详述了人工选择的实例，好比人类培育猫和狗，他表示这些都可视为支持自然选择的证据。仅几个世代后，人类就能培育出各具不同模样的生物。历经漫长时间的自然选择的威力会更加强大。不过，达尔文的论证不足以形成有效证明。人工选择同样可作为驳斥自然选择的论据。人类通过人工选择决定谁能活，谁不能活，这和某位全能神的做法没什么两样。同样令人感到失望的就是，育种人员选出的优异特性往往也附带固有弱点：哈巴狗有呼吸问题，蓝眼白猫没有听力，等

[1] 出自英国自然学家托马斯·亨利·赫胥黎（1825—1894），他因勇猛捍卫进化论而闻名，博得“达尔文斗牛犬”的称号，或许他就是他那个时代的理查德·道金斯（英国人，当代最为拥护进化论的人士之一）。

等。在野外生存时，气喘的小狗和失聪的猫肯定不具备优势。人工选择让我们知道，太大改变往往会带来哪些问题。

倘若诚如达尔文所述，自然选择历经漫长时光，促成了种种微小变化，那么接下来就有必要证明，地球年龄已经老得足以让这些进化发生。当时自然选择理论还欠缺一套作用机制，少了这一点，达尔文的理论就没有用处。另外还有更大的问题：那时还没有找出任何一种介于两个物种之间的过渡类型的化石，用以作为物种渐进变化的证据。

时间的问题由新兴的地质科学来回答。苏格兰农场主詹姆斯·哈顿（1726—1797）先前便确立了一个地质渐进变化的概念，即均变论。他注意到，尽管罗马道大约在2,000年前已建成，但直至当时依然看得到路径。侵蚀现象是有的，却很缓慢。他见此开始思索，说不定我们可以利用岩石缓慢侵蚀、沉积的进程来测度地质时间。尽管这种平顺的地质作用会受到地震和火山爆发等狂暴事件的干扰，不过只要明白，这背后的作用始终是持续不懈、均匀进展，那么我们也就可以把这种均变属性当成一种计时器。哈顿的原理问世后，我们才第一次得以确立沉积岩的年代。而通过确定沉积岩的年代，同时也可以确定里面所含化石的年代。他的构想被苏格兰地质学家查尔斯·莱尔（1797—1875）在其撰写的著作《地质学原理》中推广普及。这部三卷本的著作从1830年到1833年陆续出版。达尔文最早就是从这部作品中初步认识了哈顿影响深远的观点。

达尔文无法清楚解释，化石记录为什么缺了中间型物种，只含混表示中间型物种都已经灭绝，因为化石记录相当稀少，自然又是这般挥霍，所以如今已然全部消失无踪。尽管达尔文的另一本名著号称《物种起源》，其实他并不知道如何解释物种的起源。更确切地说，他描述的是复杂形式的进化，其似乎是借由自然选择和性选择促成的。不过由于缺少作用机制来解释如何实现，达尔文的漂亮理论终究是要失败的。尽管起初冲劲十足，但达尔文学说仍未风行。

19 世纪末 20 世纪初，三位生物学家几乎同时重新发现格雷戈尔 · 孟德尔（1822—1884）的成果，这项发现似乎让达尔文的进化论越发受到质疑。孟德尔进入奥古斯丁修道院当修道士，在 1856—1863 年，他在布尔诺修道院内一片长约 35 米，宽约 7 米的土地上栽培了约 2.9 万株豌豆。他分析了其中约 1.3 万株，记录下豌豆有哪些特质从一代传递到了下一代。孟德尔的数据似乎暗示了，豌豆的遗传有固定量值（或定量），这项见解恰和达尔文阐述的渐进变化的平顺理论相左。这一冲突也许提醒了我们，曾经我们也不断调和间断式的量子力学和平滑式的广义相对论之间的分歧。回顾过去我们发现，育种不会混杂事物特性，其中一项简单的事实就能说清，譬如，一雌一雄必然育出雌性或雄性个体，不会育出雌雄同体的个体。豌豆植株含有一种独立物质，这一独立物质决定了植株的整体属性，而发现这一物质也是发现基因的第一步。

两套进化机制——遗传变异（并非混合而成的）和自然选择——在 20 世纪 30 年代和 40 年代结合了起来，为此许多人都做出贡献。其中包括美国生物学家休厄尔 · 赖特（1889—1988），及两位英国生物学家约翰 · 霍尔丹（1892—1964）与罗纳德 · 费雪

（1890—1962）。自《物种起源》初版发行约 90 年后，达尔文学说重获青睐。建立现代进化理论的科学家指出两套理论是可兼容的。新式遗传科学能描述种种可能的变异，自然选择则能保证与环境最为适应的变异能够留存下来。达尔文认为，各种变异并不是连续的，相反，这些变异是由各独立小段构成的。就微观层次来看，独立部件就是基因，如今我们知道，它是搭载在极长极复杂的 DNA 分子上的、储存信息的独立部件。所有生物的每种细胞中都含有 DNA。

早在 1940 年，物理学家薛定谔就在他的著作《生命是什么？》一书中提出疑问：能否将生物学简化成分子现象。英国年轻学者弗朗西斯·克里克（1916—2004）就是在读了这本书后，才决定放弃物理学，转攻生物学。克里克和美国生物学家詹姆斯·沃森（1928— ）在 20 世纪 50 年代发现了 DNA 双螺旋结构，发起了分子生物学革命。对生命起源的探知似乎又一次引导我们开启一段探索最小结构的历程。

尽管原子内部空空荡荡，它却是分隔两个世界的屏障：一个看似是由独立的运动物体构成的日常世界，另一个则是由量子物理学构建的奇异世界。原子是难以突破的壁障，必须投入巨大的能量才能跨越。壁障另一侧是粒子物理学的世界。DNA 是另一种划分生物界和非生物界的有用概念。不过，当我们研究 DNA 时，我们已经无须再深入了解原子或原子的构成了。对我们而言，如今探究更小的结构的历程没有什么实际意义了。DNA 是种密码，必须通过研读才能理解其中含义，正因为如此，其与原子属于不同类型的壁障，而在结构方面，也与我们目前在宇宙中遇到的一切事物完全不同。有了DNA之后，宇宙也朝着象征意义迈进了一步。

DNA 密码仅由四种化学碱基写成，它们是：腺嘌呤、鸟嘌呤、胞嘧啶和胸腺嘧啶。为了更清楚地表达，我们并不关注这些构成生命的字母的结构，而通常使用它们的首字母简称：A、G、C、T。生命是可以翻译、解读的密码，仿佛我们在读一本书。所有的生命形式（就我们所知）都由这种密码编写而成，这是又一条指向生命共同源头的线索。DNA 是非常长的分子，可以看成是由四个字母连成的字符串。

生命语言的每个词语都有三个字母长度：GGG（鸟嘌呤－鸟嘌呤－鸟嘌呤）、CTG 和 ATC 等。这就表示，这种语言必定含有 64 个不同的单词（4×4×4），不过其中有些单词代表相同事物，如此一来，这种语言实际上就只含有 20 个单词。此外，其中三个“单词”代表标点符号，这和我们比较熟悉的语言略有不同。

生命语言也有自己的语句。这些语句就是我们所谓的基因。DNA 长链分子上大多数长串字母都是昔日所称的垃圾 DNA，不过到了今日，这些垃圾 DNA 被更为准确地称为非编码 DNA，而它们也都是基因语句。使用标点符号可以将句子分隔开来，同样地，“标点符号”也可以将基因和非编码 DNA 分隔。基因是隐藏在非编码 DNA 间的有意义语句。基因和非编码 DNA 的整体被称为基因组。有些细菌的基因组 90% 由基因序列构成。在果蝇中比例为 20%，而人类基因组中基因序列所占比例不到 2%。我们刚刚开始了解非编码 DNA 的作用。有些非编码 DNA 具有重要功能，而有些说实话就是废物。举例来说，许多在动物体内具有活性的嗅觉基因在人的体内就是无活性的垃圾 DNA。人类的这些基因已经退化，随着一次次的突变，这些基因越来越无用。

核糖体是能寻找、解读基因语句，并把语句转变为实体物件的微小机器。血肉由字词构成。句中每个单词都代表一种氨基酸。有许多不同种类的氨基酸，但我们只需要知道，真正用以构建生命的氨基酸只有 20 种（由具有 20 种不同意思的 DNA 密码单词代表）。就我们的目的而言，我们不必知道氨基酸是什么，只需要明白它们是具有特定结构的分子。所有生命形式不单由这一套四字母密码编写而成，还由含有 64 个单词的语言编写而成。而这些单词总共代表了 20 种氨基酸。

基因语句类似于食谱配方，经过解读可制作出氨基酸链。当厨师读到食谱末尾，遵照句子中的单词确定的顺序，便可制造出各种氨基酸链，而后氨基酸链折叠成具有复杂三维造型的物质，也就是蛋白质。[1] 这样说来，每个基因都是生产蛋白质的配方。人体大约能制造出 2.5 万种不同的蛋白质，每个基因负责一种蛋白质。

细胞是装满微小机器的工厂，这些机器能在 DNA 分子上找出选定的食谱配方（基因）来解读并制造出蛋白质。生物细胞之所以具有各种不同功能，是因为 DNA 会通知细胞其必须表现出的作用。细胞之所以能产生出不同的蛋白质，是由于不同部位的 DNA 分子被开启。人体某些细胞之所以能变成红细胞，是因为制造血红素的蛋白质的基因被开启，而在将成为脑细胞的细胞中，这种

[1] 这个过程比我陈述的步骤还要复杂。举个例子，食谱配方必须事先转录为另一种分子，之后才能解读，转录对象和 DNA 分子有关，称为 RNA。实际上，我们并不需要知道这一点。我只需专注于必要的事项。

基因一直处于关闭状态。血红素是一种复杂的蛋白质（由一种复杂的蛋白质生成），它能够携带氧气随血液输入身体各个器官。肝细胞能制造分解食物的蛋白质。有些细胞能生产角蛋白，这类蛋白质可以促进指甲和毛发生长。有些激素也是蛋白质，比如性激素和肾上腺素。

负责开启及关闭 DNA 功能的蛋白质都依附在非编码 DNA 的某个部位，不过我们还未完全了解其具体运作方式。开关基因的程序，牵涉一定程度的循环历程。DNA 怎么能知道该怎样自行开启或关闭？或许这些现象更常发生在细胞层面：细胞之间通过信号传导，互相通告自己所属的类型，位于体内哪个部位，需启动哪些基因来制造特定的蛋白质，进而发挥细胞功能。DNA 之所以知道需启动或关闭哪些基因，似乎是因为特定细胞的化学成分为 DNA 提供的环境。

人类等生物体都由许多细胞构成（也有许多生物体是由单细胞构成）。复杂的多细胞生物体，好比苍蝇和人类，都是通过性行为来繁殖后代。亲本双方都只将其一半的遗传信息遗传给下一代。DNA 分子很长，以至于分成了一些小片段，这些小片段构成了染色体，基因则随机分布在染色体上。共同决定某一性状的几个基因，有可能分布在不同的染色体上。除了卵细胞和精子外，所有细胞都含有两套染色体（两套 DNA），卵细胞和精子内都只有一套。[1]通过有性繁殖，子代可从每个亲本处获得一套染色体，两套染色体重新组合后形成了两套新染色体，新染色体与亲代染色体

[1] 例外的是，红细胞不含遗传信息。

相比有细微差别。[1]这细微差异多多少少能够解释为什么亲代和子代生物体间，大部分都存在细微差异。因此，人类眼睛的颜色为什么会有差异，从中也可得到解释。通过生殖可重组遗传信息，发生更大的变异，使生物体在变化的环境中具有选择性优势，从而发生更高级的进化。单细胞的受精卵不断地分裂、复制，逐渐形成新生物体。人体内约有100兆个细胞。经过反复的分裂、复制，很快就能生成数量极其庞大的细胞群，这种现象与我们所见到的宇宙暴胀如出一辙。虽然每个细胞中的DNA几乎完全一致，但每个细胞所含有的化学成分却有差别。特定类型的细胞中含有特定类别的化学成分。细胞在分裂过程中会分化出各种不同类型的细胞。人体中含有好几百种种类不同的细胞。

细胞在分裂之前，内含的DNA会率先复制。经过进化后，DNA分子的结构非常适合复制。著名的DNA双螺旋分子结构始终以相同方式连接在一起：腺嘌呤（A）始终和胸腺嘧啶（T）配对，胞嘧啶（C）永远和鸟嘌呤（G）配对。这种连接称为碱基对。人类的DNA约含有100亿个碱基对。倘若知道一段DNA序列为ATGGCGGAG，我们立刻就知道另一条螺旋与之配对的序列是TACCGCCTC。DNA分子内的100亿个碱基对每次进行复制时，大概会出现12个错误。相应地，细胞内部逐渐进化出精密的校对机制，这些机制可大体上纠正细胞在复制过程中出现的错误。每个细胞内都含有几种校对酶。即便DNA序列中一个字母发生变化，基因语句中其所在单词的意思也不见得就会改变（因为有相当一

---

[1] 人们计算得出人类的基因大约有 2^{2000} 种不同的表达方式。这也是本书到目前为止出现的最大的数字。

部分的单词都代表了相同的意义）。就算字母的变化改变了单词的意思，产生了不同的氨基酸，蛋白质的整体功能也通常能保持不变。蛋白质可由 100 多种氨基酸组成，不过通常只有少数的氨基酸控制蛋白质的功能，其余的氨基酸则扮演类似脚手架的角色。在复制过程中发生的错误也称为突变。即便真发生了突变，两对基因同时突变的概率也非常低。只要其中一个基因未突变，通常就能保证所产出的蛋白质是“健全的”。

在通常情况下，突变会导致生物体出现小幅变异。人类的血型之所以会有不同，就是由于一种蛋白质出现了些许变化，而这种蛋白质控制着红细胞的表面结构。在一些人体内，参与制造黑色素（决定肤色的蛋白质）的蛋白质序列出现小幅变化，结果这些人就长出了红色头发。通常，生物体都能避开灾难性的变异，一旦遇上，自然选择就会从基因库中淘汰这些变异生物体。达尔文所论述的突变，大部分都是变化较小的变异，并不是经过人工选择的剧烈突变。

1990 年，人类基因组计划[1]成立，该计划旨在辨识人类基因组中的所有基因，并解读整套基因组的 DNA 序列（旨在更深入了解分隔基因的序列）。当时人们认为基因总数或许会达到 10 万个，不过在 2003 年发布完整的基因图谱时，人们发现，基因总数还不到 2.5 万个。就连果蝇和蛔虫的基因数量都达到了人类基因数量的一半，水稻甚至含有 4 万个基因。不过，即便人类的基因总数不

[1] 人类基因组计划是继曼哈顿计划、阿波罗登月计划后，人类科学史上又一伟大工程，除了具有重大的科学意义，如促成对生命起源与进化等生命科学相关课题的进一步研究之外，也被认为对治疗癌症、遗传疾病等有所助益。——译者注

多，这些基因也足以描述我们人类复杂的特性。当我们所说数字非常大时常称为天文数字，但宇宙中最大的数字最好还是命名为“生物数字”。这 2.5 万个基因可能的组合方式，实际上要比我们从宇宙中获得的规模大得多。不过这有些跑题了。生物体的复杂性是其自身生长的结果。正是基因表达的顺序和方式的不同，而并不是基因组所含的基因相对数量的影响，导致了物种间出现差异。鸡和小鼠体内都含有 hoxc8 基因，由于这个基因在鸡的体内开启的时间较长，所以鸡脖子比小鼠脖子要长。决定整个形体的基因称为同源异型基因。不同生物体的眼睛十分相似，譬如人类和苍蝇，这两种生物完全不同，但眼睛却很相像。实际上，所有的眼睛全都受 pax6 基因控制。水母的同源异型基因与决定人类体征的基因十分相似，而进化最能解释这种相似性。我们与水母在外表上有很大的差异是因为基因表达不同。词汇量丰富并不见得能成为伟大的剧作家（不过有些剧作家掌握的词汇确实很丰富）；即便凭借有限的词汇也可创作出伟大的剧本。写出好的剧本关键在于如何组合好单词，这也是生命语言的真谛，因为生命语言的词句同样非常少。

拿现存所有生物的基因组（DNA 分子）做比较时，我们就会发现，现存的生物都是同根同源。进化能够解释为什么现存所有的生物的遗传密码（编码 64 种三联体和 20 种氨基酸）都相同。同样，进化还能解释这种由密码编写而成的信息是如何随着时间流逝而不断改变，又是如何在不同物种身上发生变化（有时几乎完全没有改变）。由于一些变异会损害机体的重要功能，这样一来，变异后的弱势生物体便会遭到自然选择的淘汰，而一些未变异的基因从而得以留存了几十亿年。由于细胞在复制过程中出现错误（突变），非编码 DNA 发生变化，这种现象称为 DNA 漂变，可以当作生物时钟，用来测定所有生物共同祖先出现的年代。

既然蛋白质都是按照基因的指令合成的，那么，将不同物种的蛋白质进行比较是一种表明所有物种都有关联的等效方法。人类和酵母体中含有相似的蛋白质，它们发挥的功能近乎一致，但构成这两类蛋白质的氨基酸具有不同的排列方式。比较不同物种间相同的蛋白质，我们就能知道这类蛋白质的进化历程。既然人类和酵母的蛋白质功能相似，那也就表明了这两种不同的生物拥有共同的祖先。

如今，进化学家给生物进行分类的技术通常有两种：一种方法是比较化石生物和现存生物的解剖学特征，另一种是比较现存生物的 DNA。[1] 结合这两种方法，进化生物学可以转变为可测试的完备科学。DNA 层面的相似性，有助于验证宏观层面的堂 / 表亲进化关系。到了 20 世纪末期，分子生物学已经成为一种工具，能确定化石证据的真伪。达尔文认为，狗是几种不同犬科动物的后代，不过最近通过 DNA 的遗传对比发现，所有的狗都是灰狼的后代。我们曾一度认为河马和猪有亲缘关系，如今，通过遗传对比我们也发现，河马和鲸鱼、海豚及鼠海豚等鲸类动物关系较为密切。有时，由于进化环境相同，不同生物展现出了相似的外貌。形态学有可能误导大众。虽然蚯蚓和绦虫或许长相相似，却归属于不同的门（门下包含最广的生物类群）。DNA 的分析结果和生

[1] 化石中不存在完整的 DNA 长链，至于缺损的 DNA，偶尔可从保藏在冰或泥中的动物身上取得。

物所展现的外貌有可能存在差异。譬如，解剖比较的结果一度暗示大猩猩与人类的关系最为密切；DNA 分析却显示，我们和黑猩猩的关系稍微密切一些。分子生物学彻底改变了生物的分类方式。DNA 最终成了另一种化石证据。

以上两种技术使我们能够按照年代顺序将生物划分为不同等级。从另一个角度来看，我们很容易被这种观点所吸引：我们看到了进化的复杂性。我们总认为细菌比我们更加简单，而且又过于坚持我们所认为的复杂。我们心存偏见，总是从宏观的角度来看待事物的复杂性。

说不定我们永远都找不到现存生物的共同祖先，那段进化的故事已经遗失了。不过我们知道，单细胞生物是所有多细胞生物的共同祖先。我们能够找到许多远古的单细胞生物，从现有最完备理论中也可得知，这些单细胞的共同祖先还要更为古老。大多数单细胞生命体的分支都已灭绝，而其中一部分演变出多细胞生物，剩下的单细胞生命体则演变出更为高级的单细胞生物，地球上至今还存在这种高级的单细胞生物。

40 亿年前

人们曾经认为，所有生命都需要阳光的照射才能繁衍生存。阳光最多只能照到海平面以下 50 米的区域，这一水域称作透光带。然而就在 20 世纪 70 年代，人们在深海热泉附近发现了单细胞生命，这些单细胞生命体聚集在地壳裂缝气体溢出地带，那一地带的水深约为 2 千米。由于阳光照射不到 2 千米深的地方，那里的生物只能将水中的化学物质作为能源。由于水压很高，那些热泉的温度可达到好几百摄氏度。（在我们所处的大气压下，海平面处水的沸点是 100 摄氏度。压力越高，沸点也就越高。深海热泉处的压力是大气压的 250 倍。）人们推测最早生命体就是在这里生活的，因为只有在这种地方生活，单细胞生命体才不会受到外太空辐射的危害，才能够繁衍生息。人们将在深海热泉或其他极端环境下生活的单细胞生命体称作古生菌，这一称呼直到近代才出现。过去人们常常将古生菌和其他细菌混为一谈，并一度认为，只有在极端环境下古生菌才能存活，但如今我们已知道，这类生物可在不同环境下生活。直至今日，它们的数量仍占地球总生物量的 20% 左右。

人们在西格陵兰阿基拉地区发现了 38 亿年前的岩石上的化学物质，这些化学物质或许是迄今所发现的最为古老的生命证据，不过这项研究结果存有争议。此外，人们对与岩石同年代的称为叠层石的化石证据也颇有争议。在西澳大利亚可以找到叠层石，人们认为叠层石是由名为蓝细菌[1]的早期单细胞生命体构成的。蓝细菌类似于水塘表面的绿色浮渣。

海水冷却后，能将阳光转化为养料的生命形式出现，它们把二氧化碳转化成糖和氧，这个过程称为光合作用。蓝细菌可能由生活在深海热泉周边、非光合作用型的生命体（古生菌）进化而成。还有一种可能，那就是蓝细菌和古生菌各自从所有生物的共同祖先那儿进化而成。蓝细菌是浅海海域最早出现的生命体，它也为地球带来了最早的氧气，而在光合作用过程中，氧气不过是无用

[1] 就是之前所称的蓝绿藻。如今“藻”字只可指称比较复杂的生命形式。

的产物。有证据显示，蓝细菌在35亿年前就开始分解二氧化碳并释放氧气。可以说，世界上的所有氧气都是光合细菌带给地球的礼物。没有细菌就没有氧气。

地球上最早的氧气并没有进入大气层。由于此前的地球从未接触过氧，一旦接触了氧气肯定要“生锈”。地球上所有能被氧化的物体都被氧化了。我们在地底深处见到的红色氧化区带，就是发生生锈现象的证据。直到氧化过程结束后，大气中的氧气含量才开始有所提升。这个过程花费了很长时间。就算到了24亿年前，大气中的氧气含量也只提升到0.1%；直到20亿年前，氧气含量达到3%。如今地球上的氧气含量为20%。

最早的古生菌生活在深水区域，如此一来就可以避开紫外线辐射的杀菌作用，得以保全性命；最早的浅海海域生物体藏匿在碳酸钙或白垩颗粒后面，借此保护自己。二氧化碳可溶于水，形成多种碳酸盐。最早的光合细菌都将碳酸钙当作护盾。当细菌死亡后，碳酸钙颗粒就会下沉，最终形成白垩层。所有白垩都是通过这种形式形成的，组成白垩的成分实际上都是十分纤小的骸骨，单凭肉眼是看不到的。石灰岩是碳酸钙的另一种形式，不过它是由复杂生物体的外壳构成的，因此还要再过几十亿年才会出现在地球上。早期细菌使用碳酸钙保护自己，这一点就暗示了所有生命形式都是相互关联的，也证明了进化现象确实存在。原始细菌的保护盾后来演变为更高极的生物保护壳，随后还演变成了骨头（可以说这一改变很巧妙，将保护壳放在体内并用以承载体重）。直至最后，这群生物将会离开有浮力的海洋，随即开启陆上生活之旅。

白垩的形成还有一个作用，它可以将大量的碳锁定，协助控制温室效应。此后，碳也会被固封在煤炭和石油中，它们是生命过程中产生的产品，而后经历地质时代的压缩作用形成。火山运动在反馈环中对碳物质重新进行了分配，这一过程可验证英国科学家、自由思想家詹姆斯·洛夫洛克（1919—　）提出的盖亚假说。洛夫洛克早在 20 世纪 60 年代便提出了这个假说，他的假说在当时无人问津，直到 20 世纪 70 年代时，他的假说才成为颇具争议的课题。在希腊神话中，盖亚是地球的化身，其字面意思是“大地的祖母”。地球的生物与非生物间存在密切联系，盖亚就是对这一观点的认识。海洋将热量散播到全球各处，山脉创造出的天气体系协助维持全球反馈系统的平衡，同时，这个系统也向外延伸，将月球和太阳的活动囊括在内。在过去几十亿年中，温室效应和大气中氧气含量的关系变得十分微妙，这可以说是地质活动和生物活动造成的后果。如果没有温室效应，全球温度有可能比现在低 15 摄氏度，不过我们现在担心的是，人类活动会不会造成（或已经造成）温度升得过高。

地球在变得适合生命体居住之后，古生菌和细菌在相当短的期间内（说不定只花了几亿年时间）就发展出精密的分子机器。20 世纪 80 年代，弗雷德·霍伊尔和斯里兰卡天文学家钱德拉·维克拉马辛（1939—　）提出，在这么短暂的时间内不可能造出如此复杂的机器，甚至连最基本的细菌也无法成形。他们还表示，这个过程就相当于以旋风般的速度用废料场中的机体残骸组装出一架波 747 客机。根据他们的计算，随机组装出一个氨基酸的概率为 $1/10^{20}$，既然一个细菌可能由 2,000 种蛋白质构成，那么随机组装出细菌的概率至少为 $1/10^{20\times2000}$，即 $1/10^{40000}$。从中我们也可知道生物数字要比天文数字大多少。可见宇宙所含的基本粒子数量“只”有 10^{80} 个。霍伊尔和维克拉马辛的论证有个瑕疵：大自然组装复杂事物并不是从头开始。自然选择就可以解释这一点。只要带有优势，不论优势有多小，被选中的概率都会提高。假如某种蛋白质能加快某种反应的速度，那么相对于保持反应速度不变的蛋白质，能加快反应速度的蛋白质被选中的概率就会更高。(另一点也同样重要，凡是大幅减缓反应速度的蛋白质，全都会被取消竞争资格。) 自然并不从所有可能的事物中筛选，而是从现存的种类中挑选。蛋白质粗陋与否并不重要，重要的是这种粗陋的蛋白质要比其他蛋白质有更好的作用。

化学物质是如何演变成生物体的，目前尚不得而知，这也是进化中缺失的故事情节。很多科学家都相信，我们很快就能得知无生命的原子是如何演变成有生命的分子结构的。生命是自我组织和自我复制的过程。生命是由能进行自我复制的化学物质集合而成的，这类物质称为聚合体。人们设想，生命起源前的生物分子历经数亿年的进化，通过自然选择逐步形成了能进行自我复制的分子。这一过程中的细节至今仍不清楚，但很少有科学家对此表示怀疑。

尚不清楚地质活动和有机体的活动以何为分界线。不仅生命来自于无机的自然环境，就连我们所认定的生命形式，免不了都要和行星的无机活动紧密相连：海洋、火山、山脉和生物活动相互交织，连为一体。

牛顿认为炼金术或许能告诉他是何种圣物能让物体富有生命，并且可从动植物及晶体等无机物中寻得。当我们得知生命体是如何从非生命体中进化而来时，有机世界和无机世界便会形成连续的图谱。到时候，人们就可将非生命体与生命体区分开来。同时，我们回顾进化历程时，不单能追溯出古生菌和细菌的共同祖先，还能了解太初时的氢、宇宙大爆炸现象，甚至可能到达多重宇宙空间，或是到达我们所在宇宙的初始节点。我们将会知道，生命是如何被写进自然法则中的。关于以下的这些问题，我们也会更接近正确答案：我们所说的生命是指什么？生命还有哪些其他形式？我们会天马行空地想象出哪些生命形式，这些生命形式具体会是怎样的？

30 亿年前

地球出现生命后大约又过了 10 亿年，单细胞的古生菌和细菌仍是仅有的生命形式。实际上，地球上的古生菌和细菌至今依旧数量庞大。单细胞生命形式的长久存续，表明了生命和非生命间的关联十分密切。从古生菌和细菌是由单细胞构成来说，它们是现存的最简单的生命形式，不过就连单细胞的细菌体内都含有 10^9~10^{11} 颗原子。它们存于世间的时间最久，可以说是适应性最强的生命形式，也被一些人认为是进化程度最高的类群。

细菌是生命在地球上持续存活的关键所在。它们不仅将生态系统中氧气含量维持在平衡的数值，还维持着氮、碳和硫的均衡。它们还参与了原油的形成。若没有细菌，木材也不会腐烂。如今还发现，有些细菌藏匿于离地千米深的岩石中，在没有氧气的条件下慢慢消化那里的有机物质，每隔千年左右才分裂一次，肯定是地球上最慵懒的生命体。细菌甚至还参与地下金属的沉积作用。

在高等生命形式出现之后，细菌并没有显得十分多余，事实恰好相反：它们繁衍生息，比起多细胞生命形式，它们的生存能力可能还更强。假如往后出现大灾变，能够存活下来的大概就是细菌了。目前已发现有些细菌能在硫酸中存活，有的甚至能在核废料中生存。部分细菌体内含有磁铁矿晶体，这可帮助它们根据地球磁场确定方向。有证据显示，有些生命形式确实能在与地球极为不同的环境中繁衍生息，很显然，这些所谓的简单生命不一定只能在和地球完全相像的环境下存活。

这或许就清楚表明了，当大灾难发生时，哪种生命形式最能适应恶劣的环境。就人类自身而言，必须运用高度进化的复杂大脑才能胜过自然，但既然我们的复杂度是从自然中进化出来的，这场比试我们注定赢不了。另一方面，细菌早就通过了大自然给它们的种种历练，它们最初生活的环境比当下的环境要艰苦得多，但它们依旧存活了下来。

人类与火山开展了一场竞赛，看看谁能在维系碳平衡的活动中胜出。一旦盖亚需要重新平衡整个星体来调和各种扰动，人类到时候恐怕也得不到什么好处。假如人类消失了，细菌体很有可能还会存活，等到时机成熟，还会继续进化下去。不论人类能不能逃过盖亚的惩罚，一旦细菌消失，人类也没办法生存。没有细菌我们就没办法存活。细菌已经融入这颗星球的生命当中了，不仅如此，它们还参与人类身体机能的运作。人体内细菌细胞的数量是人体细胞数量的 10 倍，其中多数细菌存活在皮肤表层及消化道内。

20 亿年前

古生菌和光合细菌都属于没有细胞核的单细胞生物，统称为原核生物，字面的意思是“在有核心之前”：在希腊语中，核的单词为 *karyose*。距今 20 亿年前至 15 亿年前，最早的单细胞真核生物出现了，这群生物的细胞中都具有一个细胞核。细胞核储存并保护着 DNA。目前尚不清楚真核生物是否由原核生物进化而来，不过这两种生物肯定拥有共同的祖先，而它们的祖先与它们本身差别也很大。现代 DNA 分析结果表明，给原核生物下定义没有意义；原核生物不过是古生菌和细菌这两种不同菌体的统称。甚至也有迹象显示，古生菌和真核生物的关系可能比它和细菌的关系更为密切。看来氧含量提升到足够高（约为 0.4%），足以适合较复杂的生物存活的时候，单细胞真核生物就出现了。

20 世纪 60 年代末由美国生物学家林恩 · 马古利斯（1938—　）所推广的理论目前普遍为人所接受。这一理论提出的观点认为，有些原核细菌在融入真核生物中后化为了细胞器。细胞器是对叶绿体和线粒体[1]这两种新式结构的统称。马古利斯提出，原核生物借助共生行为转变成其他单细胞生物的细胞器。有个事实可作为这项理论的论据，那就是细胞器内的 DNA（由侵入的原核生物形成）和寄主细胞核所含有的 DNA 完全不同。

带有叶绿体的真核生物称为原生植物，带有线粒体的真核生物称为原生动物。叶绿体能够提高植物光合作用的效率。原生动

[1] 线粒体是制造细胞所需能量的“发电厂”，是细胞极为重要的细胞器。其主要功能是把呼吸得来的氧气及分解糖类所产生的丙酮酸一道转化成能量（ATP）。——译者注

物的线粒体使得细胞能以氧气作为燃料。也正是这些细胞器将植物和动物区分开来。

所有的生命体依然都属于单细胞形式，生存空间也仍局限于海洋。

10 亿年前

一般认为，多细胞生物最早出现的时间约在 12 亿年前。当时地球只有单独的一片陆地，这片陆地称作罗迪尼亚超大陆。[1] 根据推测，多细胞生物刚开始时曾是众多单细胞生物以松散合作的方式共生生存，直到后来才变得越来越复杂。有些能进行光合作用的真核生物集结成群，发展成为最早的海藻（隶属红藻类群）。海绵类也属于原始多细胞生物。目前人们尚不清楚单细胞生命体进化成多细胞生命体的具体步骤。在其后的一段时期内（我们同样并不清楚这部分机制），部分真核生物进化出了性行为：一颗卵子（一种细胞）在分裂之前经历的受精过程。

生命可能以单细胞形式持续生活了 30 亿年，但在出现能够产生多细胞生物的机制后，这种生命形式没有理由不出现，按照地质学的说法，这种变化可以说是一夜之间突然形成的。事实上，一旦条件成熟，这种多细胞生命形式必然会出现。

约 5.5 亿年前，进化的步伐又一次加快，同时，硬体动物也第一次在化石记录中出现。这段时期之前的化石尚未被发现，这在

[1] 罗迪尼亚超大陆约在 7.5 亿年前再度分裂。

达尔文时代之前一直是个未解之谜。达尔文也认为，这一点对他的进化论构成了最大威胁。如果他连过渡物种缺失这一问题都难以解释清楚，那么比 5 亿年更早的化石为什么连一个都找不到，就更难解释了。

1980 年之前，分子生物学也还没有真正发挥作用，当时只能靠极少的化石记录勾勒出进化的发展过程。化石记录的确惹人心烦：早于 5.5 亿年之前的化石连一个都找不到，不但如此，随后生命形式还一举爆发出现。寒武纪大爆发的证据相当引人瞩目，其中最抢眼的当属伯吉斯页岩。伯吉斯页岩是 1909 年在加拿大洛基山脉发现的化石层岩，不过直到 20 世纪 80 年代，经过重新检查后，出土的化石才真正彰显重要意义。1989 年，美国生物学家史蒂芬 · 杰伊 · 古尔德（1941—2002）出版了《奇妙的生命》一书，在书中，史蒂芬将对于伯吉斯页岩的研究发现公之于世。这样一来，情况变得明朗了，在漫长的地质年代中，任何物质似乎都没有太大变化，随后便进入进化高速发展的时期。

1954 年，美国生物学家恩斯特 · 迈尔（1904—2005）观察到有些大型种群长久以来都维持稳定状态，没有展现出该有的进化改变，这和自然选择理论的推测并不相符。在 20 世纪 70 年代，古尔德和美国生物学家尼尔斯 · 艾崔奇（1943—　）首次针对这项进化停滞的意义展开探讨。伯吉斯页岩这一证据似乎进一步验证了猛然改变的时期之后，稳定是基本常态，艾崔奇和古尔德将这种现象称为间断平衡。如何解释为什么在基因层面已经出现变化的情况下，种群还能在数百万年间始终维持稳定状态，成了大家热议的话题，有时还会引发人们的激烈争辩。

进化可以归结为基因之间的竞争，这一观点由英国进化生物学家理查德·道金斯（1941— ）写进了他的名著《自私的基因》（1976 年）中，随后才变得流行。进化必定发生在基因层级，因为特质唯有靠基因才能从一代传给下一代。然而自然选择并不只对基因起作用，而在每个尺度都能发挥作用。艾崔奇表示，道金斯的观点用来研究代际间的进化现象时效果最好，然而若想“把它当成包括生命历史上大规模事件的一般进化理论，那就没什么效果了”。要想把生物体（或族群）层面的进化改变和遗传层面的变化关联起来是非常困难的。这当中的机制还不明朗，各家说法莫衷一是，没办法解释环境、基因和基因表达造就的生物体之间是如何互动的。

比较基因与族群哪种更为基础其实并没有什么意义。这就仿佛是询问椅子或者构成椅子的原子哪个比较基本。倘若我们谈的是椅子，那么到了原子水平，椅子也就没有意义了，因为原子并不具备椅子的特性。大型结构（椅子和猫）具有只存于宏观世界的特性（椅子和猫的本性）。然而组成结构的原料并不具备这些特性。不过，倘若我们想知道椅子是以什么材料制成的，那么我们终究还是得谈到原子和亚原子粒子。

寒武纪大爆发之所以看来是一种大爆发，是因为它达到了我们认知层面上的复杂尺度。如果我们认为新生物种比古老物种更为复杂，而这种复杂性可能仅仅体现在分子水平上，那么我们就把自己置于一种优越的地位。倘若我们单凭事物的尺寸恰好与我们本身相当，就认为那件事物是特殊的，那么我们恐怕就要陷入反哥白尼窘境。最早造就出多细胞生命形式的改变，正佐证了进化似乎加快了步伐。而硬体生物首度现身，同样也构成了另一项证据。至于进化是否实际加速，或者只是表面如此，也许就要看侧重的是哪方面了。进化看来加速进行，因为我们人类比较注意多细胞生物或硬体生物。

由于寒武纪清楚分明又深具历史意义，这段时期已经成为地质定年作业的核心。从寒武纪大爆发开始，往后延续至今的约计 5 亿年时间称为显生宙。“显生”一词意指“生命显现”。寒武纪大爆发之前的所有地质时代统称为前寒武宙，这段时期久远得不成比例，可以逆向延伸直溯地球于 45 亿年前形成之时。

宙又细分为代。前寒武宙的最后一代称为新元古代，从 10 亿年前延伸到 5.42 亿年前的显生宙起点，这同时也是古生代的起点，以及（再经细分的）寒武纪的起点。近代之前，大型生物的证据还都以寒武纪为起点，不过在 20 世纪期间，人们也开始搜集到生存于寒武纪之前时期的大型生物的证据，不过对那项发现的诠释工作倒也花费了一些时间。这段时期在 2004 年被命名为埃迪卡拉纪。我们就是在这个时候加入所谓的地质时期，成为其中一分子。

前寒武宙的尾声

新元古代（从距今 10 亿年前到 5.42 亿年前）

埃迪卡拉纪（从距今 6.30 亿年前到 5.42 亿年前）

尽管找不到在这段时期之前的大型生物，但也不代表那种生物完全不存在。就我们所知，最早的宏观生物是一种团状物质，称为埃迪卡拉生物群，看来就像“填满泥的囊袋或缝制的褥垫”。埃迪卡拉生物的样子仿如薄薄的芦苇叠层，于是这群生物才有广大的表面积，能尽量吸收最多氧气。这其中许多生命形式都属于最早的钻泥生物，要取得这项本领得先进化出体腔，也就是内含器官的囊袋。有了这种构造，早期生物才能钻穴，后来较大型的具骨骼生物也才得以弯折扭动身体。干燥的陆地上没有复杂生命，埃迪卡拉生物群和后续出现的生物类型似乎全无关系，这当然也就表示，埃迪卡拉生物群早和其他生物分家，各具漫长的后裔世系，同时在更久远之前二者肯定也具有共同祖先，只是没有保存在化石记录当中（也许是由于那种早期祖先太过柔软，没办法化为化石），或是形成了化石却还没有被发现。

类似水母的生物在那个时代也许已经出现。（不过我们直到近代还以为它们是后来才出现的。）水母的亲缘动物都属于刺细胞动物门。水母身体结构所具有的某些对称性，使得它们与后来我们认定更为复杂的生命产生了关联。

水母没有呼吸、循环或排泄器官，不具神经系统，也没有明确的头部，不过它倒是长了一张嘴，而且水母确实有分离的器官。水母没有脑，却拥有好几个眼睛。水母严重远视，不过视力足以区分日夜，也能辨别上下。

看来从最早期的时代以来，眼和脑就同时发育。我们用两种方式来视物，分别由双眼（接收光线的部位）和脑部（负责诠释、理解光线传递的信息的部位）进行，两者相互关联。多种生物的细胞（包括单细胞生物）里都含有由一种光敏蛋白质构成的分子团，称为视紫质。这种物质进化出来后，就一直出现在所有眼睛当中。

尽管如今还不明白原核生物的视紫质和后来进化出现的真核生物所含视紫质有何关联，不过看来二者确实有关，而且到后来，这类蛋白质还会构成更确凿的证据，确认从共同形式进化的进程。

约 6 亿年前，地球陆地再次合并构成单一的潘诺西亚大陆。这块大陆没有持续多久，区区 6,000 万年之后就渐渐分裂。

显生宙的起点

古生代（从距今 5.42 亿年前到 2.51 亿年前）

寒武纪（从距今 5.42 亿年前到 4.88 亿年前）

寒武纪定年结果曾经大幅修订，甚至到了 21 世纪仍有重大改变。有些权威人士把寒武纪的起点定于距今 5.7 亿年，甚或更早之前；不过在 2002 年，国际地层小组委员会（负责定义这类参数的国际团体）把寒武纪的起点定于 5.45 亿年前左右；随后到了 2004 年，这个年代又修订为 5.42 亿年前。那段时期的岩石最早在威尔士被发现。寒武纪的英文名 Cambrian 得自一个古老的威尔士部落的名称。

最早的带壳动物出现在寒武纪，隶属节肢动物门。这类带壳动物的典型特征是具有外骨骼而且身体分节。所有现代生物的身体形态，都传承自最早在寒武纪时期出现的动物。最早的节肢动物是三叶虫，这是一种古怪的生物，看来就像非常大型的鼠妇（又称土鳖或潮虫）。三叶虫存续超过 2 亿年，其化石大概是仅次于恐龙的第二著名化石。它们一度在海中大量繁衍，是一切生物中数量最繁多的类群之一。节肢动物构成未灭绝动物当中最大的门，包括昆虫、蜘蛛和甲壳动物等类群（全都在许久之后方才出现）。寒武纪时出现的“门”类，许多如今都已灭绝。说不定这其中有些动物还曾经在这段时期初探陆地留下足迹；此外所有动物全都局限于海洋。当时还没有陆生植物。地球表面就是一片贫瘠荒漠和海洋。

地球陆地在寒武纪时期排成两块大陆，分别称为冈瓦纳大陆和劳伦大陆。到了寒武纪尾声，据信曾有一次灭绝时期，许多物种在这段时期内全都灭亡或数量大幅减少。

各地质时期之间都有明显的大灭绝事件，化石记录也因此出现明显的变化。大灭绝的起因大都属于推测，不过也许多数都是由于火山活动增多，还有后续产生的温室效应变化。唯有这等规模的浩劫，才能颠覆各族群的安稳态势。不够剧烈的生态系统的改变，不能推动进化。火灾和风暴只会造成一时破坏。即便地方性族群遇害毁灭，生态系统仍能参照经历相似进化历史的相邻族群所含的信息重新自行修复。只要能找到新的繁殖地来维持现状，一个族群就可以轻易地适应缓慢移动的冰川。必须有牵涉整个星球、相当严重的破坏事件，才会促使新生物种迅速进化出现，比如地震、陨石冲击，或者大气所含温室气体陡然大幅变化。只有这种族群水平的总体安定现象，才足以解释为什么当这颗星球出现浩劫变迁的时候，进化似乎就将出现高速进展。

奥陶纪（从距今 4.88 亿年前到 4.44 亿年前）

早期地质学主要由英国地质学家主导。这个时期的名称，也得自英国的古老部落名称，下一个时期也同样如此。这个时期的苔类（介于苔藓和海藻之间的类群）化石，年代距今 4.75 亿年。最早的原始鱼类出现了，它们是最早的脊椎动物。地质史上总共发生了五次所谓的大灭绝事件，其中第一次发生在奥陶纪和志留纪之间。生存在当时的动物总计半数在这一期间灭绝。关于灭绝起因并没有达成共识，不过或许是出现了特别严酷的冰河期所致。

志留纪（从距今 4.44 亿年前到 4.16 亿年前）

距今约 4.40 亿年前，第一批呼吸空气的动物开始上陆定居。它们都是类似螨类的微小生物。就在那时，最早的真正植物也开始移居陆地，不过就这一点争议较大，有些说法认为陆地植物出现年代远比这段时期更早。最早的陆生动物开始分解第一批植物材料，排泄出第一堆堆肥。

根据在爱尔兰发现的化石，在距今 4.25 亿年前已经有肉眼可见的陆生植物。

地球的陆地在这段时期多半位于南半球，现今的撒哈拉沙漠当时还位于南极。

泥盆纪（从距今 4.16 亿年前到 3.59 亿年前）

约 4 亿年前地球上已经有蕨类植物、千足虫、蜘蛛及原始鲨类。有证据表明这时已经出现最早的淡水生命。带骨骼的有颌鱼激增。腔棘鱼便是其中一员，它们约在 3.9 亿年前出现，外貌保持不变存续至今。这种鱼类曾被认为在 6,000 万年前已灭绝，结果 1938 年在南非外海却捕获了一件活标本。种子适时地第一次出现。生物量从海洋向陆地转移。土壤充满螨和千足虫，还有肉食型生物吃它们，动物第一次彼此相食。两栖动物从类似腔棘鱼的类群演变出现。到了这时期的尾声，最早的陆生脊椎动物也包含了蝶螈状两栖动物。五次大灭绝事件的第二次发生在泥盆纪末期。近代思潮认为，在 300 万年间灭绝事件断续出现，起因各不相同。泥盆纪结束之际，已存在的生物中约有三分之一灭绝。

石炭纪（从距今 3.59 亿年前到 2.99 亿年前）

氧气含量提升至 35% 的高峰。大量蕨状树出现，不过和现代树种并无关联。后来这些树化石化且变成煤炭。那时有长达两米的千足虫。除了化石化的骨头之外，最古老的实体动物证据发现于苏格兰，那是在 3.5 亿年前的千足虫留下的化石化痕迹。最早的爬行动物出现，从它们和两栖动物的共同祖先进化而来。这段时期结束之际，爬行动物已经完全离水生活。节肢动物开始离开海洋。

二叠纪（从距今 2.99 亿年前到 2.51 亿年前）

部分昆虫（属节肢动物）进化出飞行能力。蜻蜓是最早征服一种崭新自然环境的生物之一。二叠纪结束之际，发生了规模最大的灭绝事件，96% 的物种灭绝。这个时期的地球只有单一陆地，称为盘古大陆，而且大半都是荒漠。这起大规模灭绝事件延续了 6,000 万年。依现有证据推断，祸首或许是一颗流星。

中生代（从距今 2.51 亿年前到 6,600 万年前）

三叠纪（从距今 2.51 亿年前到 2 亿年前）

最早的乔木（针叶树）出现，某些蜥蜴进化出鳄类，另外一些则进化出恐龙，当时已经有蜂类。三叠纪尾声又出现一起大灭绝事件。

侏罗纪（从距今 2 亿年前到 1.46 亿年前）

约 2 亿年前，盘古大陆开始分裂。侏罗纪的优势类群是爬行动物，特别是恐龙。始祖鸟和能够飞行的爬行动物进化出现。约 2 亿年前，龟类和智齿动物都出现了。当时还有蝇类、白蚁、蟹和龙虾。

白垩纪（从距今 1.46 亿年前到 6,600 万年前）

最早的哺乳动物——有袋类动物出现。原始的袋鼠在 1.36 亿年前业已出现。昔日曾以为，哺乳动物直到恐龙消失之后方才出现，其实两个类群曾经同时生存至少 6,500 万年，只是当时哺乳动物并没有大量繁衍。这时昆虫纲的主要类群全都出现了。开花植物很晚出现，约 6,500 万年前才现身。禽鸟型恐龙进化出鸟类。

最后一次大灭绝（眼前这次不计）发生在 6,500 万年前，恐龙就是在那时灭绝的。尽管大灭绝事件的起因多半都属猜想，但对这次灭绝的祸首却大体已有共识。1978 年，美国地质学家沃尔特·阿尔瓦雷兹（1940—　）和他的父亲物理学家路易斯·阿尔瓦雷兹（1911—1988）提出一个观点，认为大概在那个时期，有一颗直径 10 千米的彗星撞击地球。1984 年 5 月，证据浮现，显示在 6,440 万年前，曾有一颗直径 30 千米的彗星击中墨西哥尤卡坦半岛，那是自上一次大爆炸结束之后，太阳系最严重的一次碰撞。目前也有人支持另一项理论，认为灭绝恐龙的是一座火山。全球浩劫打断进化停滞期，清出生态区位，让进化得以高速进行。恐龙被淘汰了，其他所有动物也有半数就此灭亡，于是哺乳动物才得以繁衍兴盛，不过早年进化出现的哺乳动物，后来大多也都灭绝了。

新生代（从距今 6,600 万年前到现今）

古近纪（从距今 6,600 万年前到 2,300 万年前）

胎盘哺乳动物最早是在什么时候出现的目前仍不清楚，不过我们从化石证据得知，到了古新世早期，它们肯定已经现身。从 DNA 证据当中能推断，所有胎盘哺乳动物有可能都源自距今 1 亿年到 8,500 万年前的共同祖先。然而缺了化石证据，这项预测依然存有争议。最早的灵长类动物在古近纪早期出现。DNA 分子钟同样表明，它们都源自年代早得多的同一祖先，其有可能生存于白垩纪中期。

兔和野兔类群在 5,500 万年前出现，喜马拉雅山脉在 5,000 万年前开始隆起。地球表面看来和现今已经很像，除了澳大利亚仍与南极洲相连。蝙蝠、小鼠、松鼠和多类水禽（包括鹭和鹤类）都在这个时期出现，鼩鼱、鲸和现代鱼类也都出现了。主要植物全部现身，禾草类进化出现。

约距今 3,000 万年前或更早之前，冰河期成为地球生命史的常态特征。较早的冰河期一向规模宏大，不过只间歇出现。冰河期指南、北半球都存在冰层的时期，这表示严格而言，我们仍身处冰河期。

到了 2,600 万年前，北美到处都有幅员辽阔的大草原。草原出现之后，马类等食草动物也进化出现。原始猿类也栖息在草原上——同时还有猪、鹿、骆驼和象。

新近纪（从距今 2,300 万年前到现今）

中新世（从距今 2,300 万年前到 530 万年前）

纪又可细分为世。这时我们已经越来越接近我们这个时代，可以更详细地审视地质时代。现代鸟类的所有科全都出现。许多哺乳动物进化出我们能认出的现代的属：比如鲸类出现了抹香鲸属。褐藻（也称巨藻）在这时出现，于是水獭等新的海洋生物物种也得以进化出现。

中新世期间约有 100 种猿类存活。分子证据暗示，黑猩猩、大猩猩和人科动物，在距今 1,500 万年到 1,200 万年前的某段期间开始分道扬镳。

地中海在 1,500 万年间曾经几度干涸：从距今 600 万年前起约计 40 次。推到更久远的过去，这类细节我们就无从得知，因此我们越靠近我们这个时代，故事只会变得越发复杂。

上新世（从距今 530 万年前到 180 万年前）

上新世开始之际，人类和黑猩猩的共同祖先在开阔的草原四处活动。我们的两足祖先在距今 500 万年到 300 万年前开始出现。

最近一次冰河期始于约 200 万年前。间冰期持续了 6 万~10 万年，洪水退去用了 1 万年（若是推到更久远的过去，这类细节同样无从得知）。这段冰河期的高峰阶段，冰层覆盖地表的面积是现在的 3 倍。海平面下降达 130 米。最近这次冰河期的间冰期，有可能是喜马拉雅山阻碍大气环流的作用所致。还有一种猜想则是，这几次间冰期的起因，主要都是地球轨道和地轴发生改变，而不是像久远的过去，肇因于太阳温度或温室效应的改变。

更新世（从距今180万年前到11,800年前）

北美和欧亚大陆全境的大冰层反复地挺进、退却，覆盖地区往南直达北纬40°，相当于丹佛或马德里所在的纬度。温度在过去90万年间剧烈变动。当时气温始终低于现在，有时还寒冷很多。草原退却，出现干冷沙漠。最新近的冰河期约从7万年前开始，于2.1万年前达到最冷高峰。

全新世（从距今11,800年前到现今）

在全新世的开端，天气变得比较温暖。人类开始从事农耕。

我们仍在逐步脱离最后一次冰河期，这就能部分解释为什么北极冰层、格陵兰冰雪和阿尔卑斯山冰河都在融解。不过各界达成了共识，融冰受人类的影响而加速，远超应有的速度。

如今科学界认识的动物共计180万种。数百万种微生物仍未命名。现今存活的生物种数，和自古以来的物种总数相比可以说微乎其微，比例小得无法想象。

人类凭借机运才从浩渺深邃的光阴和多重进化的生命形式当中脱颖而出，这样看来，宇宙铺陈出的复杂性故事显然不是关于我们的。那么我们是不是已经在自然多样性当中迷失了路途？我们是否发现自己有不足之处，也并不优越？并不是，或起码还不完全是这样。我们有能力描述本身所属的世界，就我们所知，人类仍然是第一个拥有这项本领的物种，这一点确实让我们显得非常优越。

第
12
章

进出非洲

我一眼就知道，我手中捧的并不是普通猿猴的脑子。这件嵌在石灰沙里的脑子复制品，有狒狒脑子的三倍大，也比任何成年黑猩猩的脑子都大上许多。[1]

——雷蒙·达特在 1925 年谈到他第一次手捧一件颅骨时的心得，后来那种动物被命名为非洲南方古猿，简称非洲南猿。

是否有任何理由来假定，讲述日渐复杂的一段故事，就得让我们把注意焦点转移到人类身上？为什么不专注于其他生命形式（好比细菌），还有，为什么非得是生命形式？我们本能地觉得，宇宙始终朝着更复杂的结构不断演变，不过要证明这一点可不容易。正如物理学家埃里克·沙松所说：“最原始的野草……肯定都

[1] 引用自达特所著《冒险缺失的环节》（*Adventures with the Missing Link*，1959）。

比银河间最繁杂的星云更为复杂。”不过就算我们猜想这是事实，也很难澄清其中原委。沙松提出了一种方式：根据任意给定系统（无论那是一株野草或是一个星系）相对于其本身尺寸处理了多少能量，整理出一套复杂性层级结构。我们可能会猜想，野草相对于本身尺寸所处理的能量比星系还要多。这种对比策略有可能让我们信服，说不定大脑的确是宇宙中最复杂的结构，起码在我们所知的范围内确是如此。甚而还有理由得以假定，相对于身体尺寸，人脑是所有生物的大脑中最大的或接近最大的一种。人脑是由约 1,000 亿个神经元连接而成的网络，其中每个神经元都和其他多达 1 万个神经元相连。不过严格来说，如果按这种推算方法，这顶桂冠也许应该被颁给鼩鼱。

由于人类不断讲述这段故事，它才能够保留下来。我们必须通过思考来描述世界，但思想属于心智范畴，作为唯物论者，我们会认为心智是大脑自然产生的一种属性。倘若大脑与这个日渐复杂的故事紧密相关，我们或许就会认同，故事真实讲述了我们类人祖先大脑的增长过程。由于我们认同哥白尼的学说，我们必然相信，此外还有许多故事讲述者仍然在讲述相似的故事。

我们的类人祖先只留下为数不多的化石化骨骼。这几千件标本大部分都是碎片，只有极少数几件是整颗颅骨或是完整的骨架。在几千件遗骨中，古人类学家[1]只凭区区几百件便勾勒出人类世系的演变。准确地说，由于实物证据十分稀少，人们只能借助创意和想象，外加大量思索与推敲，来推动这个新兴科学领域的研

[1] 古人类学家的英文单词 palaeoanthropologist 衍生自希腊文 palaios（“古老”）和 anthropos（“人”）两个单词。

究进程[1]，这十分具有讽刺意味。

古人类学家不只对颅骨及其各部分的标本有兴趣，他们对骨盆及其各部分的标本同样很感兴趣。这些部位揭示了人类日渐增长的脑部尺寸和逐渐变化的行走样式。

现在我们要让关注点更集中一些，着眼于人类从最早的灵长目动物向后发展的几千年间。在这一时期，化石记录出现断层的现象更为明显，也更令人束手无策。过去几十年间，DNA 证据开始帮助我们填补时间记录中的缺口，也对化石携带的信息进行了补充。一般而言，从化石中无法取得 DNA 证据。[2] 因此，目前我们对人类和其他现存物种之间关系的认识[3]，多于我们对人类和类人物种之间关系的认识，因为类人物种要么就只留下化石化的骨骼，要么就没有留下任何痕迹。2006 年，在西班牙东北部

[1] 圣髑监护人（如果真有这种职位的话）也得面对相仿的使命：如何从赝品中鉴别出大部分真正的圣髑。罗马天主教圣髑分为三个等级。第一等圣髑为圣人身体部位或者与基督的生活有关的一切事物（好比秣槽或十字架）。约翰·加尔文（John Calvin）曾经表示，倘若将所有被宣称为真十字架残部的物件聚拢起来，所得原料足够造出一艘船。然而，1870 年的一项研究却显示，这类残料累加起来，总重量还不到 1.7 公斤。二等圣髑是圣人生前曾经接触的一切事物（好比衣物）。三等圣髑为曾与一等圣髑碰触的一切物件，比方说曾经用来包裹圣人遗体的布匹。罗马圣彼得大教堂藏有四件重要圣髑，不过教会并不曾指称那些物件为真品，而且相同圣髑在其他地方也找得到：里面有真十字架残部、戳刺基督身侧的圣矛（Holy spear）、圣安德烈（St. Andrew）的头颅和韦罗尼加圣帕（Veronica's Veil，一块带有基督圣容的布）。世界各地共有三颗施洗者圣约翰的头颅，两具教皇西尔维斯特（Pope Sylvester）的身躯，28 根圣多明我（Saint Dominic）的拇指和手指，这就产生了一道古怪的难题，得由这个特殊领域的生物分类学家来设法解答。有一次我去锡耶纳（Siena）一家博物馆参访，那里藏有许多重要圣髑，都经过了仔细分类，不过更让我吃惊的是摆在廊道最远展区的几坛遗骨，上面都只标示着"某位圣人"，仿佛极力想确切判定归属却徒劳无功。

[2] 迈克尔·克莱顿（Michael Crichton）1990 年的小说《侏罗纪公园》中的情节正是基于这样的假设：恐龙 DNA 不是从化石中取得的，而是得自保存在琥珀当中的侏罗纪时期的蚊子所吸食的血液。

[3] 那种关系本身也可以用来追溯人类的进化过程。人类向来都和体内的微生物协同进化。举个例子，当我们借由一种叫作转糖链球菌的口腔细菌进行追溯时，会发现人类的祖先来自非洲（《新科学家》，2007 年 8 月 18 日）。

第一次发现了化石化骨髓，保存在 1,000 万年前的青蛙和蝾螈的化石化骨骼里。骨骼在化石化过程不见得都会完全石化，有时还出现非常罕见的事例，就如这次的情况，骨中柔软组织也可能随着部分石化的骨头一并保存下来。我们可以想象，重新检视现有藏品或许有可能成就这种发现，不过想来博物馆馆长都不会愿意破坏他们收藏的稀有遗物，因为出现比遗物稀有的发现，其可能性微乎其微。

用上现有多种技术得出的结果显示，在距今 1 亿年至 6,500 万年前的某段时期，有一种类狐猴灵长目动物从食虫动物的祖先中进化而来。约 2,500 万年前，我们的这种狐猴远祖开始分化出类人猿灵长目动物：旧世界猴、新世界猴和猿类。人类就是源自最后那个分支：猿类。

约 1,900 万年前，猿类已经分化出小猿和大猿两群。举例来说，长臂猿就是一种小猿。所有小猿和大猿以及它们已灭绝的亲属种类统称为古猿。昔日曾经存有几十种古猿。古猿进一步分化，其中一支包括了非洲大猿和亚洲大猿及它们已灭绝的亲属种类，统称为人科动物，指人类及其祖先。亚洲大猿类群只有红毛猩猩存活至今。分子证据显示，红毛猩猩和非洲猿源自一种共同祖先，在距今 1,200 万~1,600 万年前才分道扬镳。在这里化石证据帮不上忙，因为约从 1,600 万年前起，来自非洲的化石记录一度消失，直到 500 万~600 万年前才重新出现。这段遗缺时期的大猿化石都来自于欧洲和亚洲。我们可以假定大猿仍在非洲继续进化，但是雨林的酸性土壤环境导致化石不易生成。此外还有一种支持率低得多的假设：大猿离开了非洲，在欧洲和亚洲进一步进化，随后才回返非洲这个人类起源的重要地点。无论真相为何，测定结果属于过去数百万年间的人科动物化石，全都发现于非洲，表明我们的起源就在那里，和达尔文的猜想相符。

非洲大猿只有三群后代存活下来：黑猩猩[1]、大猩猩和人类，这个类群（和它们众多已灭绝亲属种类）统称为人亚科。黑猩猩有两个种类存续下来：普通黑猩猩和巴诺布猿（*Bonobo*，学名为 *Pan paniscus*，早先称为 Pygmy Chimpanzee，又译为倭黑猩猩或侏儒黑猩猩）。遗憾的是，化石记录中却找不到关于黑猩猩的证据。

我们从分子生物学得知，人类和大猩猩在距今 800 万~600 万年前分化开，人类和黑猩猩则或许是在 500 万年前分化开。[2] 大猩猩和黑猩猩的祖先分化出众多已灭绝两足式祖先，这个类群称为人族。

人类是唯一存活的人属种类，同时是智人的唯一劫余，也是晚期智人亚种的唯一成员。有些文献把尼安德特人归为尼安德特智人亚种，或许更可靠的做法是把他们归入一个单独的人种：尼安德特人种。

要拆解这组俄罗斯套娃，古人类学家就必须想办法断定，化石看来更像猿（意思是比较像黑猩猩或大猩猩），而不是更像人，这种区分有时看来似乎有点武断。每当人和猿相遇时，二者之间的相似之处可能会更凸显。1839 年，红毛猩猩珍妮在伦敦展出时，维多利亚女王曾去观看，女王在她日记中讲道，那个动物“很可

[1] 有一点令人不解，黑猩猩有时会被大众轻率地称为猴子。其实严格来讲，猴子和猿类根本就是两码事。

[2] 关于人类和黑猩猩在何时出现分化并无共识，双方极有可能早在 800 万年之前业已分家。

怕，还那么像人，像得令人痛苦而不快”。也许珍妮同样感到震惊。女王体会到的恐惧，连达尔文早期的观点，即物种分别创生且固定不变，都无法使之减轻。对一位女王而言，她的每一个举动都建立在这样一种信念之上：教养高于一切，那种令她反感的相似性尤其使她感到不安。达尔文也去看了珍妮，他的体验就不同了，他在日记中以毫不掩饰的拟人手法写道，珍妮充满顽童般的喜悦，“人类傲慢地认为自己是一项杰作……谦虚一些吧，我相信真实情况是他从动物演变而来。”这段话在他发表进化论的20年前被记录下来，是对于珍妮带给他的强烈心理冲击做出的回应，对于他而言，她就像是一位突然出现在面前的远亲。

要指明谁是最古老的人族祖先是办不到的，虽然就目前所知只有少数候选种群。乍得沙赫人化石的定年结果为700万年之前。有些权威人士引证这个物种为人属最古老的已知祖先，然而这基于一项假设，就表示黑猩猩和人类的分化时期比距今700万年之前还要早，而不是分子分析所显示的距今500万年前。如果将时间拉近些，那么乍得沙赫人很可能就将归入后来分化出黑猩猩的分支，而不是分化出人类的分支。相同道理，有种卡达巴地猿始祖种化石的定年结果介于距今580万~520万年前之间，这个种类或许也归入黑猩猩分支，不属于人类一脉。图根原人的处境相同，那也是一种人族祖先，同样大有可能隶属黑猩猩或大猩猩分支。图根原人的生存年代为距今610万~580万年前。

就人类方面共识较多，一般认为人类所属分支源自人族的一个属，即南方古猿，简称南猿。这个类群最早约在400万年前出现。

不过南猿有两类：一类身形比较修长（人类学界使用“纤细”

一词），也许和我们的直系祖先（不管属于哪个类群）密切关系；还有比较粗壮的傍人（归入傍人属成员），这个类群的臼齿很大，可以用来咀嚼植物，约 270 万年前和体态纤细的那群南猿分开，接着在略超过百万年之后就完全灭绝，那时早期人类早已出现，双方同时生存了很长时间。

名为南方古猿阿法种的一类更新纪灵长类动物生活在距今 400 万~300 万年前，后来进化成了许多其他的古人类。最著名的阿法种南方古猿名叫露西，代号是 AL288-1。1974 年，露西在埃塞俄比亚被发现，她的化石骨骼有 318 万年的历史。她的脑容量约为 380~430 毫升，介于现代人类大脑容量的三分之一到四分之一之间。

非洲南方古猿身高约为 1.2 米，根据盆骨和牙齿来看，非洲南方古猿更像是人而不是猿。它的脑容量和黑猩猩类似，约有 485 毫升，比南方古猿阿法种的脑容量大。非洲南方古猿的谱系尚不明了，我们也不知道它们后来进化成了何种古人类。我们只知道非洲南方古猿出现在南方古猿阿法种消失前后，并且非洲南方古猿在 250 万年前也消失了。

距今 250 万年到 150 万年的时段内，至少有 5 种南方古猿和傍人共同生活在非洲大陆上，但这几种类人都没有直接参与人属的进化过程。科学家认为人类不是任何已经灭绝的古人类的直系后裔。这些古人类都只是过渡形式，并且强力地证明了人类不是突然出现的，但是在古人类的化石记录中还有大片的空白等待填满。人类从这些古人类身上只能找到较远的亲属关系，而不是祖先与直系后裔的关系。我们只能说大约 200 万年前，一些属类的古人类进化成了我们称之为“人”的生物属。这些古人类之前存在的证据可能永远也不会被我们发现了。

我们所知最早的人属应该是能人（尚存在争议），肯尼亚考古学家路易斯·利基（1903—1972）在1964年为其命名。能人的大脑容量平均在590到650毫升之间，比更新纪灵长类动物的更大。能人大约出现在220万年前。人们在能人的遗骸周围找到了石头工具（使用石头工具并不是人属的突出特征，但这一特征把能人的存在年代推早了至少30万年）。在其他方面，能人是所有古人类里和人类差距最大的。包括肯尼亚古生物学家理查德·利基（路易斯·利基之子）在内的一些专家把能人从人属里除名了（因为能人的体形太小，胳膊长得不合比例，还有其他一些与人类差距很大的特征）。因为这些专家的意见，能人易名为灵巧种南猿。

让人更困惑的是，卢尔多夫人可能是人属的早期种类（虽然这一分类结果还存在争议），并且是能人的祖先。卢尔多夫人得名的时候只有一个头骨被发现，基于这个头骨，科学家们认为他可能是能人的一种。卢尔多夫人脑容量较大，预测可达752毫升。2007年，人类学家提莫西·布罗马格重新推测卢尔多夫人的脑容量可能是526毫升。

化石证据的缺乏揭示了在这一领域中任何可以被看作科学证据的事情都十分脆弱。这一领域不是伪科学，只是科学的一个分支。这一领域的科学家用极少的确切证据努力地进行研究。有人说（也可能是杜撰的），一些骨骼化石碎片被排列组合成了各种可能的形态，从而支撑不同的理论。古人类学家约翰·里德挖苦道：“非常引人注目的是，对于新证据的阐释经常都很符合其发现者先人为主的观点。”这可以被用来支持尼采的观点，就是每一个理论都是某个人的个人见解。直到现代，化石和工具都还是我们研究人类进化史的唯一途径，如今 DNA 分析正在帮助考古学家得出更肯定的科学描述。匠人出现在距今 190 万年前。匠人属于人属，这终于是个毫无争议的结论。匠人的脑容量大约有 1,000 毫升，是非洲南方古猿的两倍，并且已经和人类长相十分相似。这并不意味着匠人是人类的直系先祖，但是我们知道在 100 万年左右的时间里，一些古人类的大脑容量至少增长了两倍。140 万年前，匠人可能消失了，也可能进化成了直立人。

1984 年，肯尼亚的图尔卡纳地区出土了图尔卡纳男孩的骨架化石。他生活在距今 160 万年前，有时被划归匠人，有时被划归直立人。这具骨架属于一个十一二岁的男孩，死亡时的身高大约 1.6 米。科学家预测，如果这个孩子活到更大年纪，他的身高可能达到 1.85 米。

直立人和匠人生活年代重合，不过直立人存活的时代要长于匠人，他们统治了地球将近 100 万年。150 万年前，直立人离开了非洲，他可能是第一种从非洲移民出来并且散布到全球各地的古人类。著名的直立人化石标本有印度尼西亚发现的爪哇猿人和中国发现的北京猿人。自 20 世纪 90 年代以来，关于直立人的理论也陷入了争议之中。

人属早期种类的化石在欧亚大陆各地陆续被发现，比如在印度尼西亚、格鲁吉亚和西班牙。一些化石已经被推定早于直立人。如果坚持书写这个非洲故事，那么肯定有一些非洲古人类比我们预期更早地离开了非洲大陆，抑或，我们需要一个全新的故事。很多科学家认为欧亚大陆已经超越非洲大陆，成为早期人类进化繁盛发展的热点地区。

但是在35万年前，故事的焦点转回了非洲，一种名叫海德堡人的人属种类开始出现。又过了一段时间，海德堡人的一部分移民离开并且进化成了尼安德特人（*Homo neanderthalensis*，更出名的叫法是Neanderthals）。有些专家把尼安德特人命名为尼安德特智人。[1]但是1997年证据证明尼安德特人在基因上与人类差距很大，所以在这个基础上，尼安德特人并不是人类的同属，也不是人类的直系祖先。[2]

在距今15万到20万年之间，故事的焦点再一次转回了非洲。人属的一些未知种类进化成了智人。最古老的智人遗骸有13万~19.5万年的历史，被称为奥莫化石，发现于埃塞俄比亚的奥莫河，也因此得名。中东地区发现的古人类遗骸距今大约10万年，但这些古人类要不就是灭绝了，要不就是回到了非洲。第二古老的现代人类化石遗骸在澳大利亚蒙戈被发现，距今大约4.2万年。

古人类学家告诉我们，人类起源于非洲，所以最古老的现代人类化石标本都发现于非洲。分子生物学家也协助确认了这个结论。每个细胞都携带两种DNA，一种DNA存在于细胞核中，另一种独特的DNA名为线粒体DNA，存在于细胞核之外。线粒体DNA是恒定不变的，除非是在传宗接代过程中出现基因突变。细胞核中的DNA在代际传承中一分为二，但是线粒体DNA与它不

[1] 现代的科学家为尼安德特人特地发明了“晚期智人”的叫法，但是我们不知道是否还有其他种类的晚期智人。

[2] 有些人认为直立人，尼安德特人和智人以复杂的方法混种杂交，并且无法用后来解剖学上的现代人类来统一替代这些古老的人类。

同，孩子会从母亲那里完整地继承线粒体 DNA。通过计算世界人口的线粒体 DNA 中出现了多少遗传漂变，我们可以计算出世界哪个地区的人继承了哪种线粒体 DNA 突变，从而把世界人口分成一系列母系氏族。就像同母的兄弟姐妹同属他们母亲的氏族一样，我们可以把同祖母的堂兄弟姐妹，以及那些同曾祖母的家族后代都联系起来。世界上的 65 亿人口可以被划分进 33 个母系氏族，其中的 13 个都在非洲。这些氏族最终都汇聚在一个氏族里，该氏族的共同母亲生活在 15 万年前的非洲。

细胞核的 DNA 漂变也与人类进化故事有关系。人类和大猩猩及黑猩猩都有很近的亲缘关系，但是比较我们与这些类人动物的基因漂变还是可以发现很大差异。大猩猩和黑猩猩的种群比较分散，虽然分布地域不广，但是每一个种群都有独特的基因特征。然而人类在全球各地都有分布，基因上是非常相近的。唯一的可能结论是，我们的绝大多数祖先都灭绝了，只有其中一支族群存活了下来，进化成了今天的人类。这支族群最多不会超过几百人，居住地集中，大约生活在距今 5 万年或者更久的时候。人们推测这支族群居住在非洲东部，他们一起离开了居住地并且朝东北移动，可能顺尼罗河而上，或者分散到了尼罗河三角洲，又或者直接越过了红海。5 万年前的红海比现在的红海要浅 70 米，也更狭窄。这支族群发展壮大，他们不与其他相遇的人属种群杂交，经过了数万年，这一种群的后代遍布世界各地，取代了人属的其他种类。虽然这一理论是所有现代理论中认可度最高的，但是这个理论还有一个问题。最近，科学家发现了一些现在还活着的原始族裔，他们独特的 DNA 证明他们与世界上的其他人祖先不同。上述的理论无法对这群人做出合理解释。

在过去的 4 万年里，现代人类用 1.5 万年的时间来到了今天的欧洲地区，这些人来自黎凡特地区，但也有人认为他们来自印度。[1] 早在现代人类到达欧洲以前，澳大利亚就已经有人类生活了。人类很早就定居澳大利亚的证据是，大约 5 万年前，澳大利亚地区体重超过 100 公斤的大型动物突然且神秘地消失了。温驯的大型哺乳动物是人类早期的猎物。没有明确证据表明人类是这些动物灭绝的始作俑者，可是地球上每一处大规模动物灭绝发生的地方周围都有人类存在。南北美洲在 1.1 万年前[2]迎来了第一批人类来访者，与北美洲 70% 的大型动物突然灭绝的时间相似。已经存续了 3,370 万年的剑齿虎在 9,000 年前灭绝；已经存续了 400 万年的乳齿象在 1 万年前灭绝。爱尔兰麋（大角鹿）出现在 40 万年前，于 8,000 年前灭绝。自 480 万年前的上新季就存在的猛犸象在距今 4,500 年前灭绝了。

为什么这批 5 万年前离开非洲的智人可以繁荣发展并且取代其他人属的种类尚未明了。没有证据表明他们通过暴力获得存续，但是考虑到人类的本性，这也不失为一种可能的猜测。美国心理学家朱迪思 · 瑞奇 · 哈里斯（1938—　）提出了一种解释（后来她承认这个解释只是她的直觉），这种解释认为智人猎杀并且吃掉尼安德特人，因为尼安德特人体表毛发很多，被智人当成了动物。[3] 问题是，我们对智人的了解远远及不上对其他人属种类的认识，

[1] 最近，有人提出在 7 万年前海德堡人被来自印度的智人取代。之后，在距今 5 万到 4 万年间，智人找到了去欧洲以及去澳大利亚的方法。

[2] 另一种具有争议的理论认为 3.3 万年前美洲就已经有人类居住了。

[3] 也有人认为智人是食人族。

当然也就及不上对尼安德特人的认识。目前来看，科学家一致认同尼安德特人是人属动物进化到人类的最后一环。几年前，有人提出弗洛里斯人才是进化的最后一环，他们生活的时段距离我们更近，且在距今 1.2 万年左右时他们和智人共同生活在地球上。古人类研究领域里，许多人都质疑支持弗洛里斯人的证据来源，使得上述结论具有极大争议性。反对意见说，弗洛里斯人的化石并不能证明它是单独的一种古人类，这些化石可能属于智人的侏儒，或是患病的智人。我们所知生活年代最近的尼安德特人生活在直布罗陀海峡南岸，并且在距今 3 万年左右灭绝了。

如果大脑容量增加可以成为宇宙进化更加复杂的证据，那么尼安德特人肯定处于当时所有宇宙创造的最高点，至少是我们所知部分的最高点，因为他的脑容量冠绝已知的所有古人类。人们也认为尼安德特人比今天的人类更强壮。

但是仅仅大脑容量大、身体强壮还是不够的。自然不会选择大脑容量大的，而是选择最合适的。最合适也不等同于最强壮，而是能够适应居住地的环境。英国心理学家尼古拉斯 · 汉弗莱（1943—　）曾经写过一个故事：有一种猴子，猴群中的一些非常聪明，找到方法敲开了特别难打开的某种坚果，但非常不幸的是这种坚果的内部有毒。在这个故事里，最合适的猴子反而是那些不够聪明、不知道怎么打开坚果的猴子。

自最后一次大规模的现代人类迁出非洲现象以来，人类似乎经历了许多重大的文化变革。葬礼仪式和以鱼为食好像是最早的文化模式，即人类不同部落和社会里共享的某些文化特性，但不与其他物种共享。就算尼安德特人生活在海产丰富的地方，也没有证据表明他们吃鱼。在黎凡特地区，吃鱼和举办葬礼的现象在距今 11 万年前就已经出现了。艺术是另一种文化模式。1991 年起对南非布隆博斯洞穴的挖掘工作中出土了由贝壳制成的雕花珠子。这些珠子已经有7.5万年的历史，也是现在发现最古老的艺术品。[1]洞穴壁画的历史很难测定。虽然有些洞穴壁画可能有 5 万年的历史，但是直到今天，能够准确测定其年龄的最古老洞穴壁画是在法国发现的距今 3.2 万年的壁画。

人类使用的早期石制工具与尼安德特人的工具没什么两样，直到距今 5 万年前人类的工具才发生了变化。事实上，工具使用的现象在数百万年间都没有任何变化。在 5 万年前，工具的制造技术突然出现了飞跃。骨制工具和鹿角制工具也开始出现[2]，语言也很有可能在同一时间开始发展。当然也有其他不同的理论，有些理论称语言是在非常久的时间内（甚至是上百万年的时间）逐步演变发展的。没有证据证明尼安德特人能否说话。

接下来的数万年间，现代人类发展出了其他文化模式：比如宗教、音乐、讲笑话、乱伦禁忌及烹饪。[3]我们称为战争的战术性冲突发展成了我们称为游戏的战术对抗（也可能是反过来）。

文明似乎是从地中海区域萌芽的，尤其是在黎凡特地区。基巴拉部落是游牧狩猎者和采集者组成的，这些人是解剖学意义上最早的现代人类，生活在前 1.8 万到前 1 万年，后来被纳图夫人取代。

[1] 园丁鸟也有艺术创作，它们完全可以反对这一观点。但是这里的艺术是指自觉的艺术，我们也会问，到底什么是自觉？

[2] 有许多发现可以推翻这一理论。20 世纪 90 年代末在德国舍宁根地区（德国汉诺威以东 100 公里）的一处煤矿里发现的木制长矛大约有 40 万年的历史。

[3] 火的使用是在 100 万或 200 万年前，所以在同一时期烹饪活动肯定开始了。烹调法也可能是从同时代开始发展的。

距今大约 1.2 万年前，地球气候发生变化，人类的文化也发生了永久性的改变。在某些地区（很可能最早开始于纳图夫人生活的地区），温暖的气候使农业开始发展，人们开始种植作物、驯养动物。人类也成了第一种控制了环境和生态系统的物种。人类最终只选择了少数动物植物，并且开始了对地球的改造。

第
13
章

我们在这里

自然挥洒出绝妙篇章；
理智却横加干扰，
它毁损万物的完美形象
剖析无异于屠刀。

合上你索然无味的书本，
再休提艺术、科学；
来吧，带着你一颗赤心，
让它观照和领略。

——威廉·华兹华斯，《转折》[1]

剩下的都是历史。

当历史遇到现在，历史就走到了终点。在这个点上，故事与

[1] 引用自《华兹华斯抒情诗选》，杨德豫译，湖南文艺出版社，1996年12月第1版。——译者注

讲故事的人相遇了。过去和未来围绕着“现在”这个轴心运动，而我们就处在“现在”这个时间轴上。可是，宇宙的法则描述了一个不论在哪个过去和哪个未来都相同的宇宙。只要宇宙的命运是固定的，那么不难得出一个结论：就算明天人类灭绝，宇宙还是不会有任何改变。詹姆斯·洛夫洛克曾预言，到这个世纪末，数十亿的人类会因为全球变暖的直接影响而死亡，同时，盖亚[1]最好为排斥人类生存的地球找到一种新的平衡。美国生物学家贾雷德·戴蒙德（1937—　）提醒我们，以复活节岛和格陵兰岛上一度繁荣的文明为例，历史上所有不重视环境保护的人类社会都消亡了。在几亿年之后，地球上的大陆又将聚集起来，就像地球早期的状态一样。再过 10 亿年，太阳将会比现在亮 10%；再过 30 亿年，地球的铁核将会凝固；再过 50 亿年，太阳将会耗尽氢气，变成红巨星。再过数十亿年，我们的银河系将会与邻近的仙女星系融合。再过数百亿年，我们从地球这个有利位置（那个时候，地球早已不适合生命存活）看到的数十亿个星系将会越过可见宇宙的边缘。夜空（不管未来有什么定义）中所有的星星将会逐渐消失，最终变得一片漆黑。

宇宙的长远命运是运用现代科学的最尖端理论描述的，这些理论都是推测。不过令人惊讶的是，宇宙的未来命运有非常多的可能性，仅仅几个参数的细微变化都会影响宇宙的未来。宇宙未来的发展很大程度上都依赖于内部质量和暗能量的多少，它们将会影响到宇宙未来的膨胀率（抑或是收缩率）。热寂（又称大冻结）

[1] 盖亚是希腊神话中的大地女神。——译者注

被认为是宇宙最可能的宿命终点。所有的恒星都耗尽燃料，所有的星系坍缩成为黑洞，之后蒸发消失。整个宇宙变成辐射的乱炖，并且逐渐冷却接近绝对零度（一种理论上的温度，根据海森堡测不准原理，在绝对零度下原子几乎不运动）。在遥远的过去，早期的宇宙曾经是充满各种辐射的理论最高温环境，然而，在遥远的未来，末期的宇宙将会是充满各种辐射的理论最低温环境。在大爆炸之后的 10^{40} 年后，宇宙将会被黑洞支配，另外，这些黑洞将会在那之后 1.7×10^{106} 年彻底消失。黑洞消失后，黑暗时代降临，并将永远延续。

如果量子物理学的多世界诠释是真的，那么可见宇宙的所有可能结局都会成真。如果多元宇宙真的存在，并且我们的可见宇宙也是从中诞生，那么在这个宇宙消亡之后还会有许多宇宙（甚至是无限的宇宙）存活，那些存活宇宙的自然法则可能与我们的大不相同。

完善的物理法则描述中的宇宙似乎总被我们遗忘，但是我们可以在那片宇宙留下印记。前任英国皇家天文学家马丁·里斯（1942— ）曾预测，人类将会找到破开空时的方法，也会找到拆分宇宙的方法。但矛盾的是，如果我们成功地破坏了宇宙结构，我们就需要证明我们的存在到头来还是独一无二的特权。如果这时候你周围有反哥白尼学派的科学家，他们肯定会告诉你："我告诉过你啊，肯定是这样。"即便是这种暴力破坏的行为也并不能成为最终结局。多元宇宙的存在意味着我们只成功破坏了我们这个可见宇宙，在还有无数完好宇宙的情况下，我们的暴力没有一点意义。再一次，思考宇宙其实就是让我们同时站在两个极端上：我们既是独一无二的特殊，又是完全不重要的存在。科学方法坚持我们的不重要性从而不断进步，但是它又不断发现着我们的特权性。为了科学的发展，科学家们不得不找出其他独创的精巧理论来重建我们的不重要性，作为回应，我们的宇宙拒绝否定我们的中心性。现在还不知道这场拉锯战是否会有尽头，可我们渴求一个肯定的答案。我们想要相信有一个终极的答案可以回答我们的疑问。相信科学总归会画上句号，等同于渴求一个终点的确定性，也就是要相信总会有自然法则可以完整地描述宇宙，并且我们一定可以找到这些法则。

但是在哲学层面上，人们对亘古不变的自然法则还有疑问。为什么科学坚信自然法则本身是永恒的，但同时又把其他的所有存在证明为不恒定？伽利略和牛顿相信上帝创造了自然法则，科学家的工作就是发现神的成果。在这个角度上，科学方法超越了科学与一神论共享的信仰系统，那就是宇宙中总有一些永恒和不变的部分。大约 30 年前，约翰 · 惠勒成了质疑何为永恒法则的第一人，现在他的想法又重新流行。惠勒想知道人们未来能否发现自然本身的进化法则。我们称之为法则的东西最开始可能是非常模糊的，经过一系列自然选择之后进化成我们今天发现的法则。如果自然法则是经过自然选择进化而来的，那么自然选择又是怎么进化的呢？或者说自然选择是另一种存在，是所有故事的逻辑必然性或是必然结果？实用唯物主义者做好了等待唯物主义解释的准备。

永恒法则不包含对于我们所说的现在以及“当下”这个时间点的任何解释。如果自然法则真是永恒的，那么人类对于现在的体验都属于幻觉。一个拥有永恒法则的宇宙是完美无瑕的。所有存在的事物都将永恒存在，以相互联系、不可分割的现象形式永存。爱因斯坦相信他的相对论描述了这样一种现实：过去和未来都是永恒的，只是我们没有认识到而已。在死前一个月，爱因斯坦写下了对自己一生的挚友米歇尔 · 贝索之死的感想："现在，他已经和这个奇怪的世界告别了，比我稍稍早一些。这没有任何影响。对于我们两个信仰坚定的物理学家来说，过去、现在与未来的分界线都只是冥顽不化的错觉而已。"如果这真是自然的本质，我们也许可以说时间并没有流逝，它只是存在而已。时间如白驹过隙只是人们对自己存在的一种错觉，是我们以这样的身体大小居住在宇宙之中自然会体会到的一种特性。如果爱因斯坦的空时连续符合自然真理，那么时间和空间是独立于对方的想法也只是一种假象。

假如"现在"不是一种假象，那么其存在再一次让我们拥有了特权。我们体验的"这里"和"现在"使得故事重新被讲故事的人（我们）掌握。为了冲淡这种特权，并且为哥白尼派科学家提供一些安慰，我们必须希望在宇宙的其他地方还有其他讲故事的人，他们分布在不同的空间和时间，与我们讲述同样的宇宙故事。但就像恩利克 · 费米曾经问的那样，如果真的有外星人存在的话，它们都在哪里呢？唯物主义者经常以外星人的存在反对人类拥有特权的想法，不过至今没有外星人与我们接触过，我们是不是应该忧虑？地球看起来没有外星人拜访过的一个可能原因是宇宙太过广袤，密度太低。物理学家拉姆斯 · 比约克 2007 年制作的电脑模型预测，就算我们能以 10 倍光速探索宇宙，探索宇宙的 4% 也需要大约 100 亿年；而且在可预见的未来（甚至时间的尽头），我们是没办法达到 10 倍光速的。

至少在现在，物质世界的故事就是仅仅属于我们的故事。故事的开头描述的是太过简单、完全不需要花力气就能理解的宇宙，而故事的结尾是太过复杂、无法全面进行描述的讲故事者。在天平的一端，我们放上整个宇宙；在另一端，我们放上感知宇宙的人类大脑。如果是因为大脑的原因人类才在宇宙中拥有特权，我们可能会想是不是应该把大脑和宇宙分开来看。最终，我们会疑惑是不是有必要把所有事情都分开来看。我们看起来特殊，因为我们无法把故事和讲故事的人区分开来。作为哥白尼支持者和唯物主义者，故事能够进行的原因是我们一直在问自己：讲故事是要干什么？其他讲故事的人可能长成什么样子？我们的大脑是不是有什么特殊之处，能让人类从物体、标志中找到意义，并且把过去和现在融入未来的概念之中？如果有，那么这个特殊之处又是什么呢？

大概在人类出现并且意识清醒之后人类就要求探索周围的物质世界了。所以，怎么定义清醒的意识呢？

300 多年以来，科学方法已经把这个世界分为身体和思想两部分。科学专注于身体，把思想和灵魂分给了宗教。世界的一边是主观价值、美学、道德和信仰，另一边就是科学。英国生物学家鲁珀特 · 谢尔德雷克说："经过协商讨价，科学最终得到了更优质的部分""事实上，科学几乎得到了全部。"

虽然笛卡儿的二元论哲学把机器一样的身体和无法用物理法则描述的精神分离开来，但这种严格的分界并不是笛卡儿的意图。

他本想阐明人类在宇宙中的独特性：只有人类拥有神秘的精神。笛卡儿最后没能解决精神如何与身体互动的问题。他错误地相信松果体是精神与身体的实际交汇点。哥白尼派科学家肯定会讨厌笛卡儿这套精神赋予人类特权的说法，但是科学已经忽略精神太久了，可能会面临无法对精神做出解释的危险。

美国神经生物学家罗杰·W. 斯佩里（1913—1994）提出意识其实是突现特征，就像椅子所拥有的外形特征，我们在这个大世界看时，椅子的特征很明显，但是如果我们凑近去看，这种特征就消失了。眯起眼睛看，我们看到组成椅子的分子并没有椅子的特征和性质。斯佩里是第一个描述左右脑各有分工的人，他描述了意识：意识无法被化简为物理过程，它是大脑工作足够复杂时出现的产物；但如果把大脑的物理复杂性拆走，意识也会随之消失。

科学方法把精神看作是属于另一个世界的物质，但是所有人都清楚地知道精神与身体密切相关。尼采曾经写道："我们的身体是伟大的智慧，是只有一种想法的多元体，是战争也是和平，是羊群也是牧羊人……你的身体比你最高的智慧更具有理性。"目前，科学家还是在精神本身而不是整个身体的层面探究精神。最近深入精神状态的调查逐渐表明，大脑与那些曾经被我们划出精神领域的其他世间百态有物理联系。对大脑的电刺激可以改变一个人的信仰系统（持续到刺激结束）；对于佛教僧侣的研究表明静修可以改变大脑的物理结构；伦敦出租车司机大脑中与记忆相关的组织比绝大多数人的更大。

把人类大脑与其他物种，甚至是人类近亲黑猩猩的大脑区分开来的特征是，人类的大脑能够建立细胞间的联系。这种可锻性对于我们来说非常特殊。有证据表明精神有其物质基础。但是有些科学家开始猜想（虽然只是少数性的言论）这个世界会不会其实是大脑的产物，而不是反过来。认知哲学家唐纳德·D.霍夫曼声称："我相信意识和意识的内容就是世界的全部。空时、物质以及场从来都不是宇宙的最主要内容，而是意识的较低级内容。意识只不过是依附于这些实体从而获得延续。"根据上述观点，物质的重要特征是：从某些角度上说，物质其实是意识的产物。这个观点早已被普鲁斯特提出，并且在他的长篇小说《追忆逝水年华》（1909—1922）中进行了发展。"也许，我们周围事物的静止状态，是我们的信念强加给它们的，因为我们相信这些事物就是甲乙丙丁这几样东西，而不是别的玩意儿；也许，由于我们的思想面对着事物，本身静止不动，才强行把事物也看作静止不动。"[1]

即便我们把思想看作是大脑的突现特征，可是在所有已知的生命形式中，只有人类拥有足够复杂的神经细胞联系，为意识出现提供了基础，有了意识，我们才能够理解宇宙。我们还可以问，如果通过不如我们大脑复杂的大脑观察宇宙，宇宙该是什么样子？法国数学家亨利·庞加莱（1854—1912）写道："精神构想现实、看到现实、感知现实。世界上不存在完全独立于精神的现实，""即便有这么一种现实，那么这个世界也是我们永远无法接触的。"如果宇宙中没有认识宇宙的意识，那么宇宙的伟大表演就是对着空空如也的观众席上演的，如薛定谔所说。人类的意识是宇宙第一次自我觉醒吗？如果是，那么人类的大脑和其突现特征（如

[1] 摘自李恒基、徐继曾译《追忆逝水年华：在斯万家那边》，译林出版社，1989 年 6 月第 1 版第 6 页。——译者注

果意识真的是突现特征的话）又一次拥有了特权。大脑成了对宇宙唯物主义描述的顶峰。但是，我们很难把大脑和人体的其他部分分离开来，因为大脑与神经系统相连。人体和体内环境似乎也是逃不开的话题。知觉是无法被拆解成部分的动态活性。物理世界并没有和我们的体验分离，反而成了我们体验的一部分。就像弗里曼·戴森所说："心灵和宇宙紧紧交织在一起。"我们并没有和世界分离。物理世界是我们认识世界的产物。

如果你阅读这句话的"现在"一刻是真实的，并且不是自然法则预测到的，那么我们可以把这个现象作为证据，证明科学方法并不完满也永远无法完满地描述自然真相。科学家测量大自然，他们相信如果某个测量符合理论预测，那么这个测量的对象就是另一个独立于我们的世界。不断主张这个外在现实，或者说科学家的信仰，我们的科学理论才能不断丰富，测量才能更加精准。科学是根据其方法论得出的事实和见解的集合体，它照亮了物质世界，阐明了我们口中的各种过程。无论如何，科学揭示了许多与其并不相关的真相。科学的成功要用科学的标准衡量，它的成功都建立在更深层的未解之谜上。（什么是能量？什么是场？）这些谜团可以与其他被艺术家、哲学家和神秘主义者发现的谜团相提并论。唯物主义者试图从未来找答案，相信未来肯定会有更丰富的知识可以利用[1]；神秘主义者从过去找答案，他们认为古人更具智慧。但是爱因斯坦警告说："一个人把自己当成真理和知识的法官时，他将被上帝的嘲笑毁灭。"幸运的是，有些科学家和艺术家愿意"不

[1] 美国发明家爱迪生（1847—1931）所做的评价"我们对任何事情的认知都不超过百万分之一"依旧是正确的。

辩论、不断言，把结果悄悄地告诉他的邻居”。[1]当阵营出现，信仰就变成了独断的主张，尤其是在其中一个阵营坚称他们看到了对方没有看到的真相时。独断的意见会引来战争：我是对的，你是错的。因为我们是对手，所以我们不会被你们说服。信仰是“所望之事的实底，未见之事的确据”。[2]教条就是坚称没有看到的事物真正存在。外星人的观点没什么重要的，只是要告诉我们适合这些人的未必适合其他人。我们会劝告正在打架的小孩子说“不要打了，学着好好相处吧”，这样看来我们的出发点好像和外星人没什么两样（都是劝告斗争的两方要和平相处）。

科学和宗教数百年以来一直处于敌对状态。科学的历史中标注着科学与教廷的一系列斗争，但是对这些斗争的诠释都是一边倒。我们从后见之明看待这些斗争，从科学方法的角度看待这些斗争。当哥白尼否定了地球是宇宙中心时，他树立了科学方法的开端，这个过程不只是对教廷的反抗。因为特权观点根植于科学方法论之中，科学被先入为主地看作了特权思想。但是，科学声明自己其实是对自己对立面上的意识形态的矫正，从而转移了人们先入为主的观点。确实，在亚里士多德的宇宙里，地球就是宇宙中心，但是亚里士多德地球也处在各类地球的底端。亚里士多德地球是蕴含地球退败物质的地球物体之墓。从字面上说，地球就是充满了从天上落下的物体的地方。教廷承认的天文学中，地球是宇宙的物理中心，可是宇宙中心并不是什么特权位置。教廷反对哥白尼的宇宙模型不是因为惧怕地球被降级，反而是害怕科

[1] 摘自英国诗人约翰·济慈的一封信。
[2] 摘自《希伯来书》(第 11 章第 1 节)。

学方法会把物理中心性与特权等同起来。

在另一次科学与教廷的战争中，达尔文无疑打破了人类处于生命链开端的想法。但是地球和动物王国的存在就是为了让一个更高级的物种发现研究的说法既暗含在犹太教和基督教的教义中，又蕴含在科学之中。我们甚至可以说科学把这个探索领域扩大到了整个宇宙。一神论宗教和科学都旨在让人类进入宇宙繁衍[1]，只不过一方的意图更加明显。科学进行尝试并且成功地让一些人生活在更舒适的环境中，但是科学也造成了人口爆炸，几乎不能提出供养这么多人的方法。而且科学也为地球造成了巨大的损失。随着时间流逝，科学开始期望让人类迁徙到宇宙中其他星球上。确实，科学只能这么期望了。科学和宗教都是为了拯救世界上受苦的众生，可是却导致了更多人受苦。如果宗教为许多战争提供了开战的缘由，那么科学就提供了更加复杂的杀人方法。

当我们渴望征服宇宙，这个渴望的本质只能是征服。大自然抵制我们想要揭露其秘密的尝试。要进入外太空，我们需要大量的能量；同样，想要打破原子的壁障，也需要大量能量。科学和一神论都不加克制地想要征服大自然。但是如果我们与自然开战，我们会毫不惊讶地发现大自然很享受这场战争。

人类无法拆解物质世界，又有谁想要拆解呢？唯物主义是最伟大的故事。但是我们可以考虑一下，我们口中的物质世界是什么？我们与物质世界的关系又如何？唯物主义是一个充满意义但是毫无目的的宇宙故事。我们所说的所有意义都只是以我们为中心

[1] 美国天文学家法兰克·德雷克（1930— ）曾经计算过，太阳的能量足够支持 10^{22} 个人类灵魂。

的局部现象。我们，人类观察者，住在此地，住在现在，住在宇宙某处。我们似乎处在我们看到或者定义的最大和最小的中间点上。那么，意义是从宇宙边缘出现的也就不令人惊奇了。它肯定来源于宇宙边缘，因为我们定义宇宙的边缘在哪里、是什么。意义本身也无法从我们与世界的互动中逃脱。完全独立于我们的意义就没有意义。假设从一个原子的角度看，这个宇宙的样子和意义肯定与从人类角度看截然不同。如果我们可以察觉最细微的时间流动，应该可以看到核反应如何进化。在时间的另一端，也许有另一种意识在观察植物生长，行星诞生到毁灭，甚至星系碰撞和生成。假如说宇宙的复杂性在中等大小的物体中才能完美表现，只能说我们自认为人类就是中等大小的物体。从我们的角度看世界，我们会被错误观点蒙蔽，认为自己是所有调查研究的中心。

把宇宙看成一台拥有 10^{80} 个粒子的信息处理机器（信息以二进制数字 0 和 1 表示，也被称为“比特”），根据预测，宇宙已经处理了 10^{120} 比特的信息，还剩下 10^{120} 比特需要处理。我们可以说，可见宇宙还是一台信息处理机器的半成品。否则，我们就处在宇宙恒星形成运动的衰落阶段，或者宇宙衰落的早期阶段。科学家们担心经历漫长时间（甚至超越的太阳寿命）之后人类的生命会变成什么。可能现在就是人类该在宇宙中存活的时候。隐藏在时间尽头人类有何命运之下的是人类永恒的恐惧：我们惧怕自己必死的命运。我们不担心宇宙早期的事情，因为那时候我们还没有作为人类存在。我们也不担心在出生之前我们其实根本不存在。所以，为什么要操心在时间的尽头我们会变成什么呢？除了想要控制宇宙命运的微弱愿望之外还有什么理由？如果我们能够更清醒地认识到我们与宇宙密不可分，我们可能就不会欺凌宇宙了。不论我们如何努力，不论我们用何种方法描述，我们都与宇宙不可分离。宇宙好像是便携的。

宇宙中的地址取决于我们如何定义“宇宙”一词、如何定义宇宙，以及如何定义宇宙里的东西。我们处在宇宙何方还取决于如何定义“我们”。作为人类，我们以独立的自我意识探寻一个与物质之间相互独立的宇宙。“我是孤独的，陪伴我的只有心跳。”科学是世界经历的总和，在这个世界中，“我们”包含的范围更小。虽然科学本身也是以世界由独立物质组成作为前提而萌芽，但现在，科学把这些独立性统一到不可分离的宇宙当中，从而获得发展。科学说，某种意义上“我们”都是同一个母亲的后代，这个母亲生活在15万年前。我们的DNA说，某种意义上“我们”等同于所有的生物共享相同的DNA密码，也就是30亿年的生命进化史。但是为什么进化停止了？“我们”，以及万事万物，都是在140亿年前从充满宇宙的原始氢元素中诞生的。那之前，“我们”超脱了所有可能的意义。我在这里，你在那里。我们就是所有事物、所有地点。它们就是我们。

想要一个地址就是想要一个确定的地位。可是在万事万物统一于一体的宇宙中，特权是毫无意义的。许多科学家没有期待科学能描述这个统一整体，但科学方法论至少指向了我们称为宇宙的现象统一体。根本上说，这个信念与我们对生命的直接恐惧没什么两样。我们把对生命的恐惧称为神秘主义，在另外一些形式上它可以成为艺术家、哲学家和神学家的研究对象。科学家把现实拆解成碎片，同时把碎片沿着一条名叫进步的线条排列。对于艺术家和神秘主义者来说，现实是一个整体，时间是循环的，“进步”一词也毫无意义：毕加索不是泰坦巨人的进化体（也不是退化的产物）。不论我们用什么方式接触现实，都是不断寻找和观察的过程。就算有一天科学能够描述万事万物，除非它否认其他所有寻找真理的形式，那么最终科学、艺术、宗教和哲学会相遇在一点。美国天文学家和物理学家罗伯特·加斯特罗（1952—2008）曾经预言：爬上科学最高峰的科学家可能会发现“当他尽力越过最后一块拦路石，一群神学家跑过来欢迎他，而神学家们已经在顶峰等待了数百年”。

现代社会为确定性和永恒事物所着迷，我们需要适应无尽科学发展的不确定性（不一定要相信科学是无尽头的）。我们想要相信事情是永恒的，不论这里的事情指的是爱情、生命、上帝还是自然法则。但是，就像弗洛伊德一直提醒我们的，死亡是确定性该有的样子。也许，在能够忍受的情况下尽量久地生活在不确定之中已经是我们最好的期待了。

参考文献

乔纳森 · 巴尔内斯:《古希腊早期哲学》，企鹅经典，1987，2001 修订版。

约翰 · 巴罗:《大自然的常数》，乔纳森 · 凯普出版社，2002。

戴维 · 博姆:《整体性与隐缠序》，劳特里奇出版社，2002。

贝托尔特 · 布莱希特:《伽利略传》，约翰 · 威利特译，约翰 · 威利特、拉尔夫 · 曼海姆编（企鹅经典，2008）。

约翰 · 布罗克曼编:《我们相信却无法证实的事》，哈珀柯林斯出版社，2006。

比尔 · 布莱森:《万物简史》，双日出版集团，2003。

黛宝拉 · 卡德伯里:《恐龙猎人》，第四等级出版社，2000。

黛宝拉 · 卡德伯里:《太空竞赛：天堂统治权之争》，第四等级出版社，2005。

艾丽斯 · 卡拉普赖斯:《爱因斯坦语录》，普林斯顿大学出版社，1996。

布赖恩 · 查尔斯沃思、德博拉 · 查尔斯沃思:《进化》，牛津大学出版社，2003。

尼古拉斯 · 奇塔姆:《宇宙之旅：从地球到宇宙边缘》，史密斯 · 戴维斯出版社，2005。

彼得 · 科尔斯:《认识宇宙学》，牛津大学出版社，2001。

爱德华 · 孔兹:《佛教智慧书》，爱伦 & 爱文出版社，1958。

迈克尔 · 库克:《人类简史》，格兰塔出版社，2004。

雷蒙德 · 达特:《和缺失的一环共同冒险》，哈米什 · 汉密尔顿出版社，1959。

查尔斯 · 达尔文:《物种起源》，约翰 · 穆莱出版社，1859。

查尔斯 · 达尔文:《人类的由来》，约翰 · 穆莱出版社，1871。

麦瑞尔 · 温 · 戴维斯:《达尔文与基要主义》，像标图书，2000。

保罗 · 戴维斯:《其他的世界》，约瑟夫 · 马拉比 · 登特出版社，1980。

保罗 · 戴维斯:《上帝与新物理学》，约瑟夫 · 马拉比 · 登特出版社，1983。

理查德 · 道金斯:《自私的基因》，牛津大学出版社，1976。

理查德·道金斯：《盲眼钟表匠》，朗文出版社，1986。
阿曼德·德尔塞姆：《我们的宇宙起源》，剑桥大学出版社，1998。
丹尼尔·丹尼特：《达尔文的危险观念》，西蒙 & 舒斯特出版公司，1995。
贾雷德·戴蒙德：《崩溃：社会如何选择成败兴亡》，维京出版社，2005。
艾伦·德雷斯勒：《到巨引源去：探索星系际旅行》，克诺夫出版集团，1994。
约翰·卡鲁·埃克尔斯：《人类之谜》，施普林格出版社，1979。
尼尔斯·艾崔奇：《进化论的胜利与神创论的失败》，亨利·霍尔特出版社，2000。
托马斯·斯特尔那斯·艾略特：《诗集》，1909—1962，费伯 & 费伯出版社，1963；引用诗句出自《普鲁弗洛克的情歌》以及《荒原》，此引用已经获得 T.S. 艾略特遗著所有者及费伯 & 费伯出版社许可。
凯迪·弗格森：《方程式中的火：科学、宗教与寻找上帝》，班坦图书公司，1994。
佩德罗·G. 费雷拉：《宇宙的状态》，费尔德 & 尼科尔森出版社，2006。
理查德·费曼：《别闹了，费曼先生》，诺顿出版社，1985。
理查德·费曼：《这个不科学的年代》，爱迪生－韦斯利出版公司，1998。
兰·费雪：《灵魂有多重》，费尔德 & 尼科尔森出版社，2004。
彼得·福布斯：《壁虎的脚：来自大自然的生物工程灵感和新材料》，第四等级出版社，2006。
理查德·福提：《地球简史》，哈珀柯林斯出版社，2004。
亨利·吉：《深邃时间》，第四等级出版社，2000。
亨利·吉：《雅各布的梯子》，第四等级出版社，2004。
詹姆斯·格雷克：《混沌》，威廉·海涅曼公司，1988。
詹姆斯·格雷克：《费曼传》，利特尔 & 布朗出版公司，1992。
詹姆斯·格雷克：《牛顿传》，第四等级出版社，2003。
史蒂芬·杰伊·古尔德：《奇妙的生命》，诺顿出版社，1989。
史蒂芬·杰伊·古尔德：《雷龙面临的威胁》，诺顿出版社，1991。
爱德华·格兰特：《近代科学在中世纪的基础》，约翰·威利父子出版公司，1971。
约翰·格雷：《稻草狗》，格兰塔出版社，2002。

布赖恩 · 格林:《 宇宙的琴弦 》, 古典出版社, 2000。

约翰 · 格里宾:《 科学简史 》, 艾伦 · 莱恩出版社, 2002。

阿兰 · H. 古斯:《 膨胀宇宙 》, 乔纳森 · 凯普出版社, 1997。

约翰 · 霍尔丹:《 一个聪明人的宗教指南 》, 达克沃斯眺望出版社, 2003。

阿尔弗雷德 · 鲁珀特 · 哈尔及玛丽 · 博阿斯 · 哈尔:《 科学简史 》, 新美国图书馆, 1964。

斯蒂芬 · 霍金:《 时间简史 》, 班坦图书公司, 1988。

布鲁克斯 · 哈克斯顿译:《 赫拉克利特残篇 》, 维京出版社, 2001。

简 · 海恩斯:《 谁能告诉我我是谁 》, 希拉里 · 曼特尔序, 诊察室内在线, 2006。

保罗 · 霍夫曼:《 只爱数字的人 》, 亥伯龙出版社, 1998。

特德 · 休斯:《 来自奥维德的故事 》, 费伯 & 费伯出版社, 1997。此引用已经获得特德 · 休斯遗著所有者和费伯 & 费伯出版社许可。

罗伯特 · 加斯特罗:《 神与天文学家 》, 诺顿出版社, 1978。

卡尔 · 古斯塔夫 · 荣格:《 回忆, 梦, 反思 (荣格自传)》, A. 杰夫记录整理, 哈珀柯林斯出版社, 1962。

卡尔 · 古斯塔夫 · 荣格:《 共时性 》, 1952 年成书, 普林斯顿大学出版社, 1973。

杰弗里 · 斯蒂芬 · 科克、约翰 · 厄尔 · 雷文:《 前苏格拉底哲学家 》, 剑桥大学出版社, 1957。

托马斯 · 塞缪尔 · 库恩:《 科学革命的结构 》, 芝加哥大学出版社, 1962。

托马斯 · 曼:《 魔山 》, 约翰 · E. 伍兹译, 人人文库, 2005。

布莱德 · 哈罗德 · 梅、帕特里克 · 摩尔、克里斯 · 林陶特:《 爆炸: 宇宙的完整史 》, 卡尔顿出版集团, 2006。

雅克 · 莫诺:《 偶然性和必然性 》, A. 温豪斯译, 哈珀柯林斯出版社, 1972。

加里 · F. 莫宁:《 傻瓜指南之宇宙理论 》, 阿尔法图书出版公司, 2002。

罗伯特 J. 涅姆罗夫、杰瑞 T. 邦内尔:《 宇宙 365 日 》, 艾布拉姆斯出版公司, 2003)。

罗杰 · J. 牛顿:《 伽利略的钟摆 》, 哈佛大学出版社, 2004。

弗里德里希 · 尼采:《 悲剧的诞生 》, 肖恩 · 怀特赛德译, 企鹅经典, 1993。

弗里德里希 · 尼采:《偶像的黄昏》, R.J. 赫林达勒译, 企鹅经典, 1990。
罗伯特 · 奥特:《几乎通用于万物的理论》, 派出版社, 2006。
理查德 · 潘内克:《看见的与相信的》, 维京出版社, 1998。
理查德 · 潘内克:《隐形世纪:爱因斯坦、弗洛伊德与寻找隐藏宇宙》, 维京出版社, 2004。
罗杰 · 潘罗斯:《通向实在之路》, 克诺夫出版集团, 2004。
亚当 · 菲利普斯:《达尔文的蠕虫》, 费伯 & 费伯出版社, 1999。
约翰 · 鲍金霍恩:《量子世界》, 朗文出版社, 1984。
卡尔 · 波普尔:《科学发现的逻辑》, 英文译版:哈金森出版公司, 1959。
卡尔 · 波普尔、约翰 · C. 艾克尔斯:《自我及其大脑》, 施普林格出版社, 1977。
乔尔 · R. 普里马克、南希 · 爱伦 · 艾布拉姆斯:《站在中心看世界》, 河源出版社, 2006。
马塞尔 · 普鲁斯特:《追忆逝水年华》, 艾伦 · 莱恩出版社, 2002。
弗兰克 · 拉姆齐:《数学基础和其他逻辑论文》, 伦敦, 1931。
丽莎 · 蓝道尔:《弯曲的旅行:揭开隐藏的宇宙维度之谜》, 哈珀柯林斯出版社, 2005。
约翰 · 里德:《缺失的环节》, 利特尔 – 布朗出版社, 1981。
马丁 · 雷德芬:《牛津通识知识读本:地球简史》, 牛津大学出版社, 2003。
马丁 · 里斯:《六个数》, 基础读物出版社, 2001。
马丁 · 里斯:《我们最后的时刻》, 基础读物出版社, 2003。
马修 · 里卡德、郑春顺:《量子与荷花》, 三河出版社, 2001。
马特 · 里德利:《基因组》, 第四等级出版社, 1999。
马特 · 里德利:《天性与教养》, 第四等级出版社, 2003。
海德 · 爱德华 · 罗林斯:《约翰 · 济慈书信》, 哈佛大学出版社, 1958。
查尔斯 · 赛费:《宇宙破译》, 维京出版社, 2006。
鲁珀特 · 谢尔德瑞克:《生命的新科学》, JP 塔彻尔出版社, 1982。
西蒙 · 辛格:《宇宙大爆炸》, 第四等级出版社, 2004。
戴瓦 · 梭贝尔:《伽利略的女儿》, 第四等级出版社, 1999。
戴瓦 · 梭贝尔:《行星絮语》, 第四等级出版社, 2005。

哈丽特 · 斯温编:《科学大哉问》，本书由约翰 · 马杜克斯出版社和乔纳森 · 凯普出版社引进，2002。

蒂莫西 · 泰勒:《性的史前史: 400 万年来人类性文化的发展》，第四等级出版社，1996。

蒂莫西 · 泰勒:《埋葬的灵魂: 性与死亡文化简史》，第四等级出版社，2002。

史蒂文 · 温伯格:《最初三分钟》，安德烈多伊奇出版社，1997，由基础读物出版社进行改版，1993。

理查德 · 威尔伯:《新作与诗集》，费伯 & 费伯出版社,1989。引自“认识论”的引文已获得理查德 & 威尔伯出版社及费伯 & 费伯出版社许可。

在创作此书的过程中，我经常参考维基百科的在线资料。有人批评维基百科，然而我并不认同。我发现维基百科上的资料非常精准，并且紧跟时代步伐。我利用的在线资源很多，由于篇幅所限我无法一一列举这些网址，但我想特别列举几个，包括美国劳伦斯 · 伯克利国家实验室的粒子数据组设计的粒子旅行在线资源（http://particleadventure.org/），以及美国国家航空航天局（NASA）的官方网站（www.nasa.gov）。此外，我也要感谢周刊《新科学家》杂志给我的帮助。

致谢词

多亏众多人士的鼎力相助，这本书的错误率才能降至最低，多谢他们为我提供专业知识，向我提出良好建议。出力帮忙的人有安德鲁·科尔曼、史黛丝·D. 埃拉斯莫、彼得·福布斯、梅格·贾尔斯、蒂姆·休斯、凯特·詹宁斯、丹尼尔·凯撒、杰拉尔德·麦克尤恩、希拉里·曼特尔、格雷姆·米其森、辛西亚·奥尼尔、理查德·帕内克、赛斯·比巴斯、马特·里德利、史蒂芬·罗斯、西蒙·辛格、戴瓦·梭贝尔、蒂莫西·泰勒，感谢他们审阅本书的初稿。

若没有以下人士的鼓舞，撰写本书不会成为一件乐事，我甚至有可能都不会提笔，这里要感谢吉伦·艾肯特、詹森·阿巴克尔、托马斯·布莱基、卡罗·波西格、梅勒妮·布雷弗曼、比尔·克莱格、黑兹尔·科尔曼，迈克尔·坎宁安、迈克尔·戈姆利、考特尼·侯德尔、萨拉·勒琴斯、布鲁·马斯登、凯思琳·奥利伦肖、沙比尔·潘多尔、莫莉·珀杜、贝丝·波维内丽、诺丽·普拉特、萨莉·伦道夫、乔伊斯·拉维德、雅娜·沃克罗斯奇、凯茜·维斯特伍德。

感谢我的代理人迈克尔·卡莱尔的大力相助，盛情难以回报。

以下人士在本书出版过程中也做出了卓越贡献，他们是：史蒂文·阿普尔比、伊桑·巴斯奥夫、泰丝·卡拉威、蒂姆·达根、休·弗瑞史东、卡洛琳·加斯科因、埃迪·米齐、詹姆斯·奈廷格尔、苏珊·桑登和迈克尔·舍伦贝格。

本书得以问世完全归功于简·海恩斯、詹姆斯·勒塞纳、彼得·帕克、萨利·维克斯给予的爱与支持。

当然，若不是我的母亲，本书也不可能问世，在此我把本书献给她。